Diogenes Taschenbuch 24068

Claus-Ulrich Bielefeld
Petra Hartlieb

Auf der Strecke

*Ein Fall für
Berlin und Wien*

Diogenes

Originalausgabe

Alle Rechte vorbehalten
Copyright © 2011
Diogenes Verlag AG Zürich
www.diogenes.ch
20/13/52/5
ISBN 978 3 257 24068 9

Alles Unglück in der Welt beginnt damit, dass die Leute nicht zu Hause bleiben.

Warum muss mir denn nun gerade diese Lebensweisheit durch den Kopf schießen?, fragte sich Xaver Pucher und stemmte sich entschieden gegen Wind und Regen, die über den Platz vor dem Wiener Westbahnhof fegten. Papier und Unrat wurden von den Sturmböen aufgewirbelt, die wenigen Passanten, die an diesem windigen Septemberabend über den Platz eilten, wirkten wie Verurteilte.

Pucher atmete auf, als er endlich den Bahnhof erreicht hatte, dessen hell erleuchtete Glasfassade in diesem Moment etwas geradezu Tröstliches ausstrahlte. Unter dem Vordach klappte er seinen Schirm zusammen, wischte sich mit der freien Hand über sein regennasses Gesicht und leckte mit der Zunge über die Lippen. Der Geschmack von nassem Gummi, Benzin und Schmutz bereitete ihm Übelkeit. Er schluckte kurz und angewidert und versuchte dann wie die anderen Passanten, sich halbwegs herzurichten. Die Haare, die ihm wie ein feuchter Waschlappen ins Gesicht hingen, strich er hinter die Ohren. Ein kleines Wasserrinnsal lief in den Kragen seines dunkelbraunen Kamelhaarmantels, der ihn wie ein nasser Sack umhüllte. Die Reisetasche aus hellem Kalbsleder hatte sich dunkel verfärbt, und seine rahmengenähten Budapester waren offensichtlich nicht wasserdicht. Kurzum: Die elegante Erscheinung, die er mit seinen gut dreißig Jahren so gerne abgeben wollte und an deren Perfektionierung er täglich arbeitete, war gründlich derangiert.

Sich jetzt nur nicht entmutigen lassen! Er begab sich auf eine gefährliche Expedition, das wusste er, aber am Ende würde er als Sieger dastehen. Und zwar auf der ganzen Linie. Er würde ein weit berühmterer Schriftsteller sein, als er es jetzt war, eine Art Bret Easton Ellis der Deutschen, ein amoralischer Moralist, einer, in dem alle Großen steckten, einer, dessen Bücher begierig erwartet und gelesen und weltweit vertrieben würden. Und er würde reich werden. Zu seiner geerbten Wohnung in der Bäckerstraße, die ihm langsam ein wenig eng wurde, könnte eine Wohnung in Berlin kommen, eventuell auch eine alte Mühle im Waldviertel, doch das ging nur mit dem nötigen Kleingeld. Schließlich hatte er keine Lust, seine Wochenenden im Baumarkt zu verbringen. Nur Größenwahnsinnige können groß werden. Ein Aphorismus von ihm. Oder: Wer sich nicht weit entfernt vom Ufer, wird auch keine neuen Kontinente entdecken. Valéry. Oder war es doch Gide? Er verwechselte die beiden immer.

Pucher straffte sich, was ihn allerdings auch nicht wesentlich größer werden ließ, und durchquerte die Bahnhofshalle, in der sich kaum mehr Reisende aufhielten. Obdachlose, Tauben, Reinigungspersonal, was für ein Kaff dieses Wien doch ist, mitsamt seinem hässlichen, provinziellen Westbahnhof. Fast bereute er schon seinen Entschluss, mit dem Zug nach Berlin zu fahren; doch als er auf den Bahnsteig trat und sah, dass der Zug schon bereitstand, war er wieder versöhnt. Die letzten Getränke wurden aufgefüllt, ein paar Kisten angeliefert, schummriges Licht leuchtete aus den großen Fenstern. Abfahrt: 22:12 Uhr. Der *Euronight* von Wien nach Berlin stand bereit. Diese Billigflieger, mit denen alle unterwegs waren, gingen ihm auf die Nerven. Mit der Bahn durch die Nacht fahren, vom leisen und manchmal lauten Schwellenschlag eingelullt... Er hatte den Schlafwagen gebucht, die Luxuskabine mit einem Bett, Dusche und WC. Ganz schön teuer, immerhin fast 250 Euro. Aber bald würde er ja nicht mehr rechnen müssen.

Als der nach Essen und Schweiß riechende Schaffner ihm mürrisch sein Abteil zuwies, musste er seinen Missmut unterdrücken. So wie in alten Zeiten würde es natürlich nie wieder werden. Schade, dass er das nicht erlebt hatte: exzellente Bedienung, ein Diner im Speisewagen, Champagner, schöne Frauen in Seidenkleidern, während der Zug durch die Nacht zog, unbekannte kleine Stationen passierte und morgens der Nebel über reifbedeckten Wiesen lag. Xaver Pucher schaute sich in seinem kleinen Kabuff um. Immerhin: Die Bettwäsche war fleckenlos weiß und hatte scharfe Bügelfalten, das Tischchen am Fenster wies keine Fingerabdrücke auf, die Dusche und die Kloschüssel waren sauber.

Er hängte seinen Mantel auf einen Bügel, ebenso das Kaschmirjackett. Die nassen Schuhe stopfte er mit dem Anzeigenteil des *Standard* aus. Dann lockerte er die Armani-Krawatte, legte sie aber nicht ab. Jetzt noch die Ärmel seines chamoisfarbenen Maßhemdes hochkrempeln. So mochte er das. Irgendwie, fand er, sah er dann aus wie der Chefredakteur eines amerikanischen Magazins. Er entspannte sich, seufzte behaglich und griff in seine Reisetasche. Eine Flasche Bordeaux und einen Flachmann mit altem Calvados, den er aber erst kurz vorm Einschlafen zum Einsatz bringen würde, platzierte er auf dem Tischchen neben dem Bett. Er goss sich ein Glas Wein ein, nicht ohne den Gedanken, dass im *Train Bleu* oder im *Orientexpress* sicher nur feinste Kristallgläser zum Einsatz kamen. Nach dem ersten Schluck griff er nach dem Päckchen mit dem weißen Pulver und schob es tiefer unter seine Hemden, das brauchte er jetzt nicht.

In diesem Moment fuhr der Zug langsam an. Als er über eine Weiche ratterte, fing das Rotweinglas an zu tanzen. Xaver umfing es mit einer Hand, führte es an den Mund und nahm einen tiefen Schluck, dann noch einen. Ein angenehmer Wärmestrom durchpulste ihn. Jetzt war er sich sicher: Alles würde klappen. Der Zug nahm Fahrt auf, die Vorstädte mit ihren riesigen Gemeindebauten zogen vorbei, dieses rötlich in der Nacht schimmernde Steingebirge. Er hatte einmal für ein Magazin eine Reportage über das »Rote Wien« geschrieben, über den sozialen Wohnungsbau der dreißiger Jahre. Die Architektur hatte ihn verwirrt: Er fand sie totalitär, überall roch er den Gestank sozialer Kontrolle, und doch spürte er auch das Gefühl der Solidarität, das dort einmal geherrscht haben musste. Es war seine schwächste Reportage. »Das ist nicht für die *Zeit*«, hatte der Chefredakteur gemault, »wo bleibt dein legendärer Zynismus?« Ja, wo war der damals geblieben? Auch er hatte seine schwachen Momente.

Er lehnte sich zurück, ließ den Wein im Glas kreisen und dachte an das Manuskript. Es faszinierte ihn immer noch, was mit Wörtern möglich war, wie ihre kunstvolle Fügung und Mischung eine neue Wirklichkeit schufen. Und auch das Motto seines neuen Romans war schlichtweg genial: *Ich bin die Lüge, die die Wahrheit spricht.* Jean Cocteau, aber wer kannte den noch?

Draußen Dunkelheit, verschattete Wälder und Felder, manchmal funzlige Lampen, einsame Häuser. Hier war er schon einmal im Zug entlanggefahren, auf dem Weg nach Prag. Damals hatte er in einem Privatzimmer in irgendeinem Arbeitervorort übernachtet. Man musste erst mit der U-Bahn fahren. Die langen hölzernen Rolltreppen, die in den Untergrund führten, hatten ihm Angst gemacht. Er verstand die Sprache nicht, an jeder Haltestelle erklang eine sanfte Frauenstimme aus dem Lautsprecher: Wie einen Zauberspruch sagte sie immer das Gleiche, noch nach Jahren konnte er sich an die vielen Zischlaute erinnern. Ein Mädchen hatte ihn damals begleitet, das er gar nicht richtig kannte und das sich wie eine kleine schnurrende Katze an ihm gerieben hatte. Und die Frauen, die er diesmal in Wien hinter sich gelassen hatte? Da wollte er jetzt nicht dran denken.

Ein leiser Luftzug strich über seinen Nacken. Das trübe Licht in dem Abteil loderte auf, explodierte, er begriff nichts. Etwas riss ihn nach unten, er fiel in einen Trichter, er fiel, das Licht erlosch, es wurde schwarz. Er musste atmen, tief atmen, aber es ging nur schwer, atmen, wer hatte ihm die Zwinge um die Brust gelegt, wer zog sie zu? Atmen, noch immer fiel er, aber der Sturz verlangsamte sich.

Konnte er jetzt fliegen? Langsam glomm wieder ein Licht auf, schön und tröstlich, er musste gar nicht mehr atmen. Konnte man leben, ohne zu atmen? Und dann begriff er.

Piep-piep«. Anna Habel schreckte hoch. In den 22-Uhr-Nachrichten beteuerte gerade der Bundeskanzler mit schiefem Grinsen, dass der aktuelle Streit in der Koalition sicher nicht an seiner Partei liege. Anna versuchte, sich zu orientieren. Auch wenn sie nur knapp 1,60 Meter maß, das Fernsehsofa war eindeutig zu kurz zum Schlafen, ihr Ischiasnerv zog besorgniserregend bis ganz unten ins Bein und von da wieder hoch bis in ihr schlaftrunkenes Hirn. Vor dem Sofa lagen unzählige zerknüllte Tempos, und der Becher mit Tee balancierte gefährlich auf einem Bücherstapel. Warum kann ich nicht einfach nur Schnupfen haben wie andere Menschen auch, dachte Anna und fischte das letzte Taschentuch aus der Packung. Seit Tagen plagte sie eine schlimme Erkältung, das feuchtkalte Septemberwetter tat sein Übriges, und die halbe Flasche Rotwein, die sie sich gestern als therapeutische Maßnahme genehmigt hatte, war für ihren Brummschädel wohl nicht die richtige Medizin gewesen. Das Handy, dachte sie, wer will denn um diese Uhrzeit noch was von mir? Mühsam zog sie das Mobiltelefon aus ihrer Hosentasche. »1 neue Mitteilung«, Absender Andrea. »Melk« las sie und musste grinsen. Seit mehr als sieben Jahren pflegte sie mit ihrer Freundin Andrea den »Melk-Brauch«. Immer wenn eine der beiden an dem imposanten Benediktinerkloster zwischen Wien und Linz vorbeifuhr, schrieben sie sich eine SMS. In völlig unmöglichen Situationen bekam sie Andreas Melk-Meldungen, und jedes Mal war sie froh, ein Lebenszeichen ihrer besten Freundin zu erhalten. »Sofa, Bett« schrieb sie zurück, holte sich eine neue Packung Tempos aus dem Bad, schlüpfte in den Flanellpyjama, zog die Frotteesocken an und schlurfte in ihr Schlafzimmer. Arme Andrea, dachte sie noch, schon wieder auf der Autobahn, hoffentlich wenigstens Richtung Wien. Vom Bücherstapel neben ihrem Bett reizte sie heute nichts – alles viel zu anstrengend für ein schnupfengeplagtes Hirn. Sie stellte den Wecker auf 7 Uhr 30 und fiel in einen unruhigen Schlaf.

Anna schlug auf den Wecker ein, doch das durchdringende Klingeln hörte nicht auf. 5 Uhr 10. Was soll das denn, lasst mich doch alle in Ruhe. Plötzlich war sie hellwach: Scheiße, kein Wecker, irgendwo klingelte ihr Handy. Sie sprang aus dem Bett, der schweißnasse Pyjama klebte unangenehm auf ihrer Haut, der Klingelton verstummte. Ich könnte so tun, als hätte ich es nicht gehört, dachte Anna und machte sich seufzend auf die Suche nach dem ständigen lästigen Begleiter. Viel zu pflichtbewusst war sie für so eine Schummelei. Zwischen den Sitzpolstern des Fernsehsofas fand sie endlich das Handy: »1 Anruf in Abwesenheit«, Anrufer: »Kolonja«. Anna drückte auf die Rückruftaste, und nach dem ersten Klingeln schnaufte ihr der Kollege ins Ohr:

»A Leich. Im Weinviertel. Im Zug.«

»Auch ich wünsch Ihnen einen schönen guten Morgen,

Herr Kollege, ich bitte um nähere Angaben.« Robert Kolonja mit seinem Floridsdorfer Gemeindebau-Slang reizte Anna auch nach drei Jahren Zusammenarbeit noch immer dazu, in eine sehr gewählte Ausdrucksweise zu verfallen.

»Ich steh da auf einem Abstellgleis der Österreichischen Bundesbahnen, irgendwo zwischen Bernhardsthal und Hohenau. Leiche männlich, zwischen 25 und 30 Jahre alt, aufgefunden im Schlafwagen.« Auch Kolonja konnte schön sprechen, wenn er sich bemühte. Dennoch blaffte Anna ihn aus reiner Gewohnheit noch einmal an.

»Erschossen, erdrosselt, erstochen oder gar vergewaltigt?«

»Der Doktor Schima is noch nicht da, aber die Leich is in Wien-West in Zug eingstiegen und bald darauf war's scho tot. Jetzt hat er an ganzn Waggon für sich allein.«

Richtig witzig heute, der Kolonja, dachte Anna. »Okay, gib mir zehn Minuten, ich ruf dich an, wenn ich im Auto sitze, dann gibst du mir die Koordinaten durch.«

Ein kurzer Abstecher ins Bad, ein hoffnungsloser Blick in den Kühlschrank und dann die Suche nach dem Autoschlüssel. Schon in Jacke und Schuhen ging sie noch mal in die Küche, stellte einen Teller auf den Tisch, nahm die Butter aus dem Kühlschrank und schnitt zwei Scheiben Brot von dem nicht mehr ganz frischen Laib. »Musste früh weg, schönen Tag! Komm nicht zu spät, und kauf dir was zu essen«, schrieb sie auf einen kleinen Zettel, den sie zusammen mit einem Zehn-Euro-Schein unter den Teller schob.

Auf einem Nebengleis stand ein einsamer Waggon der Österreichischen Bundesbahnen, er hing ein wenig schief in der Kurve und sah irgendwie absurd aus. Eine Tür stand offen, Leute liefen geschäftig umher, und aus einem Autoradio plärrte die Musik von Radio Niederösterreich. Aus dem Waggon stieg gerade der Gerichtsmediziner, Doktor Schima. Wie immer wirkte er gutgelaunt.

»Also, ein netter junger Mann, Typ: Schwiegermutterliebling. Wurde wohl mit einer dünnen Drahtschlinge erwürgt. Die Mordwaffe haben wir allerdings noch nicht gefunden. Der Schaffner hat ihn kurz nach der Tat gefunden, so um 22 Uhr 45. Mehr gibt's von meiner Seite nicht zu sagen. Der braucht ja leider keinen Arzt mehr. Aber mir scheint, Sie bräuchten einen. Soll ich Ihnen was verschreiben?«

Anna lächelte gequält. »Mindestens eine Woche Krankenstand und einen guten Krimi.«

Ein blasser Trenchcoat mit Schnauzer und Kappe kam auf sie zu.

»Grüß Gott, mein Name ist Kronberger, ich bin der zuständige Beamte aus St. Pölten.«

»Guten Tag, Habel, Mordkommission Wien.«

Sie bemühte sich, freundlich zu klingen, sie wollte diesen niederösterreichischen Polizeibeamten so schnell wie möglich loswerden und das Mordopfer sehen.

»Ach, die Wiener san da. Ja, da samma froh.«

O je, das wird nicht leicht, dachte Anna und blickte zu Kolonja, der mit den Schultern zuckte. Sie bemühte sich um ein Lächeln und einen herzlichen Händedruck für den Herrn Kollegen. Doch der ging gleich in die Offensive.

»Wieso kommts' ihr denn so spät?«

Anna merkte, dass sie gleich in die Luft gehen würde. Sie

wusste stets von Anfang an, wie ihre Stimmung bei einer Untersuchung sein würde. Und wenn ein neuer Fall mit einem so übereifrigen Provinzbeamten wie diesem Trenchcoat begann, verhieß das nichts Gutes.

»Spät, Herr Kronenburger? Ich find's ziemlich früh.«

»Mein Name ist Kronberger! Wie ich gesehen hab, dass der Tote Wiener ist, hab ich euch sofort informiert. Mit eurem Alarmierungssystem läuft was schief, das ist das Problem, ihr habt ja erst Stunden später reagiert.«

Kolonja lief rot an. »Ja, ich hab da irgendeinen Knopf falsch gedreht. Aber jetzt samma ja da.«

Kronberger lief augenblicklich zur Hochform auf.

»Na schauts', einen Knopf falsch gedreht... Und wir machen hier die Arbeit. Ihr habts' jetzt ja gar nix mehr zu tun.«

Anna schnaufte und nieste dreimal vulkanmäßig. Jetzt musste auf der Stelle ein Punkt gesetzt werden.

»Das entscheiden immer noch wir, lieber Kronenburger. Immerhin handelt es sich hier um einen Mord, und ich glaube, den aufzuklären ist ein bisschen mehr Arbeit, als den Tatort zu sichern und ein paar zuständige Kollegen anzurufen. Was weiß man denn über die Identität des Opfers?«

Kolonja kam Kronberger zuvor.

»Alles, also, ich meine nicht viel außer den Personalien.«

»Und die wären?«

»Xaver Pucher, geboren am 30. August 1973 in Salzburg, wohnhaft in Wien, erster Bezirk, Bäckerstraße 7.«

»Was sagst du da? Xaver Pucher? *Der* Xaver Pucher?«

»Was meinst du damit? Kennen wir den? Ist der einschlägig?«

»Ja, sag mal, liest du denn nie Zeitung? Hörst kein Radio und schaust nicht fern?«

»Doch, schon, aber anscheinend nicht die gleichen Ressorts wie du.«

Kolonja wurde nicht müde, Anna mit ihrem »Kulturtick« aufzuziehen. Bücher, Theater, Kulturradio, all das war ihm zuwider, er empfand ein tiefes Misstrauen gegen alles, was im Entferntesten mit Kunst und Kultur zu tun hatte.

»Jetzt sag schon, wer ist der Typ?«

»Xaver Pucher ist – Verzeihung war – der Shooting-Star der deutschsprachigen Literaturszene. Sein letzter Roman *Herodots wilde Reisen* ist überall besprochen worden und verkauft sich wie warme Semmeln.«

»Entschuldigen Sie, wenn ich Ihre Literaturvorlesung unterbreche, aber möchten Sie vielleicht einen Blick auf das Opfer und den Tatort werfen?«

Kollege Kronenburger wird langsam ungeduldig, er sehnt sich wohl nach der Wärme der St. Pöltener Amtsstube, nach Kaffee und Kipferl, dachte Anna, stapfte an ihm vorbei durch den inzwischen völlig aufgeweichten Boden und zog sich am Haltegriff des Waggons in den hell erleuchteten Zug. Der Tote lag halb im Abteil, halb im Zuggang, bedeckt mit einem makellos weißen Leintuch der Österreichischen Bundesbahnen. Anna ärgerte sich, dass sie so spät dran war, sie fühlte sich betrogen um den ersten Eindruck, das Gespür für einen Fall, das entsteht, wenn man ein Opfer so sieht, wie es sein Mörder hinterlassen hat. Dieses Zugabteil hatte nicht mehr viel mit einem Tatort zu tun, und auch der Tote, der so akkurat unter seinem Laken lag, sah irgendwie seltsam normal aus. So, als müsse er hier liegen. Anna hob vorsichtig das Tuch an, und das Gesicht erinnerte nur vage an das des jungen Schriftstellers, den sie ein paar Wochen zuvor bei einer Signierstunde in einer großen Wiener Buchhandlung gesehen hatte. Jung hatte er da ausgesehen, sein Bad in der Menge sichtlich genossen, wenn auch sein freundliches Lächeln ein wenig arrogant wirkte. Nun hatte sein Gesicht nichts Jugendliches mehr an sich. Aschfahl und verzerrt war es, die Augen quollen hervor, und die Zunge hing ihm aus dem Mund. Und wie ein Blitz durchfuhr sie die Erinnerung, dass es vor ein paar Monaten Drohungen gegeben hatte von Seiten irgendeiner islamistischen Gruppierung, die sich von Puchers jüngstem Buch verunglimpft fühlte.

Nicht sehr vorteilhaft, dachte Anna, dieses Bild würde dem eitlen Bubi wohl nicht gefallen. Kolonja blickte über ihre Schulter.

»Elegant, der Herr. Hast du seine Klamotten gesehen? Allein die Schuhe mein halber Monatslohn.«

»Der hat auch gut Geld verdient in den letzten Monaten, und arm war er schon vorher nicht gewesen. Irgendetwas Auffälliges im Abteil gefunden?«

»Allerdings! In seiner hübschen Reisetasche befinden sich nicht nur frische Unterhosen.« Kolonja schwenkte einen Beutel mit weißem Pulver.

»Ich glaube jedenfalls nicht, dass es Waschpulver ist.«

»Das ist ja eine ganze Menge. Mehr als bloß ein wenig Reiseproviant. Sonst noch was?«

»Das Übliche. Wäsche für drei, vier Tage, Portemonnaie, eine Flasche Rotwein, ein Flachmann mit einem wohlriechenden Schnaps, ein Mantel und ein Handy. Das hat auch schon ein paarmal gepiepst.«

»Wer hat die Leiche gefunden?«

»Der Schlafwagenschaffner. Er ist da hinten in seinem Abteil.«

Anna stieg vorsichtig über den Toten und klopfte an die offene Tür des Dienstabteils. Der junge Mann, der zusammengesunken auf der schmalen Bank saß, sprang sofort auf und hielt die Luft an.

»Guten Morgen. Mein Name ist Anna Habel, ich bin von der Mordkommission. Sie haben den Toten gefunden?«

»Jawoll, Frau Kommissar! Ich geklopft und keine Antwort, ich noch einmal geklopft und dann Tür aufgemacht, und da liegt toter Mann! Und da ich hab Tür schnell zugemacht und sofort gegangen zu Zugchef. Und der hat Nothalt gemacht. Aber: Vielleicht besser bis Bahnhof gefahren?«

»Woher wussten Sie denn, dass der Mann tot ist?«

»Na, die Augen! Er mich angeschaut. Ich weiß, wie ausschaut, wenn tot.«

Interessant, dachte Anna, fragte den Schlafwagenschaffner jedoch nicht nach seinen einschlägigen Erfahrungen mit Leichen.

»Was hatten Sie denn in dem Abteil zu tun, der Zug war doch noch gar nicht lange unterwegs?«

»Hat gefragt nach Polster. Obwohl Erste-Klasse-Abteil eh hat zwei.«

Er schüttelte missbilligend den Kopf.

»Dann dank ich Ihnen erst mal, wir haben sicher noch weitere Fragen. Haben die Kollegen Ihre Daten aufgenommen?«

»Ja, ich nicht mehr wissen, ich nix gesehen, nix gehört.«

Der Schlafwagenschaffner wollte sichtlich nichts mit der Polizei zu tun haben.

»Ja, ich glaub Ihnen ja. Sie können jetzt gehen.«

Als Anna zum Abteil des Toten zurückkam, wurde der gerade aus dem Zug verfrachtet. Die beiden Männer hatten Schwierigkeiten, die Bahre durch den engen Gang zu manövrieren. Früher hätte man ihn einfach aus dem Fenster gehievt, doch die konnte man in den Zügen ja nicht mehr öffnen, dachte Anna und sah sich im Abteil um. Ein Paar, wie Kolonja schon richtig bemerkt hatte, teure Schuhe, ausgestopft mit dem lachsfarbenen Papier der »Zeitung für Leser« stand unter dem Bett, an der Tür hing ein etwas ramponierter Kamelhaarmantel und die zerknautschte Reisetasche – all diese Gegenstände wirkten wie die Requisiten in einem schlechten Theaterstück.

Eine Flasche Rotwein stand auf dem kleinen Tisch am Fenster, doch das eingeschenkte Glas auszutrinken hatte er wohl nicht mehr geschafft. Auf dem Teppich ein hässlicher Rotweinfleck.

»Na dann wollen wir mal.«

Anna sprang aus dem Zug und steuerte Kronberger an, der missmutig unter seinem Regenschirm stand und rauchte.

»Ich würde vorschlagen, wir teilen uns die Befragung der Zuggäste.«

Hinter Kronbergers Schulter zwinkerte ihr Kolonja zu, rollte mit den Augen, tippte bedeutungsvoll mit dem Finger an seine Stirn.

Kronberger nahm einen letzten tiefen Zug aus seiner Zigarette und trat sie dann entschlossen in den Matsch.

»Die anderen Passagiere sind längst in Berlin, aber keine

Angst, während ihr noch im Traumland wart, haben wir die Befragung durchgeführt. Niemand hat etwas gehört oder gesehen.«

»Sie haben was?«

»Hier ist eine Liste mit den Namen und den Telefonnummern der Zuggäste.«

Anna fühlte, dass sie kurz davor war zu explodieren, und bemühte sich, so sachlich wie möglich aufzutreten. Jetzt ganz ruhig bleiben.

»Mein lieber Herr Kollege. Was bitte hat Sie dazu veranlasst, den Zug weiterfahren zu lassen? Das gibt's ja wohl nicht! Und der Täter sitzt jetzt in Prag und lacht sich ins Fäustchen. Oder glauben Sie, unser junger Mann hat sich selbst erdrosselt? Und wo ist der Zugchef?«

»Auf dem Weg nach Berlin, beim Frühstück, was weiß ich. Im Übrigen habe ich natürlich alles mit meinen Vorgesetzten abgesprochen. Und ihr wart ja im Traumland.«

Kronberger wirkte beleidigt. Anna war sauer.

»Das wird ein Nachspiel für Sie haben und für Ihre dämlichen Vorgesetzten auch. Die Liste, bitte.«

Drei Seiten Namen, Adressen, Telefonnummern. Unmöglich, die alle innerhalb der nächsten 24 Stunden zu befragen.

»Komm, Kolonja, wir haben hier nichts mehr zu tun. Die Kollegen haben eh schon die ganze Arbeit erledigt. Ah ja, und Herr Kollege Kronenburger, würden Sie mir bitte das Handy des Toten geben? Die übrigen Sachen schicken Sie mir bitte ins Präsidium!«

»Jawohl.«

»Und noch was: keine Presse! Sie rufen jetzt nicht Ihren

Spezi aus der Stammtischrunde an, der zufällig bei den *Niederösterreichischen Nachrichten* arbeitet. Wir brauchen ein paar Stunden Vorsprung, bevor wir die ganze Meute am Hals haben.«

Kronberger sah wohl ein, dass jedes weitere Wort seine Lage nur verschlimmert hätte.

Obwohl jede Faser ihres Körpers nach Frühstück schrie, hatte Anna Habel genug von der niederösterreichischen Provinz und nahm den direkten Weg nach Wien. Sie sehnte sich nach ihrem Büro, nach einer Tür, die sie – zumindest kurzfristig – hinter sich schließen konnte. Und selbst der Automatenkaffee auf dem Polizeipräsidium war dem sogenannten »Verlängerten«, den sie einem auf dem Land servierten, vorzuziehen.

Nun also ein toter Autor, sinnierte sie. So etwas hatte sie noch nie gehabt. Überhaupt war bisher noch in keinem ihrer Mordfälle ein Prominenter involviert gewesen, weder auf der Opfer- noch auf der Täterseite. Anna war klar, dass ihre Arbeit diesmal anders als gewohnt verlaufen würde. Sie würde nicht so lange grübeln und vor sich hin puzzeln können, bis sie dann mehr oder weniger im Alleingang zur Lösung des Falls gelangte. Nun war von Anfang an die Presse mit dabei. Und ihr Chef, der eitle Hofrat Hromada, würde sich keine Pressekonferenz entgehen lassen. Mit einer gefährlichen Verrenkung fischte sie eine halbe Packung Taschentücher vom Rücksitz. Und dazu die CD, die ihr vor mehreren Monaten ein guter Freund geschenkt hatte und die sie seitdem erst einmal gehört hatte. *Guten Tag, guten Tag, ich will mein Leben zurück. Guten Tag, ich gebe zu, ich war am Anfang entzückt.* Seltsam: Die Kombination von Autofahren und lauter Musik weckte immer noch die Sehnsucht nach einer Zigarette in ihr, dabei war es sieben Jahre her, dass sie das Rauchen aufgegeben hatte.

Bewaffnet mit einer Extrawurstsemmel und einem *Coffee-to-go* warf Anna die Bürotür hinter sich zu. Auf ihrem Schreibtisch klebten unzählige pinkfarbige Post-its, auf denen Susanne Schellander in ihrer peniblen Schrift sämtliche Anrufer notiert hatte.

Anna schaltete den Computer an und kramte in ihrer Handtasche nach dem sichergestellten Mobiltelefon. Durch die Plastiktüte sah sie mehrere Anrufe in Abwesenheit und diverse Mitteilungseingänge. »Sprachbox«. Sie zögerte kurz, sollte sie wirklich die Mobilbox von Xaver Pucher abhören? Quatsch, was soll das denn, Promi hin oder her, der gute Mann ist tot. Die erste Nachricht kam von einer nicht angezeigten Rufnummer: »Hey, hier ist Philip-Peter. Bist du schon wach? Vielleicht kannst heute schon etwas früher kommen? Bevor die ganze Bagage hier auftaucht. Dann könnten wir noch zwei ruhige Worte wechseln. Tschüs, bis später.«

Und auch die zweite Nachricht war von derselben Stimme: »Hier spricht noch mal Philip-Peter. Warum hast du eigentlich dein Handy immer noch nicht eingeschaltet? Hast du eigentlich alles dabei? Ich bin schon gespannt, ruf mich doch kurz zurück.«

Na, da wartet einer ja schon ganz sehnsüchtig auf unseren Star, dachte Anna und tippte gedankenverloren »Xaver

Pucher« in die Google-Startseite. 270 000 Einträge – und ganz oben die eigene Homepage des jungen Autors. Sehr professionell, nicht zu voyeuristisch, und trotzdem hatte man als Betrachter das Gefühl, einen Einblick in das Privatleben des Autors zu erhaschen.

So kommen wir nicht weiter, jetzt muss ich die Mühlen wohl zum Laufen bringen. Anna kramte in ihrer Tischlade und förderte einen blauen Schnellhefter zutage. »Mordkommission BRD« hatte ihn jemand vor vielen Jahren mit blauen Schnörkeln beschriftet. Na hoffentlich sind die Nummern nicht so alt wie der Umschlag, dachte Anna und wählte die fettgedruckte Berliner Nummer.

»Thomas Bernhardt«, tönte nach dem zweiten Freizeichen eine tiefe Stimme aus dem Hörer.

»Hm, entweder ich hab mich verwählt, oder aber – nein – hier spricht Ingeborg Bachmann.«

»Gar nicht schlecht, gab aber schon bessere. Mordkommission Berlin, Abteilung 5, mein Name ist Thomas Bernhardt. Na, Frau Bachmann, womit kann ich dienen?«

Anna wusste nicht, was sie von der Stimme halten sollte: nicht unangenehm und eigentlich ganz freundlich, zugleich aber auch distanziert. Sie nahm einen Schluck lauwarmen Kaffee aus ihrem Plastikbecher. Schwierig, sagte sie sich, mit dem wird es schwierig. Sie seufzte.

»Ich weiß nicht, ob ich bei Ihnen richtig bin, es geht um Mord, Herr Bernhard ...«

»Mordkommission ist meist ganz gut, wenn's um Mord geht, oder? Bernhardt mit dt am Schluss übrigens.«

»Na, immerhin. Ich bin Chefinspektor Anna Habel aus Wien.«

»Ich denke, Sie heißen Bachmann.«

»Das war ein Scherz.«

»Wieso?«

»Weil Sie Bernhardt heißen.«

»Ja und?«

»Thomas Bernhard war ein berühmter österreichischer Schriftsteller, das wissen Sie?«

»Ja natürlich.«

»Und Ingeborg Bachmann war...«

»Ach so, ja, verstehe. *Erklär mir Liebe, Böhmen liegt am Meer, Anrufung des Großen Bären, Undine geht zum Strand...*«

»Undine geht reicht.« Anna zog heftig die Nase hoch und nieste. Dann holte sie tief Luft und schnauzte ihn an: »Wieso stellen Sie sich dann so dumm?« Was bei diesem Kronenburger richtig war, konnte bei Bernhardt nicht falsch sein.

»Ach, das ist 'ne kleine berufliche Deformation. Damit kommt man bei Verbrechern und Frauen am weitesten. Ist meine Erfahrung.«

Anna bedauerte sehr, dass sie von der Erkältung und vom frühen Aufstehen so geschwächt war. Sie schluckte trocken, unterdrückte den plötzlich aufflammenden Halsschmerz und wollte schon zum Gegenschlag ausholen. Doch Bernhardt kam ihr zuvor.

»Ist das eigentlich Wienerisch, was Sie da sprechen?«

Anna fasste es nicht: Was bildete der sich denn ein?

»Das ist Oberösterreichisch mit einem Schuss Wienerisch. Sollen wir einen vereidigten Dolmetscher bestellen, oder können wir jetzt mal langsam zur Sache kommen?«

Bernhardt lachte, was Anna zu ihrer Verblüffung gar nicht so unsympathisch fand.

»Ich kann nur Hochdeutsch, mit einem ganz kleinen hessischen Einschlag.«

»Na, herzliches Beileid. Hören Sie mal, lieber Kollege, seid ihr in Preußen alle so langsam?«

»Gegenfrage: Warum seid ihr in Wien denn gleich so hektisch? Bis zur Lagebesprechung hab ich noch'n bisschen Zeit. Und da können wir uns doch in aller Ruhe aneinander gewöhnen. Anscheinend haben wir einen gemeinsamen Fall. Bevor wir loslegen, aber noch eine Frage: Was machen Sie eigentlich gegen Ihre Erkältung? Hört sich echt schlimm an. Ich empfehle Lindenblütentee.«

»Ich danke. Und jetzt hören Sie mir mal zu: Wenn Sie mich noch einmal unterbrechen, werde ich echt böse. Also…«

Thomas Bernhardt legte seine Füße auf den Schreibtisch und folgte dem gleichmäßigen Redefluss, der aus dem Telefonhörer drang. Die beißt sich fest, die lässt nicht locker, bis sie alles weiß, war sein Eindruck. Er versuchte sich ein Bild von ihr zu machen: Mehr so der alpenländische Typ, braune Haare, braune Augen, brauner Teint, scharfgeschnittene Nase? Da fehlt ja nur noch das Dirndl, sagte er sich und verwischte das Bild schnell wieder. Er blickte auf die Fensterscheibe, an der der Regen hinunterrann. In Berlin begann der Winter eben im September und endete Ende April, so war das nun mal.

Die Figur, die das Fenster leicht verzerrt reflektierte, brachte ihn auch nicht auf freundlichere Gedanken, obwohl: Dass er die Haare neuerdings ganz kurz trug, gefiel ihm, da wirkten sie nicht mehr so grau. Die Tränensäcke unter den Augen, die von den Brillengläsern noch vergrößert wurden, würden wohl nicht mehr weggehen. Wobei, wer weiß, mit weniger Alkohol … Aber gab es überhaupt jemanden in diesem Riesenbau in der Keithstraße, wo er und seine Kollegen von der Berliner Mordkommission arbeiteten, der ohne Alkohol leben konnte? Thomas Bernhardt bezweifelte das.

In der Tür sah er Cornelia Karsunke, die ihm signalisierte: Sitzung! Bernhardt nannte sie im Stillen und nur für sich »die Tatarin«, wegen ihrer schiefgeschnittenen Augen. Sie war erst Mitte zwanzig, sehr begabt, manchmal arbeitete sie schlampig, hin und wieder kam sie zu spät und roch nach Alkohol. Sie hatte zwei kleine Kinder, zwei Mädchen. Wie sie alles auf die Reihe bekam, war ihm rätselhaft. Sie war in Neukölln aufgewachsen, irgendwo zwischen Hermannstraße und Karl-Marx-Straße. »Alter Proletarieradel«, hatte sie einmal mit einem verlegenen Lachen gesagt, »uns wirft so schnell nichts um.« Über ihre Schulter lugte sein zweiter Assistent, Volker Cellarius, von ihm »der Durchstarter« oder »der Akademiker« genannt, Anfang dreißig. Die beiden würden es noch weit bringen. Andererseits: Sollten sie doch erst einmal so alt werden wie er.

Er winkte ihnen zu: Komme gleich nach.

»…und dann lässt dieser Idiot Kronenburger den Zug weiterfahren.«

Thomas Bernhardt nahm die Füße vom Schreibtisch und streckte sich. Also gut: Dann wird jetzt gearbeitet.

»Tja, ob das schlimm ist, weiß ich nicht. Wenn er wirklich alle Personalien aufgenommen hat, ist das schon mal 'ne gute Leistung. Wobei wir, glaube ich, davon ausgehen können, dass der Täter...«

»...oder die Täterin.«

»Oder die Täterin... Sind Sie eigentlich Feministin?«

»Sind Sie eigentlich Chauvinist?«

»Nein, ich weiß nur immer gerne genau, mit wem ich es zu tun habe.«

»Und da glauben Sie, es ist hilfreich, die Menschen gleich in Schubladen zu packen?«

»Lassen Sie uns doch lieber über unseren Fall sprechen. Also: Der Täter wäre ziemlich blöd, wenn er nach der Tat im Zug geblieben wäre. Andererseits: Wie ist er rausgekommen? Wie hat er das Weite gesucht? Hatte er ein Auto in der Nähe geparkt, ist er per Anhalter davongefahren, hat er ein Taxi genommen? Erdrosseln mit einem dünnen Metallseil spricht eher für einen Täter, ich gebe aber zu, dass die Frauen erhebliche Fortschritte gemacht haben. Ich kann mir also auch eine Mörderin vorstellen.«

»Ich unterbreche mal, nix dagegen, oder?«

»Überhaupt nicht. Apropos: Lindenblütentee. Bitte wirklich richtige Lindenblüten in der Apotheke kaufen, die aus der Provence sind die besten, nicht die Beutel, wo nur ein bisschen Staub drin ist...«

»Hören Sie jetzt endlich auf. Wir in Wien sind auch nicht blöd. Der Täter, die Täterin ist weitergefahren oder nicht. Wir wissen's nicht. Immerhin haben wir die Liste aller Personen, die zum Zeitpunkt des Mordes im Zug waren. Aus dem fahrenden Zug wird er wohl nicht gesprungen sein.«

»Okay, faxen Sie mir die Liste, ich setze gleich jemanden darauf an.«

»Die Untersuchung muss wasserdicht sein, damit wir uns hinterher keine Vorwürfe zu machen brauchen.«

Thomas Bernhardt stöhnte kurz auf. »Meine liebe Frau Habel. Wir hier in Berlin sind in der Lage, eine Namensliste auf Übereinstimmungen mit dem Opfer zu untersuchen. Wir haben hier eine funktionierende EDV, Zugriff auf die gängigen Datenbanken und sogar Internet.«

»Jetzt sinds' nicht gleich beleidigt. Ich meine ja nur, wir sollten uns beeilen. Wir versuchen hier, eine DNA zu kriegen. Wir werten seinen Laptop aus, gehen jede Nummer auf seinem Handy durch, mein Kollege Kolonja ist schon in der Stadt unterwegs und sucht seine Freunde und vor allem seine Freundinnen auf. Aber ich hätte auch schon einen konkreten Auftrag.«

»Das ist aber nett.«

»Wir haben auf seinem iPhone den Terminkalender durchgesehen, er hatte heute um siebzehn Uhr eine Verabredung bei seinem Berliner Agenten. Der heißt Philip-Peter Weber. Er war auch mehrmals auf seiner Sprachbox, der kann es anscheinend nicht erwarten, bis Pucher ankommt. Also Philip-Peter Weber, ist klar, oder?«

»Können Sie mir nicht beide Namen buchstabieren?«

»Das schaffen Sie doch selbst.«

»Na ja, so halbwegs. Mit oder ohne Bindestrich? Und können Sie mir noch sagen, was ich fragen soll?«

Anna Habel antwortete mit einem mächtigen Nieser. Und noch einem. Und noch einem. Dann schwieg sie eisern.

»Gut, ich werd schon selbst drauf kommen. Küss die Hand, Frau Kollegin. Man hört sich heute Abend noch mal, so gegen 20 Uhr, schlag ich vor. Würde das der Frau Kollegin konvenieren, oder ist man da schon im Beisel?«

»Ach, hörens' auf. Bis heut Abend.«

Anna Habel knallte den Hörer auf und lehnte sich in ihrem Bürostuhl zurück. Ein Arsch, ein echter Arsch, aber wirklich. Als sie einen Schluck Kaffee aus ihrem Becher genommen hatte, schüttelte sie sich. Dieses kalte Gesöff ätzte einem ja die Magenwand durch.

4

Thomas Bernhardt ging schnell in Richtung »Großes Sitzungszimmer«. Er schaute nicht links und nicht rechts. Er ertrug einfach nicht die grünlich-bräunliche Farbe, mit der die Wände gestrichen waren. Als er tief durchatmend die Tür des Sitzungszimmers öffnete, waren alle schon versammelt.

Bernhardt kam grundsätzlich zu spät, dann konnte er sich in die zweite Reihe setzen und auf Tauchstation gehen. Cornelia Karsunke hatte ihm einen Platz frei gehalten. Er faltete sich möglichst schnell und unauffällig auf seinem Stuhl zusammen, was aber nichts nutzte.

»Ah, der Herr Erste Kriminalhauptkommissar Bernhardt ist auch schon da. Wie schön.«

Das war der Leiter der Mordkommission, sein Freund, Kollege und gelegentlicher Feind, Karl Freudenreich. Wie Bernhardt hatte er sein Soziologiestudium irgendwann abgebrochen, nach dem Motto »Lieber ein frustrierter Polizist als ein frustrierter Soziologe« bei der Polizei angefangen und sich langsam hochgearbeitet. Im Gegensatz zu Bernhardt hatte er irgendwann Spaß am Karrieremachen bekommen. Er war ein bisschen weniger melancholisch und weniger zynisch als Bernhardt. Als der ihm einmal nach dem fünften Bier vorgeworfen hatte, dass er jetzt endgültig »im

System angekommen sei«, hatte Freudenreich eine verblüffende Antwort gegeben: »Früher haben wir für das Gute gekämpft, und wenn wir Pech gehabt hätten, wären wir irgendwann Bombenwerfer geworden oder hätten ein paar Menschen mit Genickschuss getötet. Heute versuchen wir, Regelverletzungen zu verhindern. Ist dir mal aufgefallen, dass viele der Zehn Gebote fordern, dass du etwas *nicht* tun sollst?« Bernhardt hatte über diesen Satz Freudenreichs immer wieder nachgedacht. Sein anfänglicher Widerspruch hatte langsam nachgelassen. Wahrscheinlich hatte Freudenreich recht: Es ging darum, dass Gewalt nicht stattfand, dass sie verhindert und, falls sie doch ausgeübt worden war, bestraft würde. Ein paar Monate später hatte er Freudenreich eine Karikatur gezeigt: Ein älterer Mann lag da bei einem Psychoanalytiker auf der Couch. In der Sprechblase über seinem grämlichen Gesicht war zu lesen: »Früher wollte ich alles in die Luft sprengen.« Daraufhin der Analytiker sichtbar gelangweilt: »Ja und?« Die Antwort des Mannes: »Jetzt habe ich Angst, dass es einer tut.« Als Bernhardt im Gespräch mit Freudenreich meinte, dass sei inzwischen doch auch ihre Haltung, ganz klar, war Freudenreich leicht errötet, hatte eine wegwerfende Handbewegung gemacht und dann ziemlich verärgert gesagt: »Du bist immer noch der Typ, dem es ums Grundsätzliche geht. Spitz doch nicht alles zu. Sieh's doch mal so: Wir sind Beamte, wir machen unsere Arbeit.«

»... also, Thomas, du hast ja schon Kontakt mit der Kollegin aus Wien gehabt, Anna Haferl...«

»Habel, Habel.«

»Egal, sie hat mir jedenfalls gesagt, dass sie in Wien schon voll im Einsatz sind. Was haben wir denn bisher im Fall Buch… Buchinger?« Freudenreich blätterte in den Papieren, die vor ihm lagen.

»Pucher, Xaver Pucher. Ich mache mich mit Cornelia und Volker gleich an die Arbeit. Ich geh zu seinem Agenten, Cornelia und Volker werden sein Umfeld in Berlin checken, und Katia beginnt mal, die Namen der Fahrgastliste durch die Datenbanken zu jagen. Und alle einmal mit Xaver Pucher kombiniert durchs Google. Ich weiß, das dauert Stunden, wir versuchen, noch eine Hilfskraft abzustellen.«

Die Sitzung war zu Ende, und alle drängten zum Ausgang, Cornelia Karsunke ging auf Thomas Bernhardt zu und grinste ihn an.

»Schön, dass wir wenigstens auf der Sitzung erfahren haben, worum's geht. Besser wär's gewesen, du hättest uns das vorher gesagt.«

»Komm, sei nicht sauer, ich habe doch gerade erst mit der Kollegin aus Wien gesprochen, und die hat sich dann offensichtlich direkt danach an Freudenreich gewendet. So sind sie halt, die Wiener, brauchen eben einen Hofrat, dem sie alles erzählen können.«

Bevor sie wieder in ihre Büros traten, gab auch Cellarius noch ein paar säuerliche Worte von sich, doch am grimmigsten schaute definitiv Katia Sulimma.

»Ihr fahrt ein wenig spazieren, und ich bekomm mal wieder eine Liste, von der ich jetzt schon weiß, dass ich sie ganz umsonst bearbeiten werde.« Sie seufzte und ließ sich in ihren Bürostuhl fallen.

Bernhardt schloss die Bürotür und setzte sich an seinen Schreibtisch. Ein paar Minuten starrte er ins Leere, verfolgte, ohne dass er es merkte, die Regenrinnsale auf dem Fenster, die sich zu immer neuen Mustern formten. Bevor er sich Xaver Pucher zuwenden konnte, galt es, noch eine andere Arbeit zu erledigen. Er musste sich zwingen, die Akten im Fall des Videomörders noch einmal zu öffnen. Das war das Schlimmste, was er je erlebt hatte. Er hatte wirklich ernsthaft überlegt, ob er aufhören sollte. Kloakenreiniger waren sie, nichts anderes, und der Gestank, der sie umgab, würde für immer an ihnen haften bleiben. Endlich begann er, seinen Abschlussbericht zu schreiben. Doch nach den ersten Sätzen schrillte das Telefon. Er las den Absatz zu Ende und ließ es lange klingeln.

»Ja, hier ist die Anna Habel. Schön, dass Sie doch noch rangehen. Arbeitet ihr eigentlich mit Zeitverzögerung in Berlin? Das dauert ja endlos, bis einer abhebt...«

Bernhardt merkte, wie der Jähzorn in ihm hochstieg. So ein blöder Akzent, so ein blödes Getue, was bildete sich diese blöde Wiener Kuh denn ein?

»Was bilden Sie sich denn ein? Endlos. Was haben Sie denn für Vorstellungen? Wenn ihr in Wien so schlecht ermittelt, wie ihr unpräzise vor euch hin quatscht, na dann, gute Nacht. Habt ihr, haben Sie überhaupt den Hauch einer Ahnung...«

Bernhardt merkte, dass er sich verhedderte, und wurde noch wütender, was Anna die Chance gab einzuhaken.

»Sorry.«

»Ja, sorry, sorry. Was Besseres fällt Ihnen auch nicht ein. Also, was ist?«

»Wir haben jetzt den Namen seiner Berliner Freundin, besser gesagt: seiner Hauptfreundin. Es scheint nämlich mehrere Nebenfreundinnen zu geben. Aber ich will Sie ja nicht überlasten. Der Name der Hauptfreundin: Miriam Schröder. Soll ich das wieder buchstabieren? Und dann die Adresse: Hufelandstraße 57. Soll Prenzlauer Berg sein.«

»Wo auch sonst. Gut, vielen Dank.«

Es ärgerte Thomas Bernhardt, wenn sein Jähzorn zu schnell in sich zusammensackte, wie gerade jetzt. Das wirkte dann so, als hätte er ein schlechtes Gewissen. Und wenn er es sich genau überlegte: So war es ja auch.

»Ja also, jetzt seins' mir net bös. Wir telefonieren heut Abend, wie verabredet, ja?«

Na warum denn plötzlich so zuckersüß, Frau Kollegin, sagte Bernhardt zu sich selbst. Sollte die gute Anna auch ein schlechtes Gewissen haben, a bisserl wenigstens?

5

Als Anna ihr seltsames Telefonat mit diesem Berliner Kommissar hinter sich gebracht hatte, saß sie lange auf ihrem Schreibtischstuhl und malte gedankenverloren Strichmännchen und Buchstaben auf ihre Schreibtischunterlage. Es gab mehr als genug zu tun, doch sie wusste, wenn sie jetzt zum Hörer griff und alles in Gang setzte, dann würden sich die Dinge überstürzen und das Chaos über sie hereinbrechen. Sie wollte sich wenigstens noch ein paar Minuten Zeit zum Nachdenken gönnen.

Anna blätterte in ihrem Tischkalender, der wie jedes Jahr von der *Wiener Städtischen Versicherung* gestiftet und von Anna, die jeglicher Form von elektronischen Notizbüchern zutiefst misstraute, heftig vollgekritzelt war, und fand den gesuchten Eintrag rasch: Donnerstag, 25. Mai, 20 Uhr, Buchhandlung Wallner – Xaver Pucher. Da hatte sie den jungen Autor kennengelernt, und jetzt lag er quasi tot vor ihr auf dem Tisch.

Sie ging zu Kolonja ins Nebenzimmer, nahm den Besucherstuhl aus der Ecke und stellte ihn mitten ins Zimmer.

»Mein Gott, ist das ordentlich bei dir!«

Anna betrachtete die penibel aufgeräumte Schreibtischplatte, die in gleichmäßigem Abstand das Fensterbrett schmückenden Kakteen und die Pinnwand, an der geometrisch angeordnet einige Post-its und der Wochenspeiseplan der Kantine hingen.

»Ja, ich weiß. Bei dir könnte man sich nicht so einfach auf den Stuhl setzen. Aber kommst du deswegen rüber? Suchst du Asyl?«

»Nein. Natürlich nicht. Ich wollte dir was erzählen.«

»Ja?«

»Ich kannte den Toten.«

»Ja, das sagtest du bereits. Er war ja angeblich berühmt.«

»Nein, ich meine, ich kannte ihn persönlich.«

»Echt? Wie gut?« Kolonja zog die linke Augenbraue hoch und lehnte sich erwartungsvoll nach vorne. »Der war doch viel jünger als du!«

»Nein, doch nicht so. Was glaubst du denn?! Ich war mal bei einer Lesung.«

»Ah so.«

Kolonjas Aufmerksamkeit sank rasch wieder.

»Nein, aber hör zu, das war trotzdem echt interessant. Er wurde nämlich vom Staatsschutz bewacht.«

»Warum das denn?«

»Weil irgend so eine dubiose Islamistengruppe Morddrohungen gegen ihn ausgestoßen hatte.«

»Mein Gott. Ist das womöglich was Politisches? Al Kaida nicht auf einem der internationalen Flughäfen, sondern im Zug durchs Weinviertel?«

»Nein, das glaub ich nicht. Aber verfolgen müssen wir die Spur trotzdem.«

»Und wie war er so, der große Star? Hast sein Buch auch gelesen?«

Es war einer ihrer seltenen freien Abende gewesen, und Andrea hatte sie dazu überredet, eine Lesung des Jungstars in einer großen Wiener Buchhandlung zu besuchen: Xaver Pucher sollte aus seinem neuen Buch *Herodots wilde Reisen* lesen. Bis dahin hatte es schon so viel lobhudelnde Kritik über das Buch des jungen Autors gegeben, dass ihr schon ganz die Lust vergangen war, es zu lesen, obwohl es seit drei Wochen auf ihrem Nachttisch lag. Als sie es kurz nach Erscheinen in ihrer Stammbuchhandlung erstanden hatte, hatte die Buchhändlerin gelacht. »Na, da bin ich ja mal gespannt.«

Sie hatten einen sehr ähnlichen Buchgeschmack, und Anna hielt sich meist an die Empfehlungen des Teams des kleinen Ladens in ihrem Wohnviertel.

»Wieso, ist es nicht gut?«

»Na ja, gut ist es schon. Irgendwie zu gut. Fast ein wenig zu perfekt. Ich hätte es Ihnen jedenfalls nicht empfohlen, aber ich freue mich schon, mich mit Ihnen darüber zu unterhalten.«

Und dann lag das Ding wie Blei zu Hause, sie hatte die Plastikfolie abgemacht und mit angehaltenem Atem die erste Seite gelesen – sie liebte dieses Gefühl, ein neues Buch aufzuschlagen –, doch irgendetwas hatte sie dann abgelenkt, und seitdem war sie nicht weitergekommen.

Vielleicht war es gar keine schlechte Idee, die Lesung zu besuchen, das würde sie bestimmt zur Lektüre animieren, hatte Anna nach dem Anruf von Andrea gedacht.

Andrea war dann wie so oft zu spät gekommen. Sie hatten gerade noch Zeit gehabt, einen schnellen Kaffee gemeinsam zu trinken, dann rannten sie die Wollzeile hoch zur

Buchhandlung. Wie immer bei solchen Veranstaltungen bestand das Publikum hauptsächlich aus Frauen mittleren Alters, die bereits eifrig die vorderen Reihen besetzt hielten. Wenige Männer verteilten sich im Raum, ganz hinten standen drei farblose Schnauzbärte, uninteressiert und dennoch aufmerksam, eindeutig Kollegen von der Staatspolizei. Anna war etwas irritiert, widerstand aber dem Impuls, mit ihnen zu sprechen. Die drei kannten sie entweder nicht oder versuchten, sie erfolgreich zu ignorieren.

Nachdem Andrea die anwesenden Buchhändler und Verlagsleute begrüßt hatte, setzten sie sich an den Rand und warteten auf den Auftritt des jungen Autors. Eine etwas langweilige Verlagsmitarbeiterin hielt eine kurze Einleitung, sie sprach vom magischen Moment, wenn man als Lektorin ein Manuskript in den Händen hält, die ersten Seiten liest und den Atem anhält. Da kann Herr Pucher ja froh sein, dass nicht ich seine Lektorin war, dachte Anna und betrachtete den blassen jungen Mann, der nervös in seinem Buch blätterte und die Augen immer nur kurz auf sein Publikum richtete. Doch als er zu lesen begann, war seine Stimme überraschend fest, routiniert trug er ein paar perfekt zusammengestellte Passagen vor, die Artikulation ein wenig übertrieben, wie ein Burgtheaterschauspieler, der seine Rolle etwas zu gut auswendig gelernt hatte. Gar nicht schlecht. Doch den langanhaltenden Applaus, der einsetzte, nachdem Xaver Pucher sein Publikum mit einem Augenaufschlag und einem gehauchten »Danke« bedacht hatte, fand Anna dann doch etwas übertrieben. Als sich im Anschluss an die Lesung vor dem Tisch des Autors eine lange Schlange bildete – ausschließlich Leserinnen, die ihre Bücher signiert haben wollten –, zog Andrea sie am Ärmel: »Komm, wir gehen noch ins Büro ein Glas Wein trinken, dann kannst du noch ein wenig mit dem Autor plaudern.«

Da stürmte auch schon der sogenannte Eventmanager auf sie zu, begrüßte Andrea mit Küsschen links, Küsschen rechts, während er bei Anna einen Handkuss andeutete.

»Küss die Hand, Frau Inspektor, das freut mich aber, dass Sie sich auch mal wieder zu uns verirren, da hätten wir uns Ihre Kollegen vom Staatsschutz ja sparen können.«

»Grüß Sie, Herr Herzog, ja, ich hab mich auch schon gewundert über dieses Literaturinteresse der Kollegen da draußen, so wichtig ist Herr Pucher doch wohl noch nicht?«

»Wir wollten das nicht an die große Glocke hängen, aber wir haben eine Drohung erhalten.« Herzogs Augen glänzten vor Freude, mit so einer Sensation aufwarten zu können.

»Eine Drohung? Von wem? Von einem eifersüchtigen Schriftstellerkollegen? Vom Autorenverband, mit dem es sich der Pucher verscherzt hat, oder gar vom Grünanger Verlag, den er so schmählich im Stich gelassen hat?« Andrea machte sich sichtlich lustig über Herzogs geheimnisvolle Wichtigtuerei.

»Na, die Damen haben wohl beide den Roman nicht gelesen. Da gibt's ein paar Stellen, die finden unsere islamischen Brüder nicht gut. Sie fühlen sich mal wieder in ihrer Würde verletzt. – Ah, Herr Pucher, wunderbar, ganz toll, die Leute sind hingerissen! Wollen Sie ein Glas Wein?«

Xaver Pucher war vom Geschäftsführer ins Büro geleitet worden, er schwitzte stark und sah deutlich älter aus als auf den Pressefotos des Verlags.

»Darf ich Sie bekannt machen: Andrea Ringhofer, Vertreterin Ihres größten Konkurrenzverlages – und Anna Habel, sie ist Chefinspektor bei der Kriminalpolizei, Mordkommission, aber sehr belesen, sehr belesen.«

Xaver Pucher reichte ihr förmlich die Hand, deutete eine kleine Verbeugung an. »Ist das nicht eine ungewöhnliche Kombination, eine literaturinteressierte Polizistin?«

»Vorurteile, Herr Pucher? Glauben Sie mir, bei der Polizei gibt's ein paar Kollegen, die lesen mehr als die *Kronen Zeitung.*«

»Ich wollte Sie nicht beleidigen, entschuldigen Sie bitte. Ich hatte nur noch nie persönlich mit einer Kriminalkommissarin zu tun. Darf ich Ihnen ein Buch signieren, Frau Chefinspektor?«

»Frau Habel reicht völlig, und wollen wir hoffen, dass wir beruflich nichts miteinander zu tun bekommen. Und wegen des Buches: Ich habe mein Exemplar leider zu Hause vergessen und würde mir nur ungern ein zweites kaufen.«

Xaver Pucher war sichtlich irritiert, und Herzog rettete die Situation, indem er ein Buch vom Stapel nahm. Mit einer raschen Bewegung riss er die Folie auf und reichte es dem Autor.

»Darf ich Sie bitten, etwas für unsere Kriminalkommissarin reinzuschreiben, es ist mir ein Vergnügen, Ihnen dieses Buch zu verehren, Frau Habel.«

Nun war Anna das Ganze ein wenig peinlich, und als Pucher einen eleganten Füller aus der Brusttasche seines Sakkos holte, hoffte sie, dass er einfach nur rasch Datum und Unterschrift ins Buch schreiben würde und sie sich dann irgendwo im hinteren Teil des Raumes in Sicherheit bringen konnte. Pucher grinste süffisant, malte mehr, als dass er schrieb, pustete ein wenig affektiert über das Geschriebene und reichte es Anna.

»Viel Spaß damit, und ich freue mich auch über Kritik!«

Na, ich weiß nicht, dachte Anna und steckte das Buch rasch in ihre Umhängetasche.

Kolonja, der bis jetzt aufmerksam zugehört hatte, unterbrach Anna in ihrer Schilderung.

»Was du an solchen Veranstaltungen findest, wird mir immer ein Rätsel bleiben. Da schau ich mir doch lieber den neuen James Bond dreimal an, bevor ich mir von so einem Burschi was vorlesen lasse.«

»Na ja, das eine schließt das andere ja nicht aus, wobei mir James Bond schon beim ersten Mal zu fad ist.«

»Ich bin eben ein schlichteres Gemüt als du. Aber jetzt erzähl mal, wie wirkte er denn so, dieser Schreiberling?«

»Na ja, nicht sehr souverän. Irgendwie nervös, längst nicht so lässig wie auf den Fotos der Prospekte. Und die zwei Gläser Rotwein hat er auch in kürzester Zeit hinuntergestürzt.«

Obwohl Anna es gar nicht liebte, mit Andreas »Freunden« über Literatur zu diskutieren, hatte sie sich dazu breitschlagen lassen, noch auf ein Glas Wein mitzukommen. Als sich die Gruppe um die reservierten Tische zwängte, versuchte sie, am Rand zu bleiben, damit sie sich zu einem günstigen Zeitpunkt schneller verdrücken könnte. Anna fühlte sich in diesen Kreisen immer zu wenig belesen, zu wenig intellektuell. Obwohl sie Bücher verschlang, seit sie denken konnte, vermochte sie es nicht, auf so eine Weise über Bücher zu reden. Bei ihr gab es zwei Kategorien: Gefällt mir – gefällt mir nicht. Und warum das mal so und mal anders war, konnte sie meist nicht so recht erklären.

Gerade als sie sich rausschleichen wollte, trat ein großer, kräftiger Mann in den Raum und wurde von den Anwesenden mit großem Hallo begrüßt. Xaver Pucher sprang auf, wobei er fast sein Weinglas umstieß, und umarmte den Neuankömmling, der fast einen Kopf größer war.

»Simon, wie schön, dass du kommen konntest! Hol dir was zu trinken, setz dich zu uns!«

»Hi, sorry, ging nicht früher, wie war die Lesung?«

»Großartig! Fulminant!« Herzog winkte aufgeregt einem Kellner. »Wir brauchen noch einen Stuhl!«

»Und ein Bier, ein großes!«

Alle am Tisch schienen den Mann zu kennen, nur Anna war ihm noch nie begegnet. Und prompt wurde der Stuhl neben sie gestellt, und der massige Mann ließ sich darauf fallen.

Pucher stellte sich hinter ihn, legte die Hände vertraulich auf seine Schultern.

»Darf ich vorstellen: Anna Habel, Kriminalpolizei, Mordkommission. Simon Kupfer, ein sehr geschätzter Kollege und langjähriger Freund.«

»Wow, Mordkommission!«

Anna lächelte ihm zu.

»Das hört sich interessanter an, als es in der Realität meist ist.«

Jetzt fiel es ihr ein: Simon Kupfer war natürlich auch Schriftsteller, eine Liga unter Pucher, aber auch er nicht unbekannt. Der Abend verlief in einer entspannten Plauderei, Kupfer ließ sie gar nicht mehr aus seinen Fängen, wollte alles wissen über ihren Job, und Anna kam nicht umhin zuzugeben, dass sie es genoss, einmal im Mittelpunkt zu stehen.

Ein Klopfen schreckte sie aus ihren Erinnerungen, und herein trat Susanne Schellander, eine weiße Papiertüte in der Hand, die sie auf Kolonjas leeren Schreibtisch legte.

»Bitte, Frau Habel, hier ist das Buch, die Quittung gebe ich gleich in die Buchhaltung.«

»Danke, Frau Schellander, und bitte machen Sie die Tür zu.«

»Und was steht denn nun drinnen in dem Buch, dass die Moslems sich so aufregen müssen?«

Kolonja packte das Buch aus und blätterte es einmal in Windeseile durch.

»Lies erst mal die Widmung.«

»*Für L. Mein Leben, meine Liebe. Ohne sie würde es dieses Buch nicht geben.*« Der Kollege las laut vor und runzelte die Stirn.

»Lara, Laura, Larissa, Lisbeth. Ui, da gibt's viele.«

»In seinem Handy-Adressbuch steht nur eine Frau mit L. Nämlich *Leyla*«.

»Ja! Arabisch! Genial. Da hamma's schon! Aber was steht denn nun drinnen im Buch, was ist so schlimm daran?«

Anna versuchte, ihrem Kollegen den Inhalt kurz und prägnant wiederzugeben. Sie erinnerte sich, dass sie sich, als sie spät am Abend von der Lesung nach Hause kam, zuerst hatte zwingen müssen, die ersten Seiten zu lesen, doch bald hatte sie sich einer gewissen Faszination nicht entziehen

46

können. Schreiben konnte er, keine Frage, auch wenn sie nicht sicher war, ob sie das, was er erzählte, wirklich interessierte. Die Geschichte eines jungen Mannes, der sich an die denkbar gefährlichsten Orte begab, nach Bagdad, Teheran, Medellin, Kabul, und dort über die ersten und letzten Dinge des Lebens philosophierte. Dabei missbilligte er aber keineswegs die Freuden des Alltags. In Kabul wollte er es mit einer Frau getrieben haben, die immer von einer blauen Burka umhüllt gewesen sei. Nie habe er ihr Gesicht gesehen, aber an ihr Geschlecht könne er sich ganz genau erinnern. Irgendwie ärgerlich, was da stand: Der Typ war begabt, keine Frage, aber dieses Dandy-Getue, dieses etwas Schwülstige, das auf den Skandal spekulierte, das war doch ziemlich unsympathisch. Und doch konnte sie nicht abstreiten, dass sie die Szene erotisch fand. Sie erinnerte sich an einen weit zurückliegenden Algerienurlaub, als sie – verhüllt mit einem langen roten Rock und einer weiten Bluse – durch die Altstadt gelaufen war und sich zwischen ihr und ihrem algerischen Begleiter eine immer größere Spannung entwickelte, die sich, leider nur in ihrer Phantasie, in einer leidenschaftlichen Nacht entlud.

Eigentlich hatte Anna nur das erste Kapitel lesen wollen, doch als sie das nächste Mal auf die Uhr sah, war es weit nach eins, und sie war fast bis zur Hälfte des Buches gelangt. Anna war auch jetzt noch nicht sicher, ob sie *Herodots wilde Reisen* wirklich gut fand, ein wenig zu geschwätzig, zu gewollt, zu perfekt recherchiert. Aber irgendwie doch fesselnd und zu ihrem Ärger auch nicht unerotisch.

Obwohl sie den Inhalt so knapp und objektiv wie möglich zu erzählen versuchte, wurden Kolonjas Augen immer größer, und sie meinte, eine gewisse Röte in seinem Gesicht zu erkennen.

»Na, vielleicht sollte ich das doch auch mal lesen.«

»Wenn wir den Fall gelöst haben, kannst du dieses Exemplar hier behalten, meines leihe ich dir nicht, denn jetzt, wo er tot ist, ist ein signiertes Exemplar sicher bald was wert.«

»Mensch, Anna, du bist vielleicht pietätlos.«

»Nein, bin ich nicht. Ich weiß nur, wie das läuft in der österreichischen Kultur. Je toter, desto wertvoller.«

6

Thomas Bernhardt hatte um eine halbe Stunde Ruhe gebeten. Dreißig Minuten, um nachzudenken, den Bericht der Wiener Kollegen noch mal zu studieren und ein wenig Struktur in die weitere Ermittlungsarbeit zu bringen. Nach zehn Minuten klingelte das Telefon, und Katia Sulimma, die Sekretärin der Abteilung, teilte ihm mit, dass es Anna Habel sei, sie wolle ihn unbedingt sprechen und lasse sich einfach nicht abwimmeln.

Anna Habel lief immer noch auf Hochtouren, das merkte er gleich. Sie habe vergessen, ihm noch was ganz Wichtiges mitzuteilen. Puchers neuer Roman *Herodots wilde Reisen* spiele zum Teil in Afghanistan, eine hochbrisante Sache, der Text. Sie schicke ihm mal gleich per Fax die wichtigsten Auszüge. Er werde sich wundern. Das Wichtigste aber: In den muslimischen Gemeinden in Wien seien Aktionskomitees gebildet worden, auch in Berlin gebe es eins, das wisse er doch sicher. Bernhardt gab zu verstehen, dass er bis jetzt nichts davon gehört habe. Woraufhin Anna ihn darauf hinwies, dass dieser Pucher-Roman sich zu einem weltweiten Skandal auswachsen könne wie der Karikaturenstreit. An den könne er sich doch wohl erinnern? Er brummelte Zustimmung. Anna ermahnte ihn, nicht so cool zu tun und möglichst sofort ihr Fax zu lesen.

In diesem Fall wird einwandfrei zu viel telefoniert, sagte Bernhardt zu sich selbst. Kaum hatte er den Hörer aufgelegt, als auch schon Katia Sulimma in sein Büro stöckelte und ihm einen Packen Papier auf den Schreibtisch legte: Er müsse nur die ersten Sätze lesen, da gehe schon ganz schön die Post ab. Sie hatte recht. Er blätterte von Seite zu Seite, las sich schnell fest – und wusste nicht so recht, was er davon halten sollte. Nicht schlecht geschrieben, mit einer ungeheuren Lust an der Provokation, manchmal hatte das jedoch auch geradezu poetische Qualitäten. Aber die Stelle mit der Burka, das ging natürlich weit, sehr weit. Zu weit? Das war die Frage. Jedenfalls hatte Anna Habel ein Flugblatt mitgefaxt, auf dem zum Protest gegen Xaver Pucher aufgerufen wurde. Es waren Kontaktadressen in mehreren Städten angegeben, auch in Berlin. Er trommelte seine Kollegen wieder zusammen, um sie auf den neuesten Stand zu bringen. Nun begann das übliche langwierige Spiel: Er würde Miriam Schröder aufsuchen und später bei Philip-Peter Webers Empfang für Pucher vorbeischauen. Bei beiden würde er die Namen und Adressen der Berliner Freunde und Freundinnen erfahren, die würde Cornelia abklappern. Volker würde die Kokainspur aufnehmen und zunächst mit den Kollegen vom Rauschgiftdezernat sprechen. Die muslimischen Aktionskomitees mussten warten. Er schaute auf Katia, die die Beine übereinandergeschlagen hatte. Die spitz zulaufenden Schlangenleder-Stiefeletten mit den dünnen, hohen Absätzen fand er beeindruckend. Als er sie anschaute, zog sie eine Augenbraue hoch und erwiderte seinen Blick. Auf die Frage, wie weit sie mit der Liste sei, seufzte sie theatralisch und zuckte mit den Schultern.

Bernhardt steckte im Stau. Der Autoverkehr wälzte sich im Schneckentempo über die Leipziger Straße und den Alexanderplatz. Endlich hatte er die Ampel an der Mollstraße hinter sich, fuhr noch ein Stück die Greifswalder hoch, ordnete sich dann rechts ein, fuhr kurz am Volkspark Friedrichshain entlang, bog am Filmtheater Friedrichshain links ab, folgte ein Stück der Bötzowstraße, die er kaum wiedererkannte.

Hier war er einmal in den letzten Jahren der DDR gewesen, als sie langsam zerbröselte: Es war eine der ersten vorsichtigen Annäherungen zwischen den Polizeiapparaten von Ost- und Westberlin. Einer seiner schwer durchschaubaren Begleiter war erstaunlicherweise ein Bildhauer gewesen, dem offensichtlich viel Nordhäuser Korn und Karo-Zigaretten einen illusionslos zynischen Blick auf sein Land erlaubten. Er erklärte ihm mit geradezu sadomasochistischer Lust, dass die DDR demnächst zusammenbrechen, ja, dass der ganze Ostblock untergehen werde. Ob seinem Besucher aus dem Westen klar sei, welche Folgen das hätte? Ein Weltbürgerkrieg werde auf sie zukommen, die verarmten Massen der Dritten Welt würden die kapitalistischen Hochburgen stürmen. Die Vandalen in Rom, mehr brauche er doch wohl nicht zu sagen?

Damals hatte er mit dem ganzen Hochmut des Westberliners, der alles besser wusste, geantwortet, dass die Mauer noch lange stehen würde. Ein Jahr später war es ihm peinlich, dass er genauso borniert wie Honecker gewesen war.

Die Bötzowstraße, die angrenzenden Straßen, das ganze Ostberlin hatte sich damals in einem Zustand fortgeschrittenen Verfalls befunden. Er nahm die Warteschlangen an den Gemüseläden nur widerwillig zur Kenntnis. Schließlich war das doch das fortschrittliche Deutschland, das von aufrechten Widerstandskämpfern gegen den Faschismus regiert wurde. So lautete das linke Glaubensbekenntnis, und wie viele Westlinke hatte er sich diesem Solidaritätszwang mehr oder weniger bedenkenlos unterworfen.

Erzähl mir was von Lebenslügen, dachte Bernhardt, als er in die Hufelandstraße einbog. Was es hier jetzt alles gab: Bioläden mit Verkäuferinnen, die wie jüngere Ausgaben ihrer Mütter in den gutbürgerlichen Reformhäusern aussahen, schicke Kneipen, ein Edelfranzose »Chez Maurice«, Schmuck- und Designerlädchen, vor denen nicht mehr ganz junge Frauen, die einer Lifestyle-Illustrierten entsprungen zu sein schienen, ihre Kinderwagen vorbeischoben.

Bernhardt drückte auf das Klingelschild von Miriam Schröder. Es dauerte, bis aus der Sprechanlage ein langgezogenes, mit einem leichten Triller unterlegtes »Jaaa?« erklang.

»Hier Thomas Bernhardt von der Kriminalpolizei, Mordkommission, ich würde Sie gerne mal sprechen.«

Schweigen, langes Schweigen.

»Leck mich am Arsch, du Wichser, zieh Leine.«

Bernhardt erinnerte sich der Zeiten, als die Haustüren Berliner Mietshäuser tagsüber offen gestanden hatten und erst abends um acht Uhr vom Hausmeister abgeschlossen wurden. Dann kam man nur noch mit dem Steckschlüssel rein. Wer aufschloss, musste den Schlüssel im Türschloss durchstecken und von innen wieder abschließen. Erst dann konnte man den Schlüssel abziehen. Bernhardt hatte diese trickreiche Erfindung seit seiner Ankunft in Westberlin als neunzehnjähriger Abiturient immer bewundert. Nur keine Nostalgie, sagte er sich, und hielt seinen Daumen länger auf dem Klingelknopf.

Jetzt kam die Reaktion schneller als beim ersten Mal, und die Stimme war wesentlich schriller.

»Ich hab doch gesagt, du sollst abhauen, du Arsch. Sonst hol ich die Polizei.«

»Glauben Sie mir, ich bin die Polizei, wirklich. Mein Name ist Thomas Bernhardt. Ich muss mit Ihnen wegen Xaver Pucher sprechen.«

»Was ist denn mit ihm? Ist was passiert?«

Die Stimme wirkte jetzt ratlos, leicht beunruhigt.

»Das will ich Ihnen ja gerade erklären.«

»Haben Sie einen Ausweis, mit Bild und so?«

»Ja, natürlich.«

Hinter Bernhardt machte sich eine alte Frau bemerkbar, die ihren Regenschirm mit einem lauten Knall aufs Pflaster setzte.

»Die Meechens, wa, die sind vorsichtig heutzutage, iss aber ooch richtig bei so 'nem bewegten Leben. Hätt ma selbst jern jehabt, wa? Obwohl, Sie sind ja noch'n junger Mann. Hamse wat mit der, un iss die jetzt sauer? Na, 'ne Modeschöpferin, iss halt 'ne Künstlerin, impulsiv, wa?«

»Nein, ich kenne Frau Schröder nicht. Sie kennen sie aber offensichtlich.«

»Na, sicher, bin ja ihre Nachbarin. Un ick muss sagen: Nett isse. Ooch wennse viel Party macht un Halligalli. In dem Alter fielen bei mir de Bomben, und Kokain hat's nur für die Oberen gegeben. Aber sollse ruhich ihr Leben jenießen, sach ick.«

»Moment mal, Kokain ...«

Aus dem Lautsprecher klang Miriam Schröders Stimme.

»Also, bevor Sie auch noch das Rauschgiftdezernat einschalten, kommen Sie halt einfach hoch. Und Frau Pulczinsky, ich glaube, wir sollten wieder mal einen Kaffee zusammen trinken, um ein paar Missverständnisse aufzuklären.«

»Mensch, Kleene, klar, ick bin dabei. Aber 'n ordentlichen Filterkaffee, wa, keen Latte.«

Bernhardt schaute sich die eingetrocknete verschmitzte Alte an. Die hatte es faustdick hinter den Ohren, lautete sein Urteil. Wie kam man wohl am besten an sie ran?

»Frau Pulczinsky, waren Sie eigentlich Trümmerfrau?«

»Trümmerfrau, Mann, det ditte noch eener wees. Klar, Trümmer hamma jeschleppt nach '45, Steene jekloppt. Musst ma machen, wenn ma wat Ordentliches zu fressen wollte oder ma paar Nylons. Musst ma Steene kloppen oder mit 'm Ami jehen, am besten beedet, wa?«

Sie hustete, klopfte Bernhardt vergnügt auf die Schulter und humpelte vor ihm den Flur entlang und dann die Treppen hoch. Ihr kleiner Einkaufstrolley schlug bei jeder Stufe hart an, was sie aber nicht zu stören schien. Das Haus befand sich in einem Zwischenzustand, ansatzweise renoviert, doch vom Zahn der Zeit immer noch angenagt. Das Linoleum auf den Treppenstufen war durchgetreten, die Ölfarbe an der Wand war immer noch brutales DDR-Braun. Doch als sein Blick durch das Flurfenster hinausschweifte, war Bernhardt auf einen Schlag versöhnt. Eine riesige Kastanie verschattete den Hinterhof. Denn in dieser Hinsicht war er konservativ: In einem Berliner Hinterhof, das war seine feste Überzeugung, hatte eine Kastanie zu stehen, die nicht nur im Sommer die Wohnungen bis hinauf in den vierten Stock in einen milden Dämmer tauchen musste.

Im dritten Stock verabschiedete er sich von Frau Pulczinsky, die mit ihren Schlüsseln umständlich an ihrer Wohnungstür hantierte, zu kürzeren Anmerkungen aber durchaus noch in der Lage war.

»Ick jloobe, ma sieht sich noch ma, Herr Bernhardt, war doch Ihr werta Name, oda?«

»Stimmt.«

»Und sinnse wirklich vonne Mordkommission?«

»Ja.«

»Hörnse ma, machense dem Meechen keene Angst, wa? Die hat bestimmt nischt jemacht. Iss 'ne Jute, könnse jlooben.«

Am Flurende öffnete sich eine Tür, eine junge Frau mit dunklen Haaren trat aus ihrer Wohnung.

»Hallo, Frau Pulczinsky, wir sollten zu unserem Kaffee beim nächsten Mal vielleicht ein paar Kokain-Plätzchen nehmen, was halten Sie davon?«

»Mensch, Miriam, keene Scherze. Det iss'n Mann vonne Polizei. Also, bis demnächst.« Mit einem Knall fiel die Tür ins Schloss, und weg war Frau Pulczinsky.

Es war eine sehr schöne Frau, die auf Thomas Bernhardt zuging und gleich klare Verhältnisse schaffte. »Dann zeigen Sie mir mal Ihren Dienstausweis oder wie das heißt.«

Nachdem sie seinen Ausweis lange und genau betrachtet hatte, schaute sie ihm gerade und konzentriert ins Gesicht.

»Mordkommission, das kann nur was Schlechtes heißen. Ich hoffe nur, nichts allzu Schlechtes. Also: Kommen Sie rein.«

Bernhardt war beeindruckt von Miriam. Ihr scharfgeschnittenes Gesicht, die schmale und leicht gebogene Nase, der volle rote Mund, die dunklen klaren Augen – all das fügte sich zu einem harmonischen Gesamtbild. Eine Schönheit, der alles Perfekte und Sterile fehlte. Er spürte Wachheit, Intelligenz und Vitalität. Bei dieser Art Frau wurde er gleich befangen, Ironie und Sarkasmus, seine Allheilmittel, verfingen da nicht, das wusste er.

Er folgte ihr durch den Flur über honigfarbene Dielen in ein großes Zimmer mit Balkon. Auf dem alten Eichenparkett stand eine Couch mit geschwungenen Armlehnen, die mit rotem Samt bespannt war. Daneben eine Palme, am Balkonfenster eine Kleiderpuppe, um die ein orientalischer Stoff drapiert war.

»Setzen Sie sich.«

»Und Sie?«

»Ich bleibe besser stehen.«

Bernhardt sank auf dem Sofa ein. Er fühlte sich seltsam ungelenk, aus der Untersicht schaute er auf Miriam Schröder, deren Körper gespannt war, als müsste sie gleich eine Attacke abwehren. Die Arme hatte sie vor der Brust verschränkt, das locker fallende leichte Kleid mit den Blumenmotiven war etwas verrutscht, die Füße in Wollsocken hatte sie nach innen gedreht.

Da war nun wieder dieser Augenblick – nie würde er sich daran gewöhnen, eine Todesnachricht zu überbringen. Auch nach so langen Jahren Polizeidienst übermannte ihn kurz vor dem Aussprechen der Tatsache ein Gefühl der Schwäche und der Vergeblichkeit.

»Ich muss Ihnen...«

»Sagen Sie's.«

»Ich muss Ihnen mitteilen, dass Ihr Freund Xaver Pucher heute Nacht ermordet worden ist.«

Ihr Körper bog sich, als hätte sie einen elektrischen Schlag erhalten. Ihr Mund öffnete sich, sie wollte sprechen, aber ihre Stimme versagte, nur ein seltsames Krächzen war zu hören, dann ein hoher Pfeifton. Bernhardt war aufgesprungen, bereit, sie aufzufangen.

Doch dann geschah etwas, das ihn überraschte, ja geradezu schockierte. Innerhalb weniger Sekunden fing sie sich, der Körper entkrampfte sich, Mimik und Gestik normalisierten sich. Sie lächelte, der Schmerz schien schon fast überwunden und machte nun einer leisen Melancholie Platz. Sie erhob leicht die Hand, als wollte sie sich verabschieden.

»Ach, Genies sterben jung.«

Bernhardt runzelte die Stirn. Das war zu melodramatisch, kein Zweifel, da war ein deutlicher Fehlton zu hören gewesen. Seine professionelle Kühle, sein Spürsinn kehrten augenblicklich zurück. »Es gibt auch Genies, die alt sterben. Davon abgesehen: Inwiefern war denn Pucher ein Genie? In den Besprechungen der Zeitungen waren seine Bücher eher umstritten.«

»Die guten Kritiker haben die Stärke seiner Bücher erkannt. Und im Übrigen: Sein neues Buch hätte erst richtig gezeigt, was für ein toller Autor er ist, äh ...«

Sie schaute ihn traurig an und ging ein paar Schritte hin und her.

»Worum geht es denn in dem neuen Buch?«

»Keine Ahnung ...«

Das kam zu schnell.

»Er hat nur gesagt, dass er Realität und Fiktion vermischt. Also, irgendwie, wie soll ich sagen: Angeblich weiß man nie, was wahr und was falsch ist. Und es kommen wirkliche Personen vor, die dann Dinge tun, die sie aber gar nicht getan haben, die andere getan haben. Und dann, ich weiß nicht…«

Das klang so verworren, dass Bernhardt geneigt war, ihr zu glauben.

»Und können Sie ein paar Namen nennen? Wer kommt denn in diesem neuen Roman vor?«

»Mehr weiß ich nicht, wirklich. Er hat da irgendwie ein großes Geheimnis draus gemacht, selbst Philip-Peter, also sein Agent, hat nichts gewusst, oder zumindest so getan. Er wollte ihm ja heute sein Manuskript abliefern. Und heute Abend sollte dann in Philip-Peters Agentur gefeiert werden. Weiß er's denn schon?«

»Von mir nicht.«

»Aber er muss es doch wissen – das Fest!«

Wieder ging eine Wandlung mit ihr vor. Sie geriet leicht ins Taumeln, über ihr Gesicht schien sich ein Schleier zu ziehen. Sie setzte sich auf den Boden und kreuzte ihre Beine. Bernhardt ahnte, dass er mit ihr nicht mehr lange reden konnte.

»Wie lange waren Sie denn mit Xaver Pucher zusammen?«

»Seit einem Jahr.«

»Und er lebte in Wien und Sie in Berlin?«

»Ja, aber wir haben uns regelmäßig gesehen.«

»Hat das gereicht?«

»Ja, klar, jeder hatte seine eigene Welt, jeder hatte zu tun.«

Sie gab ihm deutlich zu verstehen, dass es eine Welt war, in der er sich nicht auskannte.

»Was machen Sie eigentlich?«

»Ich bin Modedesignerin und Kostümbildnerin.«

»Und wo?«

»Wo? Ich bin frei, ich arbeite immer an verschiedenen Projekten.«

»Noch mal zu Ihrer Beziehung: Eifersucht? Gab's so was?«

»Warum denn? Wenn man sich länger nicht gesehen hat, hat man sich mal eine kleine Abwechslung gegönnt.«

»Ach.«

»Ja, was denn: Ach! Sex ist heute nicht mehr so 'n Riesending wie in Ihrer Generation, den holt man sich halt, wenn man ihn braucht.«

Sie setzte sich auf die Kante des Sofas und fing an zu weinen. Er legte seine Hand auf ihre Schulter, doch sie schlug sie weg. Als sich Bernhardt von ihr abwandte, sah er, dass in der Tür eine kleine, junge Frau stand, fast noch ein Mädchen.

»Was läuft denn hier ab? Miriam, was will'n der alte Sack von dir?«

Bernhardt war klar, dass hier die Schocktherapie angesagt war. Er ging mit ein paar schnellen Schritten auf sie zu.

»Guten Tag. Bernhardt, Mordkommission. Wie ist Ihr Name?«

Es wirkte. Sie wich zurück.

»Was soll das denn? Miriam, stimmt das?«

Miriam stützte sich auf ihre Hände und nickte.

»Xaver ist tot, ermordet. Übrigens haben Sie mir noch gar nicht erzählt, wie . . .«

»Tut mir leid, über die näheren Umstände des Todes kann ich Ihnen noch nichts berichten.«

Thomas Bernhardt nahm die Personalien der jungen Frau auf, sie war eine zeitweilige Mitbewohnerin, eine Freundin aus Hamburg, die gelegentlich in Berlin jobbte. Sie versicherte, Xaver Pucher nur ein einziges Mal kurz gesehen zu haben.

Er schärfte ihnen ein, Puchers Agenten Philip-Peter Weber nicht anzurufen, er wolle ihm alles selbst sagen. Die Freundin stand derweil starr im Zimmer. Als sich Bernhardt zum Gehen wandte, ging sie auf Miriam zu und nahm sie in die Arme. Das war das letzte Bild, dass Bernhardt mitnahm: eine Frau, die eine andere Frau in die Arme nahm.

Auf der Straße schaute er auf das Flugblatt, das Anna Habel ihm vorhin gefaxt hatte. Wie hieß noch gleich dieser Islamistenverein?

7

Am Schlesischen Tor schloss Thomas Bernhardt sein Auto ab. Er hatte das Gefühl, eine Zeitreise gemacht zu haben. Früher war am Schlesischen Tor das Ende von Westberlin gewesen.

Mitte der sechziger Jahre hatte ihn seine Mutter aus der tiefsten hessischen Provinz zu einem entfernten Onkel nach Westberlin geschickt: Ist doch mal interessant, du warst doch noch nie in einer großen Stadt, und die Mauer und all das, hatte sie gesagt. Da war er knapp zwölf Jahre alt gewesen. Schon die Fahrt im Interzonenzug hatte ihn verwirrt und betäubt. Schmutzig und kalt waren die Waggons der DDR-»Reichsbahn« (wieso »Reichsbahn«?, fragte er sich). Am Grenzübergang Gerstungen traten Soldaten in Knobelbechern ins Abteil. Sie öffneten seinen kleinen Koffer und wühlten seine Sachen durch. Ein Kontrolleur fixierte ihn: Kopf wenden, Ohr zeigen, schnauzte er ihn an. Vor seinem Bauch war ein kleines Brett geschnallt, auf das er schließlich den Pass legte und mit grimmigem Gesicht abstempelte.

Durch die schmutzigen Fensterscheiben sah Thomas Peitschenlampen, die den Bahnhof in ein diffuses, dreckiges Licht tauchten. Der Schmutzschleier wurde durchschnitten vom grellen Licht eines Scheinwerfers, der auf einem Wachtturm angebracht war und einem Trupp Soldaten den

Weg wies. Wie Jäger auf der Hatz gingen die Soldaten in ihren Stiefeln und Breeches die Waggons entlang, zwei von ihnen führten Schäferhunde, die an ihren Leinen zerrten und gierig schnüffelten. So ängstlich, so wehrlos, so ganz und gar verloren hatte sich Thomas Bernhardt später nie mehr gefühlt, selbst in den schlimmen Momenten seines Lebens nicht.

Jahre später hatte ihm ein Student erzählt, wie er aus der DDR geflüchtet war. Er hatte seinen ganzen Körper mit Petroleum eingerieben, sich dann in Aluminiumfolie eingewickelt und unter einen Interzonenzug gehängt, der vom Ostberliner Bahnhof Friedrichstraße zum Westberliner Bahnhof Zoo fuhr. Der Zug stand lange an der Grenze, die Schäferhunde schnüffelten an ihm, schlugen aber nicht an. Er schaffte es. Doch nach dieser Fahrt konnte er lange nicht mehr stillsitzen, er konnte sich auch nicht einfach ins Bett legen und schlafen. Sein Fluchtreflex ließ sich nicht mehr unterdrücken. So spielte er Stunde um Stunde Tischtennis in der Evangelischen Studentengemeinde, lief ansonsten wie ein Peripatetiker auf und ab, las seine mathematischen Fachbücher, blieb plötzlich stehen und döste an eine Wand gelehnt für eine Viertelstunde ein, spielte wieder Tischtennis, redete unablässig…

Von diesem Flüchtling aus dem Arbeiter- und Bauernparadies wusste er noch nichts, als nach einer schier endlos sich hinziehenden Wartezeit der Zug langsam durch das dunkle Land DDR zuckelte. Auf den Bahnhöfen, auf denen der Zug manchmal mehr als eine halbe Stunde stehen blieb, leuchteten tranige Funzeln. Langsam, wie in Trance bewegten sich die Menschen vor Transparenten, deren Absurdität

ihm selbst in seinem Schockzustand auffiel: »Von der Sowjetunion lernen heißt siegen lernen«, »Der Sozialismus
siegt, weil er wahr ist«, »Vorwärts zum 7. Parteitag«. Und
das Gesicht Ulbrichts, das ihn anstarrte.

Vor Berlin dann die Fahrt durch Birken- und Kieferwäl-
der. Noch würde es ein paar Jahre dauern, bis er Brecht und
Marx lesen, sich den Exerzitien mehrjähriger *Kapital*-Kurse
hingeben und Mitglied einer proletarisch-revolutionären
Partei würde, die nach Peking orientiert war und die Kon-
kurrenzpartei, die nach Tirana schielte, heftig bekämpfte.
Erst sehr spät hatte er schließlich begriffen, dass sein Interesse an Entfremdung und Verfremdung wohl auf dieser
Fahrt entstanden war und ihn nie wieder ganz verlassen
hatte.

Bei der Ausfahrt aus dem »Ersten Arbeiter- und Bauern-
staat auf deutschem Boden« durchlief er am Grenzübergang
Griebnitzsee noch einmal die ganze Prozedur, die er sechs
Stunden zuvor erlebt hatte. Wie ein tröstliches Zeichen
glomm dann der Westberliner Funkturm auf, auf der
»Avus«, der Stadtautobahn, die parallel zur Bahnstrecke
verlief, sah er Autos in rascher Fahrt. Irgendwie gab ihm das
ein bisschen Sicherheit, die ihn aber gleich wieder verließ,
als er in den Bahnhof Zoo einfuhr. Die Glasscheiben der
hoch sich wölbenden Bahnhofshalle waren wohl seit 1945
nicht mehr geputzt worden. Die Leute auf dem Bahnsteig
sahen aus, als seien sie aus einer anderen Zeit gefallen.

Sein Eindruck: Das waren noch original die zwanziger
Jahre. Ausgemergelte, graue Gesichter, große Depression.
Das Gelände der Reichsbahn, erfuhr er später, gehörte als
Hoheitsgebiet zur DDR. Die alten Frauen, die am Aufgang

zu den Bahnsteigen in kleinen Kabuffs saßen und die Fahr-karten und Bahnsteigkarten abknipsten, hatten sich dicke Decken um die Beine geschlagen. Eine unendliche Müdig-keit und ein mürrischer Widerwille gingen von ihnen aus, wie auch von den Transportpolizisten und Eisenbahnern, die alle im Sold der DDR standen. Selbst viele Jahre später irritierte ihn die Situation im Bahnhof Zoo: Als sei er in eine Zeitkapsel geraten, die sich wiederum in einer ande-ren Zeitkapsel befand, Ostberlin eingekapselt in die einge-mauerte Stadt Westberlin, die in der großen Kapsel DDR steckte.

Aus der kleinen Gruppe von Wartenden auf dem Bahn-steig, die so aussahen, als warteten sie selbst darauf, abge-holt zu werden, löste sich ein Mann, der ihm sehr alt vor-kam, obwohl er damals wohl noch ein Mittvierziger war, sein Onkel. Lederjacke, Schirmmütze, rauhe Stimme. Viel mehr nahm er in diesem Moment und auch später von die-sem Mann nicht wahr. Wortkarg war er, auf einschüchternde und einem die Sprache raubende Weise. »Na, dann komm ma.«

Viel mehr hatte er eigentlich nicht zu sagen. Er erfüllte eben eine Pflicht, wie alle Menschen, die ihm in den fol-genden Tagen begegneten. Als lastete ein Fluch auf ihnen. Mit der U-Bahn, deren Geruch nach Staub und tatsächlich: nach Untergrund sich ihm für immer einprägte, fuhren sie zum Kottbusser Tor und gingen dann bis in die Sander-straße, wo der Onkel eine Hinterhauswohnung hatte. Es war weit nach Mitternacht, als sie an einem kleinen Tisch in der Wohnküche saßen, Brot und Wurst aßen. Der Onkel schenkte ihm stillschweigend Bier in ein Glas mit Henkel.

Das schmeckte bitter, traf aber seine Stimmung und machte ihn schläfrig. Seither war er Biertrinker. Als er aufs Klo musste, gab der Onkel ihm einen Schlüssel und schickte ihn raus aus der Wohnung.

»Klo iss uff halber Treppe, draußen im Uffgang. Außentoilette kennste nich, wa? Musste hintaher schön sauba machen, sonst kriej ick Ärjer mit die Nachbarn.«

Tief in der Nacht schob ihn der Onkel in eine kleine, kalte Kammer.

»Da schläfste jetzt. Morjen bin ick schon weg, uff Arbeet. Tagsüber jehste bisschen am Kanal spazieren. Nimmstn Schlüssel uffm Tisch mit. Pass uff dir uff. Und telefonier ma deina Mutta. Abends kommste nich durch, weeste.«

Am nächsten Morgen wachte er zerschlagen auf. Er blickte aus seinem Fenster in einen Hinterhof: Schreck und erstaunlicherweise auch Faszination durchfuhren ihn. Die Hauswände hatten die Krätze, dunkel verfärbter Putz blätterte in großen Placken ab. Das also war Berlin, ein verwunschener Ort, der ihn nicht mehr loslassen würde. Auf seinem ersten Gang entdeckte er die U-Bahn, die auf einer eisernen Brückenkonstruktion oberirdisch durch Kreuzberg fuhr und an der Oberbaumbrücke endete. Die Miethäuser waren schwarz von Staub und Ruß, die Fassaden immer noch gesprenkelt von den Einschüssen und Granatsplittern aus den letzten Kriegstagen. Er sah zum ersten Mal Hinterhöfe, blasse Kinder, die vor den Häusern und in den Höfen spielten und ihn misstrauisch musterten.

Abends nahm ihn der schweigsame Onkel mit in die Kneipen. Dort gab es Molle mit Korn, auf den Tresen standen Gläser mit Soleiern und Gurken. Die Leute in den

Kneipen schauten ihn fragend an. Entweder waren sie abweisend, oder sie waren plötzlich auf unerwartete Weise zutraulich. Ältere Männer, die ihre dünnen Haare in Elvis-Presley-Manier mit viel Pomade nach hinten gekämmt hatten, schenkten ihm, dem Zwölfjährigen, dann ein Päckchen Overstolz oder Eckstein und erzählten vom Krieg, während die Frauen, die ausgebleichte blonde Dauerwellenfrisuren trugen, sich vertrauensvoll einander zuwandten und sich irgendwelche Klatschgeschichten erzählten. Laut und ruppig ging's zu, und Thomas hätte gerne dazugehört. Aber er fand nicht den Ton, er war zu schüchtern, er war zu fremd.

Einsamer als in diesem Berliner Winter war er nie gewesen. Wie im Traum ging er durch den schweflig-salzig schmeckenden Rauch, den die Kohleöfen produzierten, durch die beißenden Abgase, die von jenseits der Mauer nach Westen wehten. Als er sich vom Onkel verabschiedete, schaute der ihn zum ersten Mal richtig an.

»Na, dann machet jut. Kommste wieda?«

Ja, er war wiedergekommen. Jahre später, nach dem Abitur, ging er nach Berlin, wohin sonst? Da war der Onkel schon tot. Eine Nachbarin, die mit ihm, wie sich herausstellte, zusammengelebt hatte, teilte es der Mutter in einem Brief mit krakeliger Schrift mit. Die Mutter hatte leicht angeekelt auf den Fettfleck geschaut, der neben der Unterschrift wie eine Art Echtheitszertifikat prangte. Er aber hatte den Brief, der in höchst eigenwilliger Rechtschreibung verfasst war, mehrere Male gelesen.

Erich hat den Kriech in Rusland nich richtich überwin-
den könen. Hat oft gahns schlecht geschlahfen. Hat sich
dan vor par Tagn hingelecht un gesacht: Ich höhr jez uf
su schnaufen. Wir sin ser traurich.
Ihre Sie nich kenende un hertzlich grüssende
Elvira B.

Mitte der siebziger Jahre kam er also erneut nach Berlin
und versuchte, gleichzeitig und nebeneinander Soziologie,
Philosophie und Germanistik zu studieren.

Er entdeckte die Tagebücher von Witold Gombrowicz,
der Jahre vor ihm im eingemauerten Westberlin gewesen
war und der von seinem Erschrecken schrieb, als er in den
dunklen Osten geschaut hatte, von der Angst, dass er nie
mehr wegkommen werde und der asiatische Osten ihn ver-
schlucken und vernichten werde. Er konnte das gut nach-
empfinden. Doch weckte Gombrowiczs Angst und Panik in
ihm auch eine Art heroisches Gefühl: Er wollte durchhalten
an diesem Ort, auf vorgeschobenem Posten.

Die Stadt war zwar immer noch grau, immer noch in einer fürchterlichen Starre gefangen wie in einem bösen Märchen, aber trotzdem war alles anders. Die Verhältnisse hatten angefangen zu tanzen. Ob Onkel Erich das gefallen
hätte? Es war, als hätte jemand im Hinterhof Westberlin
einen Hebel umgelegt, Fensterläden aufgerissen, Musik angestellt: Politische Revolution, sexuelle Revolution waren
angesagt, das Leben ging los. Doch in allen Berichten und
Analysen über jene längst vergangene Zeit wurde ein wichtiger Aspekt nie erwähnt: die Einsamkeit. Wegen ihrer verdammten, furchtbaren Einsamkeit hatten die Studenten ih-

ren kleinen Sturmlauf begonnen. Das war einer der Hauptgründe, fand er.

Morgens fuhr er mit der U-Bahn vom Schlesischen Tor nach Dahlem an die Freie Universität. Die Fahrt dauerte fast eine Stunde. Schon bei der Ankunft im Hörsaal oder im Seminar war er todmüde. Er konnte nicht richtig zuhören, ältere Semester schüchterten ihn ein, die wussten schon so viel. Was bedeutet denn kognitive Konsonanz? Er freundete sich mit ein paar Kommilitonen an, die wie er aus Westdeutschland hierhergekommen waren. Alle wohnten sie zur Untermiete bei alten Kriegerwitwen oder in kleinen Einzimmerwohnungen mit Außentoilette in Kreuzberg, Neukölln oder Wedding.

Einmal hatte er einen ihm flüchtig bekannten Kommilitonen angerufen, der noch zu Hause bei seinen Eltern wohnte. Die Mutter war am Telefon und teilte ihm freundlich mit, dass man gerade beim Abendessen sei. Er hörte das Klappern von Besteck, ferne Gespräche und leise Musik. Selten war ihm in seinem Leben etwas fremdartiger erschienen als diese häusliche Bürgerlichkeit, deren überraschter Zeuge er wurde. Er konnte es gar nicht fassen: dass es das gab, so viel Normalität. Immer wenn er diesen Kommilitonen später traf, schaute er ihn wie ein exotisches Wesen an. Abends wäre der wieder zu Hause, würde sich in sein Kinderzimmer setzen, lernen und warten, bis er zum Essen gerufen würde.

Einmal traf er am Bahnhof Zoo, der exterritoriales Gelände war und wie die S-Bahn-Geleise unter DDR-Hoheit stand, einen Jungen aus einem Fontane-Seminar. Was er denn so mache? Ach, nichts. Er schaue nur mal, wann der

68

Zug nach Köln fahre. Es war ihnen beiden peinlich: Bis zu den Weihnachtsferien dauerte es noch vier Wochen. Dann würden sie in die ungeheizten Züge der DDR-Reichsbahn steigen und in quälender Langsamkeit durch das dunkle Land nach Westen zu den Eltern und Geschwistern fahren.

Es war noch gar nicht lange her, da hatten sich die »Kommilitoninnen und Kommilitonen« per Sie angeredet, nun waren sie »Genossinnen und Genossen«, Kiffen war angesagt, die »umherschweifenden Haschrebellen« zeigten stolz Pistolen, die sie sich in die Gürtel gesteckt hatten, »die Pflicht eines Revolutionärs ist es, die Revolution zu machen«, zitierten sie Che Guevara, und Ficken gehörte unbedingt dazu: Allein das Wort auszusprechen, das man bis dahin nur an Toilettenwänden gelesen hatte, produzierte ein prickelndes Gefühl. Die Slogans der Stunde waren »Macht kaputt, was euch kaputtmacht« oder »Legal, illegal, scheißegal«. Einmal zog er mit einem Demonstrationszug durch Moabit. Es ging um Rätedemokratie, die Arbeiter sollten die Fabriken übernehmen, und so skandierten sie: »Was wir wollen, Arbeiterkontrollen.« Die Proletarier standen vor den Eckkneipen, ballten die Fäuste oder tippten sich an die Stirn: »Haut bloß ab, ihr Idioten, oda soll'n wa euch die Fresse polieren!?«

Aber in den Untergrund gehen, die Revolution in die Betriebe tragen? Dazu waren er und die meisten anderen doch nicht bereit, in Wirklichkeit waren sie eben doch (wie auch auf verquere Art die Untergrundkämpfer) protestantische Leistungsethiker. Studieren musste sein.

Vieles fiel ihm schwer damals: Talcott Parsons zu lesen und Leon Festinger, sich auf die Statistik- und Empirie-

Kurse einzulassen, die generative Transformationsgrammatik von Noam Chomsky zu verstehen. Dreimal in der Woche traf er sich abends in irgendeiner Hinterhofwohnung mit ein paar anderen und studierte *Das Kapital* von Karl Marx. Er wollte die Texte verstehen und wissen, was sie bedeuteten, was sie an Welterklärung transportierten, keine Frage, und spürte doch, dass er diese Art zu leben und zu lernen nicht lange durchhalten würde.

Er und seine Freunde trafen sich fast jeden Abend in Kneipen, wo es Flipper gab. Von wegen: Wer zweimal mit derselben pennt, gehört schon zum Establishment. Alle hatten sie keine Freundin, und ihre Verrenkungen am Flipperkasten, ihr Gehampel, ihr krampfhaftes Stoßen und Schütteln gegen das Gerät, mit dem sie versuchten, die Kugel am Laufen zu halten, damit sie möglichst oft gegen die aufflammenden und klingelnden Lämpchen stieß, erinnerte ihn später, viel später, an einen grotesken Geschlechtsakt.

Er zog in eine Wohngemeinschaft am Bayrischen Platz. In einer heruntergekommenen großbürgerlichen Wohnung von 240 Quadratmetern fing ein wild bewegtes Leben an.

Jetzt, so viele Jahre später, ging er die Schlesische Straße hinunter. Wo waren die Eckkneipen, die Overstolz-Männer, die blondierten Frauen mit ihrem Raucherhusten, die blassen Kinder, die hohlwangigen Studenten mit ihren langen Haaren? Wo war die Mauer? Wo waren die Wachtürme? Die Peitschenlampen mit ihrem gelben Pestlicht? Die Straße wirkte nun, als sei sie von einem Mediendesigner gestaltet worden, dem es Spaß gemacht hatte, möglichst viel Disparates miteinander zu verbinden. Neben türkischen Gemüseläden, vor denen schnauzbärtige Alte und junge Männer mit scharf ausrasierten Schläfen und Nacken standen, gab es schicke, weißgekalkte Designer-Läden, in denen blasierte Verkäuferinnen der sehr überschaubaren Kundschaft zu verstehen gaben: Ich bin eigentlich gar nicht da, ich müsste längst schon wieder in meinem Atelier sein, um meine nächste Fotoausstellung für Paris zu gestalten, mein Drehbuch fertigzuschreiben, meine Performance mit tausend nackten Menschen am Osthafen vorzubereiten. Der Fummel, den du hier siehst, na, du weißt schon: Alles Ironie, klar?

Thomas Bernhardt ging im langsam einsetzenden Nieselregen an kleinen Geschäften und Cafés vorbei. Hinter den angelaufenen Scheiben sah er die Schemen der Gäste: als bewegten sich große schwerfällige Fische in einem Aquarium. Im Sommer wirkte die Straße pittoresk und belebt. Doch nun im Herbst waren die Farben verblasst. Die Aura der Armut und Ausweglosigkeit, die Bernhardt vor zig Jahren gespürt hatte, war immer noch wirksam.

Er trat in einen dunklen Hausflur. Der typische Berliner Altbau-Geruch in seiner proletarischen Variante, unterlegt allerdings mit einigen ihm nicht vertrauten Gerüchen. Er war in einer Moschee, die aber von außen als solche nicht zu erkennen war, kein Minarett, kein Muezzin. Im Dämmerlicht des Durchgangs zögerte er kurz, ging dann mit ein paar entschiedenen Schritten in den Hof. Ein Zuruf stoppte ihn. Vor ihm stand ein Mann, der ihn misstrauisch beäugte. Dass er hier nicht hingehörte, war klar.

Er zog das Flugblatt hervor, mit dem gegen Xaver Puchers Buch protestiert wurde, und zeigte es dem Mann. Er sei von der Polizei, wolle einfach ein paar Dinge klären und deshalb den, ja, wie sagte man, den Leiter, den Imam sprechen. Der Mann versperrte ihm weiter den Weg. Ein paar ältere Männer traten hinzu und redeten mit dem Türhüter. Nach längerer Debatte wandte sich ihm ein Mann zu und gab ihm in gebrochenem Deutsch zu verstehen, er solle ihm folgen.

Sein Bewacher, der ihn beim Gang durch verwinkelte Flure, treppauf und treppab, nicht ein einziges Mal ansprach, lieferte ihn schließlich in einem karg möblierten Büro ab. Ein junger Mann in einer eleganten grauen Tunika schaute ihn fragend an. Bernhardt legte das Flugblatt auf den Tisch. Der Mann, der Thomas Bernhardt gegenübersaß, wirkte selbstbewusst und energisch.

»Wollen Sie mir erklären, was Sie zu mir führt?«

Der Mann sprach akzentfrei Deutsch. Und er legte Wert auf Manieren. Fatih Özül sei sein Name, er sei berechtigt, im Namen seiner Glaubensgemeinschaft mit der Polizei zu sprechen, und er werde selbstverständlich die Polizei bei ihrer Arbeit unterstützen. Hilfreich sei es natürlich, wenn sein Gast sich zunächst ausweise. Bernhardt folgte der Aufforderung, fand aber, dass sich sein Gegenüber ein bisschen zu offensiv gab. Zunächst wollte er das jedoch einfach auf sich beruhen lassen. Er deutete auf das Flugblatt.

»Kennen Sie das?«

»Natürlich.«

Schweigen. Fatih Özül hielt sich offensichtlich zurück, wollte nicht eine einzige Karte auf den Tisch legen.

»Sprechen wir Klartext: Wird es von Ihrer Seite noch Proteste und Demonstrationen gegen dieses Buch geben?«

»Nein.«

»Nein?«

»Nein. Wir haben entschieden, dass wir uns von diesem unreifen, übersexualisierten Schnösel nicht provozieren lassen.«

»Gut formuliert. Und eine gute Entscheidung, finde ich. Übrigens: Sie sprechen ein hervorragendes Deutsch.«

»Ach, das überrascht Sie? Ich bin in Deutschland geboren, ich habe in Deutschland studiert, Soziologie, ich lebe in Deutschland. Warum sollte ich kein gutes Deutsch sprechen?«

»Ja, warum nicht? Aber sagen Sie mal, meinen Sie wirklich, dass es ruhig bleibt in dieser Sache?«

»Ja, wir haben uns so entschieden. Und dabei bleibt es.«

»Sehr schön. Das Ganze ist ja auch nicht so ernst zu nehmen...«

Ein kurzes Aufblitzen in den Augen seines Gegenübers, ein unwilliges Zucken der Mundwinkel.

»Natürlich ist das ernst zu nehmen. Dieses Buch ist eine Beleidigung und Demütigung für alle Menschen, auch für euch Christen, falls ihr überhaupt noch welche seid. Habt ihr überhaupt noch ein Gespür für die Schamlosigkeit eurer Gesellschaft?« Er redete sich in helle, heiße Wut. »Eure Frauen erniedrigt ihr, euch selbst erniedrigt ihr, alles ist für euch nur noch Sex. Vor nichts habt ihr Achtung!«

Bernhardt war von der Heftigkeit des Ausbruchs überrascht. War denn die kühle, beherrschte Haltung zu Beginn nur Attitüde gewesen?

»Warum regen Sie sich denn plötzlich so auf?«

Fatih Özül schluckte ein paarmal. Als er dann zu sprechen begann, wirkte er wieder ruhig und abgeklärt.

»Sehen Sie, die westliche liberale Gesellschaft, in der wir beide leben, leben müssen, hat ein ungeheures Zerstörungs- und Selbstzerstörungspotential, ich meine: in geistiger Hinsicht. Früher wusste man doch auch in eurer Gesellschaft, dass man sich zügeln muss. Eure Frauen und Mädchen hatten bis vor wenigen Jahrzehnten keinen vorehelichen Geschlechtsverkehr. Schauen Sie sich Bilder aus den fünfziger Jahren an, Männer und Frauen bedeckten ihre Köpfe. Die bürgerlichen Männer trugen Hüte, die proletarischen Männer Mützen, die vornehmen Frauen trugen Hüte, die armen Frauen Kopftücher. Das ist alles vergessen, Sie kennen doch die Bibel: Sodom und Gomorrha. Das soll unseren Leuten nicht so gehen.«

Er hielt inne, als fürchtete er, wieder zu heftig geworden zu sein. Bernhardt schwieg ebenfalls. Er dachte an seine Großmutter, die sonntags im Park einer kleinen Kurstadt spazieren gegangen war und einen Hut mit einem zarten Schleier getragen hatte, der ihre Augen verdeckte. Und er dachte an seine andere Großmutter, die in jungen Jahren vom Dorf in die kleine Stadt gekommen war und als alte Frau immer noch ein Kopftuch umband, wenn sie zum Einkaufen auf die Straße ging. Und ihm fiel ein, dass vor gut einem Jahrhundert im deutschen Kaiserreich Duelle ausgefochten worden waren, wenn ein Mann einen anderen Mann zu lange ins Visier seines Blicks genommen hatte: wenn Blicke töten könnten. Er stoppte die Gedankenflut und zwang sich, sein Gegenüber scharf anzuschauen.

»Halten Sie es für möglich, dass Pucher von einem Einzelgänger aus Ihrer Gemeinschaft bedroht wird?«

»Möglich ist alles, ich halte es aber eher für unwahrscheinlich. Wir wollen auf jeden Fall mit dieser Person nichts zu tun haben. Mehr kann ich nicht sagen.«

Die Mischung aus Konzilianz und Schroffheit ärgerte Bernhardt. Er wandte sich abrupt zur Tür, knurrte einen Abschiedsgruß und schloss die Tür ein bisschen lauter als nötig. Auf seinem Rückweg zur Straße verlief er sich mehrmals in dem verwinkelten Gebäude. Kleine Männergruppen kamen ihm entgegen, bewegten sich in seinem Rücken, er hörte Gemurmel, das nicht freundlich klang. Als er schließlich auf den Bürgersteig trat, atmete er auf, hielt sein Gesicht kurz in den Regen und ging in das nächstgelegene Café.

Er tauchte in das leise Stimmengewirr, das Zeitungsrascheln, das Gezische der Kaffeemaschine ein und versuchte, sich zu beruhigen. Als das junge Mädchen, das den Laden allein am Laufen hielt, seinen doppelten Espresso brachte, starrte er auf ihren nackten, leicht gewölbten Bauch, auf dem ein Skorpion neben dem Nabel tätowiert war.

»Warum denn ein Skorpion?«

»Der sticht Sie, wenn Sie weiter so blöde Fragen stellen.«

8

Warum habe ich keine Idee? Und warum stresst mich dieser Berliner so? Wenn Anna an diesen toten Autor im Keller der Gerichtsmedizin dachte, fühlte sie sich seltsam kraftlos und überfordert. Zig Spuren gab es, Dutzende Leute musste man befragen, das jäh unterbrochene Leben des Jungstars durchforsten, doch irgendwie fehlte Anna der nötige Kick.

Sie saß seit zwei Stunden im großen Sitzungszimmer, ihr Magen brannte vom aufgewärmten Filterkaffee, und sie konnte sich nicht so richtig aufraffen, die Diskussionsleitung an sich zu reißen. Ihr Vorgesetzter, Hofrat Hromada, wollte eine schnelle einfache Lösung, und eigentlich war es ihm egal, ob Koks, Eifersucht oder Geld. Hauptsache, eine rasche Aufklärung und um Himmels willen nichts Politisches. Und dann saß ihr auch noch dieser Berliner im Nacken, der so tat, als hätte er den Fall schon längst gelöst und würde jetzt abwartend zusehen, ob die Ösis auch dahinterkommen.

Anna straffte die Schultern und holte tief Luft, durch ihren Schnupfen klang es ein wenig wie ein Schnauben. Hromada verstummte und sah sie erwartungsvoll an. Sie mobilisierte ihre Kräfte und ging zu diesem lächerlichen Flipchart, das seit mehr als zehn Jahren dem Raum einen modernen Anstrich verleihen sollte. Mit raschen Bewegungen entwarf sie eine Skizze: der tote Autor als ein kleines Strichmännchen, das am oberen Rand des weißen Blattes wie ein Engel thronte. Drogen – Frauen – Islamisten – Neider. Sie überspielte ihre Unsicherheit und teilte ihre Kollegen ein, die sich diensteifrig Notizen machten. Sie waren sichtlich erleichtert, dass Anna endlich das Zepter in die Hand nahm.

Gegen Mittag verließ sie das Präsidium Richtung Innenstadt. Am Würstelstand beim Schottentor kaufte sie sich eine Leberkässemmel, vor der es sie allerdings nach vier Bissen bereits ekelte. Sie aß sie trotzdem auf und versuchte, den Strömen von Italienern und Japanern auszuweichen.

Grünanger Verlag. Mezzanin.

Ein kleines gediegenes Türschild aus Messing wies Anna den Weg, und als sie im Halbstock die Türklingel betätigte, drückte jemand einen Türöffner, und Anna stand im Vorzimmer einer Wiener Altbauwohnung, lediglich die gerahmten Werbeplakate deuteten darauf hin, dass hier ein gediegener Verlag residierte. Niemand kam ihr entgegen, aus einem angrenzendem Raum hörte sie eine Frauenstimme: »Botendienst, hierher, bitte!« Anna folgte der Stimme und trat ins Büro. Ein attraktives Mädel, das hinter einem Schreibtisch voller Papierstöße zu verschwinden schien, sah sie fragend an.

»Nein, kein Botendienst. Kriminalpolizei. Ich würde gerne die Chefin sprechen.«

»Kriminalpolizei?«

Anna streckte der überraschten jungen Frau, die hinter ihrem Schreibtisch hervorgekommen war, die Hand hin.

»Anna Habel. Freut mich. Es geht um Herrn Pucher.«

»Sylvia Kramer, um Herrn Pucher? Hab ihn aber schon länger nicht mehr gesehen. Was ist mit ihm? Es ist doch nichts passiert?«

Anna Habel klopfte sich innerlich auf die Schulter. Gut, dass sie die Nachricht noch nicht an die Presse herausgegeben, das Ganze ein bisschen verzögert hatten. Sie klärte Frau Kramer auf, die ganz bestürzt reagierte.

»O Gott! Das ist ja grauenhaft! Xaver ist hier eine Zeitlang ein und aus gegangen. Ich mochte ihn sehr, nach außen immer ein bisschen verschlossen, in Wirklichkeit war er nur schüchtern. Und eben unglaublich begabt, bestimmt der Beste seiner Generation. Aber wie's halt so ist, irgendwann war's ihm dann nicht mehr fein genug bei uns.«

»Wann genau war das?«

»Warten Sie mal, sein erstes Buch erschien 2005, da war ich nämlich hier noch Praktikantin, gerade frisch von der Uni. Na ja, viel hat sich seither nicht verändert an meinem Job, nur heißt das jetzt Administration und nicht mehr Praktikum. Wenigstens gibt's Geld dafür.«

»Und wie lange ist Herr Pucher hier ein und aus gegangen?«

»Na ja, bis vor kurzem. Bis zu seinem Riesenkrach mit der Chefin, seitdem war er nicht mehr hier. Seine Bücher erscheinen jetzt in einem großen deutschen Verlag. Letztlich war das ja auch besser für ihn.«

»Und um was ging's bei dem Krach mit der Chefin?«

»Das müssen Sie sie schon selber fragen, da misch ich mich mal lieber nicht ein. Wahrscheinlich ums Geld, wie immer. Gang durch, zweite Tür links, gehen Sie einfach rein.«

Als Anna in das Büro der Verlagsleiterin Ursula Bauer

trat, sah sie erst mal gar nichts. Rauchschwaden stiegen vom Schreibtisch auf, auch hier türmten sich Papierstapel, einzig ein schönes altes Holzregal mit einer halbwegs geordneten Büchersammlung schien etwas Struktur in das Zimmer zu bringen. Die Frau, die hinter dem Schreibtisch saß, erinnerte Anna mehr an eine Bankmanagerin als an eine Verlegerin. Die Haare adrett aufgesteckt, ein Kostüm, dessen Preis Anna nur erahnen konnte, und ein unverbindliches, freundliches Lächeln.

Annas Nachricht traf sie hart. Sie brauchte Zeit, um sich zu fangen. Ihr Mund zitterte.

»Ich kann Ihnen gar nichts erzählen.«

»Jetzt beruhigen Sie sich erst mal. Jedes Detail ist wichtig. Wie lange kannten Sie Herrn Pucher?«

»Ich würde sagen, sieben, acht Jahre, lassen Sie mich nachdenken. Nein, vielleicht auch neun. Ich hab ihn auf einer Silvesterparty kennengelernt, ich weiß das Jahr nicht mehr.«

»Da war er aber noch kein Schriftsteller, oder?«

»Tja, das ist Ansichtssache. Ab wann ist man ein Schriftsteller? Wenn man schreibt, wenn man eine Idee hat, wenn man von sich behauptet, Schriftsteller zu sein, oder erst, wenn man die ersten Erfolge feiert?«

»Ich würde sagen, wenn man ein Buch veröffentlicht hat, das auch außerhalb von Freunden und Familie ein paar Leser findet.«

»Gut beobachtet, Frau Kommissar, genau. Und als ich Herrn Pucher kennenlernte, war er noch kein Schriftsteller, obwohl er der Ansicht war, sehr wohl einer zu sein. Dass er einer wurde, hat er mir zu verdanken.«

»Verstehe, er wurde also Schriftsteller, sogar ein ziemlich erfolgreicher, und wollte nichts mehr mit Ihnen zu tun haben.«

»Und da hab ich so eine Wut auf ihn bekommen, dass ich ihm nachgeschlichen bin und ihn umgebracht habe! Machen Sie sich doch nicht lächerlich. Das hätten Sie wohl gerne! Da wär der Fall für Sie rasch gelöst. Doch leider muss ich Sie enttäuschen. Ich war es nicht.«

Anna räumte einen Stapel Bücher von einem kleinen Lederfauteuil und setzte sich unaufgefordert. Ursula Bauer sah sie feindselig an, doch hinter ihren stark getuschten Wimpern glänzte es verdächtig. Der Tod des angeblich verhassten Autors ließ die ehemalige Verlegerin keineswegs kalt. Andrea hatte Anna schon einiges von Ursula Bauer erzählt, sie hielt sie für eine integre, sehr geschickte Frau, mit einem guten Riecher für Literatur. Eine, die für ihre Autoren durchs Feuer ging. Aber die wohl nicht für sie, dachte Anna und warf der angespannten Frau hinter dem Schreibtisch ein – wie sie hoffte – beruhigendes Lächeln zu.

»Jetzt regen Sie sich nicht gleich so auf, Frau Bauer. Niemand verdächtigt Sie hier und am allerwenigsten ich. Ich wollte mich einfach mit Ihnen über Herrn Pucher unterhalten, Sie standen sich doch einmal sehr nahe. Und irgendwo muss ich ja mit meinen Nachforschungen beginnen. Wann haben Sie Pucher das letzte Mal gesehen?«

»Ja ich weiß nicht genau, gesehen hab ich ihn öfter, bei irgendwelchen Veranstaltungen, Literaturevents. Wissen Sie, die Buchbranche ist klein in Österreich. Da kann man sich gar nicht aus dem Weg gehen, selbst wenn man das wollte. Ich glaube, das letzte Mal war bei einer Veranstaltung im Rathaus, da haben die Wiener ihr Lieblingsbuch gekürt.«

»Haben Sie sich mit ihm unterhalten?«

»Nein, bewahre! Wenn ich das irgendwie vermeiden kann, Verzeihung, konnte, habe ich darauf verzichtet. Wie Sie sich ja denken können, war unser Verhältnis eher gespannt.«

»Wann kam es denn zum Bruch mit Ihnen beziehungsweise mit dem Verlag?«

»Das ist in diesem Fall durchaus gleichzusetzen, auch wenn ich eine große Gegnerin dieser *L'état-c'est-moi*-Politik bin, aber ich war weit mehr als seine Verlegerin.«

»Entschuldigen Sie die Indiskretion, aber ich muss Sie das fragen: Hatten Sie ein Verhältnis mit ihm?«

»Um Gottes willen, nein! Ich interessiere mich nicht für kleine Buben! Nein, ich war seine Entdeckerin. Die, die ihn bestärkt hat, wenn er wieder mal seine Krisen hatte. Die, die seine Texte so bearbeitet hat, dass sie lesbar waren. Ich war die, die immer an ihn geglaubt hat.«

Sie schien nun ganz verzweifelt und konnte die Tränen nicht mehr zurückhalten.

»Wann also war das?«

»Am 15. Mai letzten Jahres. Ich weiß es genau, es ist der Geburtstag meiner Tochter. Und ich Trottel bin auch noch länger im Verlag geblieben, weil Xaver mal wieder unangekündigt hier antanzte und mich ganz dringend sprechen musste. Und da hat er mir dann eröffnet, dass er der Meinung ist, für seine weitere Karriere sei ein deutscher Verlag unabdingbar. Wissen Sie, das ist das Schicksal der österreichischen Verlage. Wir sind die Trüffelschweine, bei uns werden die Talente zu Schriftstellern, und irgendwann ist hier alles zu provinziell, zu wenig Presseaktivität, zu lascher Vertrieb, zu wenig Absatzmöglichkeiten für wirklich große Auflagen. Ich kann es ja irgendwie auch verstehen, nur vergessen die meisten, dass sie ohne uns nichts wären.«

»Und Pucher wäre nichts ohne Sie?«

»Na ja, Reisende soll man nicht aufhalten, heißt es doch, also was soll's.«

»Und wer kümmert sich um ihn, seit es Sie nicht mehr gibt in seinem Leben?«

»Hör ich da eine Spur Sarkasmus, Frau Inspektor? Ich glaube, da musste er sich keine Sorgen machen, und seit dem Wahnsinnserfolg von *Herodots wilde Reisen* konnte er sich der Freunde nicht erwehren. Erfolg macht sexy, das wissen wir doch.«

»Hatte er eine feste Freundin?«

»Na ja, so genau weiß ich das nicht, ich hab ja schon seit längerem keinen Kontakt zu ihm. Es gab da immer eine Frau in seinem Leben, doch die kannte niemand, wir nannten sie die Fata Morgana. Und den neuesten Gerüchten zufolge hatte er eine sehr enge Beziehung zu einer Frau in Berlin.«

»Diese Fata Morgana – wissen Sie, wie die heißt? Und wo sie wohnt?«

»Nein, die schöne Unbekannte war nur als Leyla bekannt. Kein Nachname, keine Adresse. Ich hab sie nie gesehen. ›Leyla fühlt sich nicht wohl … Leyla ist verreist … Leyla muss sich um ihre Mutter kümmern …‹ Leyla kommt vielleicht nach … Das waren so die Standardsätze, wenn wir ihn mit seiner ›erfundenen Freundin‹ aufzogen.«

»Wissen Sie, ob Xaver Drogen genommen hat?«

Diese Frage kostete Ursula Bauer ein müdes Lächeln, und entschlossen stand sie von ihrem Schreibtischstuhl auf. »Ich gebe Ihnen meine Karte, Sie können mich ja anrufen, wenn Ihnen noch schlauere Fragen einfallen. Sie entschuldigen mich, ich habe jetzt eine Verabredung.«

Auf dem Weg nach draußen steckte Anna ihren Kopf in Sylvia Kramers Büro, aber die sprach ostentativ in ihr Telefon und winkte hektisch mit der freien Hand. Anna legte ihr eine Visitenkarte auf die Computertastatur und zog die Tür leise hinter sich zu.

An der Straßenecke trat sie in das kleine Café, das gleichzeitig eine Buchhandlung war, und bestellte sich einen Espresso. Einer der Schaukästen war voll mit Xaver Puchers Büchern, mittendrin ein Foto des jungen Mannes, auf dem er schief lächelnd an der Bar des kleinen Cafés saß und stolz sein letztes Buch in die Kamera hielt. Unwillkürlich musste Anna an die Worte seiner Exverlegerin denken, sie interessiere sich nicht für kleine Buben. Pucher sah ein wenig so aus, als hätte er zumindest noch einen Matrosenanzug im Schrank hängen. Sie legte das Geld für den Kaffee auf den Tresen und schlenderte in den kleinen Buchhandlungsbereich. Vor den Regalen stand eine kleine, zarte Frau, die Zahlen in eine große Liste eintrug.

»Verzeihung, mein Name ist Anna Habel, ich bin von der Mordkommission. Darf ich Ihnen ein paar Fragen stellen?«

Die junge Frau sah sie mit schreckgeweiteten Augen an, für Anna die Bestätigung ihrer Theorie, dass es immer nur zwei Arten von Reaktionen auf diese Frage gab: Entweder die Leute wurden nervös und nahmen sofort eine Abwehrhaltung ein, als hätten sie ein schlechtes Gewissen, oder sie witterten sofort die Möglichkeit eines Auftritts und gaben sensationsgierig und tratschsüchtig alles, was ihnen nur irgendwie in den Sinn kam, zum Besten. Auch wenn die zweite Gruppe für den Ermittlungserfolg fraglos besser war, fühlte sich Anna mit den Unsicheren und Schüchternen weit mehr verbunden. Auch sie würde sich ertappt fühlen, stünde sie auf der anderen Seite.

»Ich bin hier nur geringfügig, die Chefin kommt in einer Stunde.«

Die kleine Person klammerte sich an ihrem Klemmbrett fest.

»Kennen Sie Xaver Pucher?«

»Ja. Warum?«

Die Stimme erstarb fast in einem Flüstern.

»Er ist tot. Wann haben Sie ihn das letzte Mal gesehen?«

»Ich weiß nicht. Vor ein paar Wochen? Aber ich hab nicht mit ihm gesprochen! Kein Wort. Er kannte mich gar nicht.«

Tränen traten ihr in die Augen. »Warum denn tot? Hatte er einen Unfall?«

»Na ja, nicht direkt. Fremdverschulden.«

»Das heißt Mord?« Sie starrte Anna ungläubig an und sank auf eine kleine Trittleiter.

»Ja, aber mehr darf ich Ihnen zum vorläufigen Zeitpunkt nicht sagen. Kannte ihn jemand näher hier im Laden?«

»Ja, meine Chefin, die sind befreundet und sehen sich öfter. Ich bin ja nur vormittags da. Nur ein paar Stunden.

Mich kennt der nicht. Aber schrecklich find ich das. So ein Begabter, wer macht denn so was?«

Die junge Frau sprach nun hastig mit erstickter Stimme, und Anna wunderte sich, welche Emotionen der Tod des jungen Mannes auslöste, auch bei Frauen, die ihn gar nicht persönlich kannten.

Als Anna den Graben überquerte, zog sie ihr Handy aus der Umhängetasche. *Vier Anrufe in Abwesenheit. Eine Mitteilung.* Scheiße, schon wieder hatte sie das Ding auf lautlos gestellt. Zwei Anrufe kamen von ihrer Sekretärin Susanne Schellander, der dritte von Florian, und beim letzten war der Teilnehmer unbekannt.

»Frau Schellander, hier ist Habel. Was gibt's? Ich bin noch unterwegs, hab mein Handy nicht gehört.«

»Ah, Frau Habel, ein Herr Bernhardt aus Berlin hat schon ein paarmal angerufen. Der will Sie unbedingt sprechen. Sehr netter, höflicher Herr, aber beim dritten Mal war er schon etwas ungehalten.«

»Ah ja, ungehalten. Geben Sie mir die Nummer durch?«

»Ja, Moment, haben Sie etwas zum Schreiben?«

Anna wühlte in ihrer Tasche nach dem kleinen schwarzen Moleskine und einem Kuli. Sie kniete sich auf die Stufen der Pestsäule, um die Telefonnummer zu notieren. Aus den Augenwinkeln sah sie, wie drei japanische Touristen ein Foto von ihr schossen. Unwillkürlich straffte sie die Schultern und zog den Bauch etwas ein.

»Ja, geht los, die Nummer bitte.«

Laut und deutlich diktierte ihr die Sekretärin jede Ziffer einzeln.

»Gut, danke, ich melde mich später.«

Sie schob den Zettel mit der Nummer in die Hosentasche und verließ das Touristengewühl am Graben. In einer ruhigeren Seitenstraße versuchte sie, Florian zu erreichen, kam aber nur bis zur Mailbox: »Hey, keine Zeit oder keine Lust. Ich ruf zurück – vielleicht.« Zum wievielten Mal sie sich über diese Ansage wohl ärgerte... Und am meisten ärgerte es sie, dass sie sich immer noch über solche Dinge ärgerte.

»Hey, ich bin's. Sorry, konnte nicht ans Telefon. Alles okay? Sehen uns heute Abend.«

So, und jetzt noch Andrea. Die war wohl wieder auf dem Weg nach Wien, denn irgendwann hatte sie eine *Melk*-SMS gesendet.

»Hi, hier ist Anna.«

»Das sehe ich. Na, zurück von deiner Landpartie?«

»Ja. Gott sei Dank. Die Großstadt hat mich wieder. Und selbst?

»Ich war in Linz und Wels. Weißt du was? Ich hasse Buchhändler.«

»Wieso denn auf einmal?«

»Nicht auf einmal. War schon lange absehbar. Jetzt ist es so weit. Niemandem kannst du es recht machen. Zuerst wollen sie nichts vorbestellen und haben Angst, ich quatsche ihnen was auf, und ein halbes Jahr später regen sie sich auf, dass ich ihnen zu wenig verkauft habe.«

»Tja, jetzt bist du leider beim falschen Verlag, da wird ein Kollege von dir nämlich richtig Geld verdienen.«

»Wieso, hast du einen Krimi geschrieben?«

»Noch nicht. Kann ja noch kommen. Aber ich habe eine andere Sensation für dich. Sitzt du?«

»Schätzchen, ich fahre mit 150 km/h über die Autobahn. Natürlich sitze ich.«

»Weißt du, wer seit heute Nacht in der Gerichtsmedizin liegt?«

»Woher soll ich das wissen? Jetzt sag schon.«

»Xaver Pucher.«

Schweigen am anderen Ende der Leitung.

»Hallo? Andrea? Bist du noch da?«

»Das ist nicht dein Ernst.«

»Leider schon.«

»Wer, ich meine, wie?«

»Das Wer wüsste ich auch gern, und das Wie kann ich dir noch nicht verraten. Kommt noch früh genug an die Presse, noch haben wir einen kleinen Vorsprung. Fällt dir spontan was dazu ein?«

»Puh. Na ja, so richtig gemocht hat ihn niemand. Alle waren zwar mit ihm befreundet, aber irgendwie ging er auch jedem auf die Nerven.«

»Hast du mal seine Freundin gesehen?«

»Die schöne Unbekannte? Nein, nie. Ich glaube nicht, dass es die wirklich gibt.«

»Immerhin hat er ihr sein letztes Buch gewidmet.«

»Wer's glaubt. Er ließ nichts aus, um sich interessant zu machen.«

»Du, ich muss jetzt Schluss machen, erzähl es noch nicht rum, wir telefonieren später. Bis dann!«

»Baba.«

Die Wohnung von Xaver Pucher lag – wie konnte es anders sein – im obersten Stock des Hauses. Die Bäckerstraße war zwar eine noble Adresse, doch zwängte sie sich eng und dunkel durch die Altstadt. Erst im dritten Stock waren die Räume lichtdurchflutet. Die Wohnungstür stand offen, und es herrschte die übliche Betriebsamkeit, die Anna immer an einen Ameisenhaufen denken ließ. Gewöhnen würde sie sich daran nie: Die Kollegen von der Spurensicherung stellten sämtliche Räume, Schränke, Schubladen auf den Kopf. All das, was gestern noch Xaver Puchers Privatsphäre gewesen war, wurde nun auseinandergenommen und genauestens untersucht, nichts blieb verschont. Anna lief einmal durch die Räume, versuchte sie sich ohne dieses Chaos vorzustellen, dachte an Xaver Pucher und wie er in dieser Wohnung wohl gelebt hatte. Es gelang ihr nicht so recht. Die Einrichtung war alt, etwas abgewohnt. »Gediegen« sagte man wohl dazu: alte Fauteuils, ein Sekretär, ein riesiges Bett aus dunklem Holz. Vermutlich befand sich in der ganzen Wohnung kein einziges Möbelstück mit so klingendem Namen wie Lillebror oder Juul. Das Ganze wirkte wie ein zu großer Anzug, den der junge Schriftsteller sich vor längerem zugelegt hatte und in den er erst reinwachsen musste.

Martin Holzer, der Leiter der Spurensicherung, riss sie aus ihren Überlegungen.

»Hallo, schöne Frau. Na, das ist eine Wohnung! Da könnte man ja direkt neidisch werden, oder?«

»Hallo, na ja, nicht schlecht. Aber jetzt hat er nicht mehr viel davon. Schon was gefunden?«

»Tja, viel nicht. Ein Adressbüchlein, das sich wie eine Einladungsliste zum Opernball liest – sogar die Privatnummer vom Präsidenten hatte unser kleiner Autor. Spuren von

Kokain im Badezimmer, die dürften frisch sein, die Putzfrau kommt nämlich jeden zweiten Tag.«

»Computer, Anrufbeantworter, Post?«

»Wenig Post, ein nahezu leerer Laptop, den nimmt sich der Kurti schon vor. Wenn etwas gelöscht wurde, findet er es wieder. Und auf dem Anrufbeantworter ist eine sexy Stimme mit Akzent, wollen Sie sie hören?«

Er hielt ihr das Schnurlostelefon hin und drückte auf einen Knopf. »Eine abgefragte Nachricht«, verkündete eine blecherne Automatenstimme. Und gleich darauf eine Frauenstimme, leise, zurückhaltend, zögernd, ein fremdländischer Akzent war deutlich zu hören: »Liebster, du bist schon weg?! Ich vermisse dich schon. Du musst bald wiederkommen, hörst du? Wenn du so weit fort bist, ertrag ich das alles hier noch viel weniger. Ich küsse dich, stelle mir vor, wie du in meinen Armen liegst und mich überall küsst.«

»Na, nicht schlecht, unser Bürscherl, was?«

»Jetzt reißen Sie sich mal ein bisschen zusammen, der Arme ist noch keine 24 Stunden tot. Weiß man, wer die Dame ist?«

»Nein, Nummer unterdrückt.«

»Machen Sie mir eine Liste aller gespeicherten Rufnummern und geben Sie mir das Adressbüchlein mit. Ich erwarte den Bericht der Spurensicherung bis spätestens morgen früh um neun auf meinem Schreibtisch.«

»Auch wir freuen uns über kollegiale Zusammenarbeit...«

Der Kollege hatte die Augen zusammengekniffen und drehte sich grußlos um.

Anna schlenderte noch einmal durch die hohen Räume,

versuchte sich ein Bild zu machen – das Bild eines jungen Mannes, der hier gelebt hatte. Gestern noch hatte er hier seine Reisetasche gepackt, und heute gab es ihn schon nicht mehr. Doch das Gewusel der Spurensicherung machte es unmöglich, sich Xaver Pucher hier vorzustellen. Anna nahm sich vor, an einem der nächsten Tage wiederzukommen. Allein.

Als sie aus der dunklen Bäckerstraße in die von Touristen bevölkerte Rotenturmstraße bog, erfasste sie plötzlich eine tiefe Abneigung vor Menschenmassen, und sie winkte spontan einem langsam vorbeifahrenden Taxi. Erleichtert sank sie in die tiefen Polster, und auch wenn sie wusste, dass sie beim momentanen Sparkurs jede Taxiquittung zu rechtfertigen hatte, war sie auf eine kindliche Art glücklich über diese Entscheidung, die ihr wenigstens ein paar Minuten Ruhe verschaffte.

Als das Handy klingelte und sie eine deutsche Rufnummer im Display sah, fühlte sie ein nervöses Ziehen im Magen.

»Habel.«

»Frau Habel, hier spricht Bernhardt. Aus Berlin. Sie erinnern sich? Wir bearbeiten gerade einen kleinen, völlig unwichtigen Fall miteinander.«

»Ah, Herr Bernhardt. Ich wollte Sie in zehn Minuten zurückrufen.« Anna sprach betont freundlich: Von diesem Macho ließ sie sich nicht aus der Reserve locken. »Ich war gerade in der Wohnung des Opfers und habe einiges sichergestellt, das uns weiterbringen wird. Sobald ich im Büro bin und meine Sachen sortiert habe, rufe ich zurück.«

Ein missmutiges Knurren: »Ist gut«, und schon hatte Bernhardt grußlos aufgelegt. Heute verderb ich's mir, glaube ich, mit allen, sagte sich Anna Habel, ohne ein sonderlich schlechtes Gewissen zu haben.

Als Anna Habel in ihr Büro trat, warf ihr die Sekretärin einen vorwurfsvollen Blick zu.

»Frau Habel, ich hab Ihnen ein paar Notizen gemacht, heut war hier die Hölle los. Ich muss jetzt leider, bin eh schon spät dran, meine Schwiegereltern kommen auf Besuch.«

Mehrere Post-its verunzierten ihren Computer-Bildschirm: »Kolonja zurückrufen.« »Florian zurückrufen!« »Hromada zurückrufen!!!!«

Kolonja hatte kein Ausrufezeichen, der konnte also warten. Hromada hatte vier, der sollte sich vielleicht erst noch ein wenig beruhigen, also wählte sie zuerst Florians Handynummer.

»Hi, Mom.«

»Hi, Sohn. Was gibt's? Alles klar bei dir?«

»Was willst du zuerst – die gute oder die schlechte Nachricht?«

»O mein Gott! Wie schlecht ist die schlechte denn?«

»Na du weißt ja, Noten sind immer nur subjektive Befindlichkeiten des Lehrers.«

»Außer es geht um Verbformen. Denn da gibt es klare objektive Kriterien.«

»Okay, du hast gewonnen: Französisch hab ich leider verhauen. Dafür hab ich einen Dreier im Chemie-Test.«

»Tja, ich kann mich wohl nur wiederholen: Kannst du

dich nicht einfach mal auf deinen faulen Hintern setzen und diese blöden Vokabeln und Verbformen büffeln?! Das ist doch verdammt noch mal nicht zu viel verlangt.«

Mit einem zustimmenden Grunzen versuchte Florian so etwas wie Verständnis für seine Mutter zu zeigen und beendete das Gespräch mit der Feststellung, er würde eventuell das nächste Wochenende bei seinem Vater verbringen. Kraftlos stimmte Anna zu, und als sie den Hörer auflegte, empfand sie diese vertraute Mischung von Erleichterung und schlechtem Gewissen.

Jetzt packen wir den Stier bei den Hörnern, dachte sie und wählte die Berliner Telefonnummer.

»Bernhardt.«

»Habel, also jetzt hören Sie mal zu. Wir haben hier mehrere Spuren. Wir haben in der Wohnung frisches Kokain gefunden und einen Laptop, der so aufgeräumt ist, dass es sicher nichts mit Ordnungsliebe zu tun hat. Weiters sitzt hier eine tödlich beleidigte, verlassene Verlegerin, die zwar schwört, nichts mit der Sache zu tun zu haben, aber mal sehen. Und eine unbekannte Geliebte, die ich Ihnen spätestens heute Abend vorstellen werde. Und dass die arabische Welt hinter unserem Starautor her war, um sich gegen die Gotteslästerungen zur Wehr zu setzen, das muss ich Ihnen ja nicht mehr erzählen.«

»Wirklich tolle Arbeit, Frau Kollegin.«

Anna spürte ihren Zorn gegen den aufgeblasenen Berliner Schnösel in sich hochkommen. Was bildete der sich eigentlich ein, sie auf eine so herablassende Art zu loben. Wie ein Kind, das die Schulaufgaben ordentlich erledigt hatte.

»Und Sie, verehrter Kollege, wissen Sie denn schon etwas

über Puchers Termine in Berlin? Gibt es Namen, Adressen, Alibis?«

»Na, an den Alibis sind wir dran. Mit Namen und Adressen haben Sie uns ja schon ausreichend versorgt, da sind wir ja quasi arbeitslos.«

»Jetzt lassen Sie doch mal diese Spitzen, Herr Kollege, ich weiß ja, dass ihr Deutschen gründlich arbeitet, erzählen Sie mir doch einfach, was Sie rausgefunden haben.«

Es folgte ein längerer Bericht, und es war wohl das erste Mal, dass der Berliner Kommissar ohne süffisanten Unterton sprach. Knapp und präzise schilderte er seinen Besuch bei der Frau, die in Berlin um Xaver Pucher weinte, sowie seine Stippvisite bei dem Imam, der gegen Pucher wetterte, doch eine konkrete Spur konnte auch er nicht festmachen.

Sie verabredeten sich für ein weiteres Telefonat am späten Abend, wenn Bernhardt die Agentur von Philip-Peter Weber aufgesucht hätte. Fast herrschte ein kollegialer Ton zwischen ihnen.

9

Die Agentur Philip-Peter Weber & Partner hatte ihre Räume in einem sanierten Ziegelsteingebäude in der Greifswalder Straße. Gar nicht weit weg von der Hufelandstraße. Der Vorbau in der vom Autoverkehr durchlärmten Straße war ein großzügig geschnittenes Wohnhaus aus der Zeit um 1900. Ging man durch den breiten Durchgang in der Mitte des Hauses, gelangte man in einen großen Hof, der von Kontorhäusern begrenzt wurde, in denen früher Handwerker, kleine Fabriken und Manufakturen ihre Räume gehabt hatten. Zu DDR-Zeiten war alles stillgelegt und in einen Dornröschenschlaf versetzt worden. Gleich nach dem Mauerfall hatten clevere Investoren Gebäude wie dieses wieder hergerichtet und ihnen ihr altes Flair verliehen.

Bernhardt schaute an den Fassaden hoch, ließ seinen Blick über die schönen Fenster und die Ornamente schweifen, bewunderte die unterschiedlichen Farben der Ziegelsteine. Ihm gefiel das: diese Mischung aus handfester, solider Architektur, in der sich ein Sinn für Schönheit und Annehmlichkeit zeigte. Hier hätte er gerne gearbeitet.

Er schaute auf die blitzenden Messingschilder, die an den einzelnen Aufgängen angebracht waren. »Dienstleistung ist das Stichwort der Stunde«, hatte er morgens in der Zeitung gelesen. Tatsächlich: Hier gab es jede Menge Dienstleister, und die Agentur Philip-Peter Weber & Partner, die am dritten Aufgang im dritten Stock residierte, war einer davon.

Als Bernhardt die Stufen hochstieg, hörte er ein stetig anschwellendes Stimmengewirr: Auf dem Treppenabsatz im dritten Stock standen die Leute schon dicht gedrängt. In den Händen Weingläser oder Bierflaschen schwenkend, redete jeder auf jeden ein. Was ist denn das für ein Stamm?, fragte sich Bernhardt, als er sich in den Flur drängte. Die meisten waren zwischen dreißig und vierzig, die Männer trugen schwarze Anzüge, schwarze Hemden und offene Hemdkragen, auch die Frauen trugen ihre Jeans und Kostümjacken in dunklen Farben. Alle wollten auffallen und auch wieder nicht, fand Bernhardt.

Eine größere Gruppe scharte sich um einen nicht mehr ganz jungen Mann, der eine karierte Hose, wie sie ältere amerikanische Touristen auf Europa-Reisen bevorzugten, und ein pinkfarbenes Jackett mit Strass-Applikationen trug. Bernhardt blinzelte: Wie von einer Gloriole umleuchtet stand der Mann da. Ah, das Machtzentrum, sagte sich Bernhardt. Als er näher kam, sah er das unnatürlich straffe, solariumgebräunte Gesicht, das von einer kunstvoll zerzausten blonden Mähne gekrönt wurde. Bernhardt war beeindruckt. Diese Mischung aus Oscar Wilde und Andy Warhol musste einer erst mal hinbekommen.

Es waren fast nur Männer, die um die sorgfältig inszenierte Zentralfigur herumstanden. Sie waren ein bisschen älter als die Männer, die er am Eingang und auf dem Weg zu Philip-Peter Weber gesehen hatte. Bernhardt kämpfte sich mit den Ellbogen das letzte Stück Weg frei.

»Guten Tag, Herr Weber, kann ich Sie mal sprechen?«

So ging's natürlich nicht. Das zeigte ihm Philip-Peter Weber, ohne mit der Wimper zu zucken. Er nahm ihn ins Visier und fixierte ihn kurz mit seinen grünen Augen. Was hast du hier zu suchen?, fragten diese Augen und wiesen ihn zugleich zurecht. Bernhardt spürte Kraft und Durchsetzungswillen. Eine harte Nuss, schwer zu knacken, keine Frage.

»Ich nehme keine Manuskripte mehr an, Sie sind hier falsch. Aber wer immer Sie sind, nehmen Sie sich doch ein Glas Wein, und das Fingerfood von Sarah ist doch auch wieder toll, oder?«

Zustimmendes Gemurmel der umstehenden graumelierten Männer, Schwenken der Weingläser, kleine Lobeshymnen auf den Gastgeber, ironisches Gewitzel. Bernhardt fühlte sich unwohl, er spürte, wie er errötete und zu schwitzen anfing. Schwieriges Auswärtsspiel.

»Ich schreibe nur Berichte.«

»Berichte? Für wen denn?«

»Für die Mordkommission.«

Ein kleiner Befreiungsschlag. Bernhardt merkte, dass er seinen Rhythmus fand.

»Ach, und die wollen Sie veröffentlichen? Ist das denn überhaupt erlaubt?«

Philip-Peters Männerrunde war verstummt. Jetzt witterte man eine kleine Skandalgeschichte. Da gab's doch was zu hören und zu erzählen.

»Ich schreibe auf, Herr Weber, und dann liest's irgendwann der Staatsanwalt, das ist alles. Und von Ihnen will ich auch was wissen, zum Aufschreiben.«

Das waren doch ganz gute Wirkungstreffer. Philip-Peter Webers Lachen wirkte jetzt gekünstelt.

»Ich wüsste nicht, was ich mit der Mordkommission –«

»Das klären wir am besten unter vier Augen, ich nehme an, Sie haben hier eine Art Büro?«

Offensichtlich war vom Tod des jungen Autors noch nichts durchgedrungen.

Als Philip-Peter Weber die Tür hinter sich geschlossen hatte, lehnte er sich an den riesigen Tisch, der in der Mitte des kargen Raumes stand und auf dem sich Manuskriptberge stapelten.

»Das war nicht fair, Herr…«

»Bernhardt, Thomas Bernhardt.«

»Ach nee, das darf ja nicht wahr sein.«

»Kommen wir zur Sache: Ich muss Ihnen leider eine schlechte Nachricht übermitteln.«

Für Bernhardt war das immer der Augenblick der Wahrheit: Wie reagiert man, wenn einem die Nachricht vom Tode eines Menschen übermittelt wird, den man kannte und der einem auf irgendeine Art nahestand? Bernhardt war fest davon überzeugt, dass ein Mensch in dieser Situation sein Inneres offenbare, und zwar umso heftiger, je mehr er verbergen wollte. Bernhardt ließ sich bei seinen Untersuchungen immer vom Eindruck leiten, den er in diesem Augenblick erhielt. Cornelia Karsunke hatte ihm in einem anderen Fall mal mit kritischem Unterton gesagt: »Du bildest dir da zu schnell ein Urteil oder Vorurteil.« Philip-Peter Webers Reaktionsablauf schien ihm jedenfalls absolut überzeugend: sekundenlanges Missverstehen der Nachricht, ungläubiges Staunen, Entsetzen, Trauer. Er schlug die Hände vors Gesicht, mit seinem Outfit – Bernhardt registrierte jetzt auch noch die schwarzweiß gemusterten Schuhe – sah er aus wie ein grotesker Clown.

»Aber warum, warum...?«

»Das müssten Sie besser wissen als ich. Worum ging's denn in seinem neuen Buch?«

»Das weiß ich eben nicht. Xaver hat ein riesiges Geheimnis drum gemacht. Außer einem Exposé habe ich nichts.«

»Ja und, was steht da drin?«

»Na ja, sagen wir mal: Er wollte alles in dem Roman. Es sollte ein Krimi sein, der auf Tatsachen beruht. Die wirklich Schuldigen sollten in dem Buch die Unschuldigen und die Unschuldigen die Schuldigen sein. Die Täter die Opfer und die Opfer die Täter. Wie soll ich das erklären, ich hab's ja selbst nicht richtig verstanden: Alles sollte auch umgekehrt wahr sein, war sein Motto. Und in diesem Krimi sollte dann eine Art Philosophie der Moderne, so hat er mal gesagt, enthalten sein. Das wird mein Opus magnum, hat er immer wieder betont. Danach käme keiner mehr an ihm vorbei. Und heute wollte er mir auf dem Empfang sein Manuskript übergeben, ganz feierlich. Aber bis jetzt ist er ja nicht gekommen. Eine Katastrophe. Die wichtigsten Kritiker sind da, sie hätten anschließend ein Gespräch mit ihm führen können. Wir haben eine Wahnsinns-Werbestrategie entwickelt, und jetzt...«

Er brach in Tränen aus. Zwei kleine Rinnsale schwarzer Wimperntusche liefen ihm rechts und links über die Wangen. Thomas Bernhardt reagierte verstimmt: In diesem Fall wurde zu schnell geheult, erst die Freundin, jetzt der Agent.

»Auf das Manuskript bin ich ja gespannt. Wenn wir's überhaupt finden.«

»Das wäre ein furchtbarer Verlust für die Literatur.«

»Für die Literatur? Sie haben's doch angeblich gar nicht gelesen.«

»Er war so begabt, lesen Sie doch einfach seine Bücher, dann werden auch Sie begreifen, was sein Tod für die Literatur bedeutet. Und für uns natürlich auch, die Agentur hat viel investiert.«

»Ah ja, das Geschäftliche. Wie war das denn geregelt?«

»Wir haben einen Vertrag.«

»Und?«

»Nichts und. Wir vertreten ihn und bekommen Prozente von seinen Einkünften.«

»Prozente? Wie viel?«

»Das Übliche. Das sind ganz normale Verträge.«

»Gut, das reicht fürs Erste. Nur noch eine Frage: Habe ich das richtig verstanden, in dem Roman sollten also tatsächlich existierende Personen auftauchen, denen aber Handlungen zugewiesen wurden, die sie gerade nicht begangen hatten, ist das richtig?«

»Ich weiß es wirklich nicht genau, er hat immer gesagt: Das wird ein verschlüsselter Schlüsselroman.«

»Das heißt auf Deutsch?«

»Hab ich doch schon gesagt: Alles ist wahr – und dann auch wieder nicht. Ach so, und das Motto sollte sein: Ich bin die Lüge, die die Wahrheit spricht. Irgendein Zitat.«

Philip-Peter Weber entschuldigte sich und ging in einen Nebenraum. Durch den Türspalt sah Bernhardt, wie er sich über einem kleinen Becken das Gesicht wusch und dann vor dem Spiegel seine Wimpern tuschte. Er schaute sich um: An der Wand hingen Fotos von jungen Autoren. Die Frauen sahen eindeutig besser aus als die Männer, die fast alle verkniffene Gesichtszüge hatten und damit wohl dem Betrachter den Eindruck zu vermitteln suchten, große Künstler zu sein.

Als Philip-Peter Weber zurückkam, wirkte er auf beeindruckende Weise restauriert. Er trug eine schwarze Hose und ein schwarzes Jackett, darunter ein weißes Hemd und, nicht zu fassen, einen schwarzen Schlips. Er nahm Bernhardt mit einer sanften Bewegung am Arm und zog ihn mit sich.

»Jetzt muss ich denen da draußen sagen, was passiert ist. Furchtbar.«

Er trat in den großen Raum, in dem es wie in einem Bienenkorb summte, und klatschte in die Hände. Wie in Zeitlupe wandten sich die Besucher ihm zu.

»Es tut mir leid, ich muss euch jetzt eine ganz furchtbare Mitteilung machen, aber es geht nicht anders ...«

Bernhardt hatte sich an die Tür zum Treppenhaus gelehnt und beobachtete die Reaktionen. Die Nachricht rüttelte die Anwesenden ganz schön durch. Wie in einer kunstvoll inszenierten Choreographie bewegten sich die Menschen aufeinander zu, hielten sich fest, stießen sich wieder voneinander ab, Rufe kreuzten sich, die Mädchen und Jungs vom Catering-Service standen wie erstarrte Pinguine inmitten der immer lauter sprechenden Gäste, Philip-Peter Weber hatte seine Arme um einen der Männer geschlungen, der bei Bernhardts missglücktem Auftritt neben ihm gestanden hatte. Der Mann streichelte über Philip-Peters blonde Mähne und redete zugleich mit seinem Nachbarn. Thomas Bernhardt führte noch ein paar Einzelgespräche, aber die wenigsten Anwesenden kannten Pucher persönlich. Es war die übliche Ansammlung von Möchtegerns und Wichtigtuern, und im Grunde empfanden die meisten mehr Stolz, bei diesem historischen Augenblick dabei gewesen zu sein, als echte Trauer. Er ließ von einer Assistentin Philip-Peter Webers alle in eine Liste eintragen, schärfte ihnen ein, sich bei jeder Kleinigkeit, die ihnen einfiel, zu melden, und verteilte großzügig seine Visitenkarten.

Als er die Treppe hinunterging, wurde das Stimmengewirr von Stufe zu Stufe leiser. Unten im Hof umfing ihn Stille. Ein leichter Regen fiel. Er fischte sein Handy aus dem Jackett und drückte auf die Taste des Wahlspeichers.

»Ja?«

»Hier auch Ja.«

»Ach so, du bist's. Was ist los?«

»Nix. Ich war gerade bei diesem Agenten. Echt anstrengend. Wie war's bei dir?«

Er hörte Kindergeschrei im Hintergrund. Mit einer sanften und ruhigen Stimme, die ganz anders klang als während der Arbeitszeit, reagierte Cornelia Karsunke auf die Quengeleien der beiden kleinen Mädchen. Und wie bei anderen Anrufen zuvor schon wunderte er sich über ihre Geduld und darüber, dass es ihr immer gelang, die beiden in ihren kleinen Streitereien zu versöhnen.

»Bei uns ist alles im Sand verlaufen. Wir haben ein paar von den Leuten im Zug überprüft, das war reine Zeitverschwendung. Du kannst dir die Namen ja morgen noch mal anschauen, aber das bringt natürlich nichts. Zu seinen Bekannten sind wir noch gar nicht gekommen. Und dann hat noch diese Wienerin angerufen, Haufel oder wie die heißt, na, das ist ja vielleicht ein Schrapnell.«

Bernhardt ärgerte sich. Ach ja, er hätte die Habel noch mal anrufen sollen. Aber eigentlich gab es nichts Neues, das konnte also auch bis morgen früh warten.

»Bist du noch da?« Cornelias Stimme holte ihn zurück in die Realität. Als er an seine leere Wohnung dachte, überkam ihn plötzlich ein Gefühl von Einsamkeit. Er schwieg noch einen Augenblick und kämpfte mit sich. Sollte er, sollte er nicht?

»Hast du noch Lust, einen zu trinken?«

Jetzt schwieg Cornelia. Doch zu Bernhardts Erstaunen lachte sie nicht.

»Ja, geht schon. Aber du müsstest zu mir nach Neukölln kommen. Wo bist du denn?«

»Greifswalder, kurz vor der Danziger, ist ein bisschen weit, oder?«

»Nee, ist doch nicht weit. Du fährst die Greifswalder runter, übern Alexanderplatz, und dann mit deinem Navi bis in die Boddinstraße, na ja, und dann bist du doch schon fast im Rixx-Eck. Da waren wir schon mal, erinnerst du dich?«

Er erinnerte sich. Sie hatte ihm nach dem vierten oder fünften Bier erzählt, dass sie zwei kleine Töchter hatte.

»Kurz vor und nach dem Abitur auf die Welt gekommen. Da staunste, wa?«

Auf Bernhardts Frage, ob sie die Kinder denn wirklich gewollt habe, hatte sie zu seiner Verblüffung geantwortet: Klar, sie wolle von jedem Mann, den sie liebe, ein Kind. Wie das weitergehen solle? Wisse sie nicht. Und wie sie das schaffe mit den Kindern? Kein Problem, ihre Mutter wohne in der Nähe und passe oft auf die Kinder auf. Im Übrigen habe sie ja noch ihren Freund, sie wären zwar quasi getrennt, doch ausgezogen sei er noch nicht. Da war Bernhardt verstummt.

Trotz Navi hatte er sich auf der Fahrt von Prenzlauer Berg nach Neukölln verfahren. Aber sie saß noch an einem Tisch in dem ziemlich versifften Gastraum. Rockmusik wummerte aus den Lautsprechern, Männer mit langen Haaren und in Lederklamotten hingen herum und schauten leicht abwesend auf die blondierten Frauen, die sich über Mode und Sonnenstudios zu unterhalten schienen.

»Na?« Sie klang so leise und sanft wie im Gespräch mit ihren Kindern. Aus ihren schräg stehenden Augen schaute sie ihn nachdenklich an.

»Anstrengender Tag?«

»Wie immer.«

Er beschrieb kurz seinen Auftritt bei Philip-Peter Weber.

»Ist dir eigentlich klar, dass du den falschen Beruf hast?«

»Hat doch jeder.«

»Ich nicht. Ich bin auf dem richtigen Posten. Weißt du auch, warum? Weil ich einfach durch die richtige Schule gegangen bin. Mir war von Anfang an klar, dass es hart wird, dir nicht.«

»Mag sein. Sag mal, und jetzt ist dein Freund bei den Kindern?«

»Ja, warum fragst du?«

»Hast du nicht gesagt, ihr habt euch getrennt?«

»Ja, eigentlich schon. Aber er hat noch keine neue Wohnung. Warum fragst du?«

»Ach, keine Ahnung. Meinst du, du wirst dich wieder verlieben?«

»Warum nicht?«

»Dann würdest du wieder ein Kind bekommen?«

Sie lachte und schaute ihn spöttisch an.

»Vielleicht. Das scheint dich ja zu interessieren. Und du selbst: Bist du verliebt?«

»Nein, im Moment nicht.«

Vor der Tür ernüchterten ihn die kalte Luft und der gleichmäßig fallende Regen. Er verabschiedete sich von Cornelia, die ihn kameradschaftlich auf die Schulter schlug und dann schnellen Schritts in Richtung ihrer Wohnung ging. Er schaute der kleiner werdenden Gestalt nach, bis sie im diffusen Licht der Gaslaternen und hinter dem Regenschleier verschwand.

Mit ziemlich benebeltem Kopf fuhr er über die Stadtautobahn in Richtung Schöneberg zu seiner Wohnung. Das Licht der Straßenlampen, das die Fahrbahn ausleuchtete, brannte in seinen müden und schmerzenden Augen. Doch selbst in diesem Zustand spürte er seine alte Begeisterung für die elegant geschwungene Autobahn, er liebte es, nachts mit seinem Auto durch die leicht ansteigenden oder abfallenden Kurven zu surfen, ab und zu in den Häuserdschungel zu spähen, einen Blick in ein erleuchtetes Zimmer zu werfen. Er fühlte sich dann auf eine seltsame Weise verbunden mit den Menschen, die dort lebten. Das waren seine sentimentalen Momente. Auch in dieser Nacht genoss er es, wenn links die anderen Autos an ihm vorbeirasten. Er sah den in Licht getauchten Flughafen Tempelhof, den riesigen Schwung des Gebäudes, das wie ein fernes Schloss aufleuchtete. Ein winziges Flugzeug, das wie ein ferngesteuertes Spielzeug wirkte, senkte sich gerade auf die Landebahn. Er bedauerte, dass der Flughafen demnächst geschlossen wurde und solche Augenblicke dann nicht mehr möglich waren. Er schaute noch einmal auf das Gelände, das langsam an ihm vorbeizog, Kurze Zeit später türmten sich links mehrere rote Ziegelsteinbauten von wuchtiger Hässlichkeit auf.

An dieser Stelle fragte er sich immer wieder, warum noch niemand über »Preußen und der Ziegelstein« geschrieben hatte. Schulen, Gefängnisse, Amtsgebäude und Kirchen waren in diesem Stil errichtet worden, und sie ähnelten sich so sehr, dass man ihre Zwecke auf den ersten Blick oft gar nicht erkennen konnte.

Er nahm die Autobahn-Ausfahrt »Innsbrucker Platz«. Langsam fuhr er die Martin-Luther-Straße hoch bis zum Rathaus Schöneberg, bog nach rechts in die Belziger Straße ein, dann links in die Merseburger, wo er wohnte. Beim Betreten des Hausflurs strömte ihm der charakteristische Berliner Altbau-Geruch entgegen. In den hundert Jahren, seit das Haus stand, hatten sich Staub, Ruß, Essensgerüche, der Rauch der Bombennächte, die Ausdünstungen von Dutzenden von Mietern zu einem einzigartigen Amalgam verbunden. Nach Gruft roch das, nach Ungelüftetsein, schal und doch intensiv. Man hätte ihn entführen und rund um die Welt schicken können, einen Berliner Altbau hätte er jederzeit mit verbundenen Augen erkannt.

Er stieg die knarrenden Stufen bis in den vierten Stock

hoch. Als er seine Wohnungstür öffnete, schlug ihm ein anderer Geruch entgegen, trocken und staubig. Er kündigte an, was dann zu sehen war: Hier wohnte niemand, hier schlief nur jemand. Von den Decken in den beiden Räumen und auch in der Küche hingen nackte Glühbirnen. In dem einen Zimmer standen ein Bett und ein Schrank, in dem anderen ein Schreibtisch mit Computer und eine Couch. Thomas Bernhardt öffnete die Balkontür und trat hinaus. Zwar wohnte er im Hinterhaus, aber im Krieg war die ganze vordere Häuserecke weggebombt worden, so dass er einen freien Blick auf die angestrahlte Apostel-Paulus-Kirche hatte. Die riesige Kastanie vor dem Balkon rauschte leise. Die Vögel, die darin hausten und morgens bei Sonnenaufgang einen ungeheuren Lärm machten, schliefen.

Er ließ die Balkontür offenstehen und ging in die Küche. Im Kühlschrank fand er noch eine Spinatpizza und eine Flasche Bier. Er zündete den Gasofen an und legte die Pizza auf das Blech. In das leise Brummen des Kühlschranks mischte sich jetzt das gleichmäßige Zischen des Käses. Sonst nichts als Stille. Er hebelte den Kronkorken der Bierflasche mit seinem Autoschlüssel auf und setzte die Flasche an den Mund. Noch ein Geräusch, das sich in die Stille mischte.

Dann kamen ganz unvermittelt die Kopfschmerzen. Er nahm die Flasche, schüttete das Bier in den Ausguss und lauschte dem leisen Gluckern. Er stellte die leere Bierflasche auf den Kühlschrank, ging zum Ofen und schaltete ihn aus. Die halbgare Pizza nahm er vom Backblech und warf sie in den Mülleimer.

Er schaute nicht in den Spiegel, als er sich im Bad die Zähne putzte. Im Bett lag er lange wach, doch dann leerte sich langsam sein Kopf, und er schlief ein. In einem tiefen Traum tauchte Cornelia auf. Sie schaute ihn lange an und sagte dann lächelnd: »Du bist ein seltsamer Mann.«

10

Als Anna um 19 Uhr den Computer ausgeschaltet hatte und in ihren Mantel geschlüpft war, weilte sie in Gedanken schon zu Hause. Fieberhaft überlegte sie, was ihr Kühlschrank zu bieten hatte, und vor allem, was sie ihrem ewig hungrigen Sohn zum Abendessen vorsetzen könnte.

»Na, schon fertig für heute?«

Markus Frische von der Drogenfahndung grinste jovial durch seine offenstehende Tür.

»Ich bin ja auch seit halb sechs Uhr früh im Einsatz.«

Anna ärgerte sich über die Rechtfertigung. Irgendwas hatte der junge Kollege an sich, dass sie sich immer angegriffen fühlte, kaum richtete er das Wort an sie. Er war einfach zu jung, zu gutaussehend und zu flapsig, und nach mehreren unverhohlen rassistischen Äußerungen bei einer Teamsitzung hatte Anna schlichtweg beschlossen, ihn nicht zu mögen und sich vor ihm ein wenig in Acht zu nehmen. Er machte seinerseits kein Geheimnis daraus, dass er gegen eine baldige Versetzung ins Morddezernat nichts einzuwenden hätte.

Wenige Minuten später lief Anna Habel die Wiener Ringstraße hoch in Richtung Schottentor, fischte ihr Handy aus der Manteltasche und drückte die eingespeicherte Kurzwahlnummer *Flo*.

»Yup.«

»Hi, ich bin's. Was magst du essen?«

»Nix, hab kein' Hunger.«

»Sitzt du am Computer?«

»Hm.«

»Ich bin in zehn Minuten zu Hause, soll ich noch was einkaufen?«

»Nein, ich treff mich gleich mit Sebastian, wir gehen noch in den Park.«

»Wie? Unter der Woche?«

»Mama, morgen ist doch frei. Lehrerkonferenz oder so.«

»Okay, dann treffen wir uns in zwei Stunden zu Hause?«

»Wozu?«

»Na, um uns wenigstens mal zehn Minuten zu sehen?«

»Wenn du meinst.«

Es gab Tage, da fand Anna es ganz in Ordnung, dass sie mit ihren unregelmäßigen Arbeitszeiten Florian zwangsläufig viel Freiraum gewährte. Wenigstens war sie nicht eine dieser Klammermütter, die immer noch die Hausaufgaben ihrer fast erwachsenen Kinder kontrollierten und in der Illusion lebten, die wichtigste Bezugsperson für ihre Sprösslinge zu sein. Doch es gab auch Tage, da hatte sie das Gefühl, ihr Sohn entgleite ihr völlig, sie hatte keine Ahnung, was in seinem Leben abging, noch, was ihn umtrieb.

»Wir können ja noch einen Film zusammen schauen.«

»Ja, um zehn. Mama, da schläfst du doch sowieso nach fünf Minuten ein.«

»Da hast du wahrscheinlich recht, also dann, wir sehen uns.«

Sie hätte natürlich jetzt einfach nach Hause fahren und ihren Haushalt wenigstens so weit auf Vordermann bringen können, dass er keine Zumutung für die Putzfrau war. Doch statt in die Straßenbahn zu steigen, ging sie Richtung Innenstadt, irgendetwas trieb sie noch einmal in Richtung Puchers Wohnung.

Als sie in der Bäckerstraße stand, musste sie den Kopf weit nach hinten legen, um in der schmalen Gasse den obersten Stock sehen zu können. Die Fenster unter Puchers Wohnung waren hell erleuchtet, ansonsten war wohl niemand zu Hause. Anna drückte die Klingel der Wohnung im zweiten Stock, »Zangl/Prokop«.

Lange nichts, dann eine verzerrte Stimme.

»Wer ist da?«

»Anna Habel, Kriminalpolizei. Ich habe ein paar Fragen, können Sie mir aufmachen?«

Ohne ein weiteres Wort wurde der Summer betätigt, und Anna erklomm die Stufen. Oben auf dem Treppenabsatz stand ein Mann mittleren Alters in Jeans und blaugestreiftem Businesshemd, eine Schürze nachlässig um den Hals gehängt. Zwischen seinen Beinen lugte ein Kleinkind im Pyjama neugierig hervor.

»Ist was mit Sabine?«

»Ich nehme an, Sabine ist Ihre Frau? Nein, nein, keine Angst, es ist alles okay. Es geht um Ihren Nachbarn, Herrn Pucher. Kann ich kurz reinkommen?«

»Ja, kommen Sie. In Filmen zeigen die Kommissare immer ihren Ausweis, aber ich glaub Ihnen auch so.«

Anna war nicht sicher, ob sie das jetzt als Kompliment auffassen sollte, und ignorierte die Bemerkung.

Herr Zangl oder Prokop führte sie in eine freundlich eingerichtete Küche, setzte das Kind in einen Kinderstuhl und schob ihm ein paar Plastikteller und Kochlöffel zum Spielen hin.

»Wie lange wohnen Sie hier schon, Herr ...?«

»Prokop. Dr. Matthias Prokop. Noch nicht so lange, seit etwa einem Jahr. Was ist mit Xaver? Hat er was angestellt?«

»Das wissen wir noch nicht. Wir wissen lediglich, dass er tot ist. Er wurde letzte Nacht ermordet.«

»Mein Gott! Doch nicht etwa hier, in unserem Haus?«

Er rückte seinen Stuhl ein Stück näher an sein Kind.

»Nein, keine Angst. Nicht hier im Haus. Über die näheren Umstände kann ich leider aus ermittlungstechnischen Gründen noch nicht sprechen. Wie gut kannten Sie ihn?«

»Nicht gut. Man sieht sich manchmal im Treppenhaus, und einmal hat er uns auf eine Party eingeladen, da waren wir aber nur sehr kurz. Wir konnten wenig mit diesen Leuten anfangen.«

»Hatten Sie Streit miteinander?«

»Nein, nicht direkt. Am Anfang, als wir eingezogen sind, hatten wir eine kleine Auseinandersetzung.«

»Worüber?«

»Über Babygeschrei.«

»Er hat sich beschwert?«

»Na ja, die ersten drei Monate hatte Leander unruhige Nächte, und Puchers Arbeitszimmer liegt direkt über unserem Schlafzimmer. Er könne nicht arbeiten, meinte er, er könne nur in der Nacht arbeiten, und bei dem Geschrei würde er niemals mit seinem Buch fertig werden.«

»Wie haben Sie sich geeinigt?«

»Geeinigt? Gar nicht. Seine Wohnung ist doppelt so groß, er hätte seinen Schreibtisch einfach in den anderen Trakt legen können. Irgendwann war es dann einfach vorbei, und Leander schlief durch.«

Als wäre es sein Stichwort, fing der Kleine an zu greinen und sich aus seinem Stühlchen zu stemmen. Prokop nahm ihn hoch, setzte ihn auf eine Hüfte und begann mit geübten Handbewegungen, einen Brei zuzubereiten.

»Wo ist Ihre Frau?«

»Auf Dienstreise. Brüssel. Sie arbeitet fürs Sozialministerium.«

»Und Sie?«

»Ich bin im Karenzurlaub. Eigentlich bin ich Anwalt. Wirtschaft.« Anna versuchte sich ihre Bewunderung nicht anmerken zu lassen. Mein Gott, es gibt sie also doch, diese emanzipierten Paare, nicht nur in den Hochglanzprospekten des Familienministeriums.

»Haben Sie noch Fragen? Der Kleine müsste bald mal ins Bett.«

»Nein, äh, ja. Wann haben Sie Pucher zum letzten Mal gesehen?«

»Ich glaube, das war am letzten Sonntag, also vor mehr als einer Woche. Wir sind gerade von einem Spaziergang nach Hause zurückgekehrt, da kam er uns im Treppenhaus entgegen.«

»Ist Ihnen irgendetwas Besonderes aufgefallen?«

»Nein, ich weiß nicht. Ein komischer Typ war er sowieso. O ja, doch. Er machte in letzter Zeit immer total Stress, dass wir ja die Haustüre ordentlich schließen. Faselte etwas von Drohbriefen und dass er Angst vor Einbrüchen hätte.«

»Hatten Sie in letzter Zeit bemerkt, dass er eine Auseinandersetzung hatte, einen lauten Streit in der Wohnung?«

Leander begann nun mit einem Kochlöffel auf seinen Vater einzuschlagen, der ihn lachend abwehrte.

»Nein, Party machte er ziemlich regelmäßig, aber daran haben wir uns gewöhnt.«

Prokop wurde sichtlich ungeduldig und bewegte sich Richtung Küchentür.

»Hören Sie, ich weiß nichts über ihn, ich finde es schrecklich, dass jemand ermordet wird, aber er wird mir nicht fehlen.«

Anna hatte die Türklinke schon in der Hand, da drehte sie sich noch einmal um.

»Kannten Sie seine Freundin?«

»Welche?«

»Wie viele hatte er denn?«

»Na ja, wie nahe sie sich standen, weiß ich nicht, aufgefallen sind mir zwei. Eine schöner als die andere.« Prokop lächelte versonnen. »Also, die eine, die konnte man immer nur ganz schemenhaft erkennen, die hatte immer ein Tuch über dem Kopf, aber nicht so ein türkisches Kopftuch, bei ihr sah das echt sexy aus. Und ihre Augen!«

»Und die zweite?«

»Ganz anderer Typ. Die hab ich aber nur zweimal gesehen. Eine Deutsche, Künstlertyp, cool irgendwie.«

»Herr Prokop, ich danke Ihnen für Ihre Hilfsbereitschaft. Ich muss Sie aber leider bitten, in den nächsten Tagen noch einmal aufs Präsidium zu kommen. Sobald ich Fotos aus dem Umfeld des Toten habe, müssten Sie die mal ansehen.«

»Alles klar, kein Problem. Da kann ich ihn ja mitnehmen.« Er blickte auf seinen Sohn, der sich inzwischen fest an seine Schulter schmiegte und die fremde Frau keines Blickes mehr würdigte.

»Klar. Ist der immer so brav?«

»Nein, nur wenn die Polizei da ist.«

Sie tauschten Visitenkarten aus, und nachdem Prokop versichert hatte, dass die anderen Wohnungen zur Zeit leer standen beziehungsweise einer der Bewohner die Hälfte des Jahres auf den Malediven verbrachte, verließ Anna das Haus.

Sie zögerte kurz vor dem Café Alt Wien, das unmittelbar an das Haus von Xaver Pucher grenzte. Schon bei einem kurzen Blick durch die fast blinden Fenster hatte sie diesen Geruch in der Nase, den Geruch nach abgestandenem Bier und dem Rauch Tausender Zigaretten, der sich im Anstrich der Räume festgesetzt hatte. Sie trat durch die Tür und hielt unwillkürlich den Atem an: Hier hatte sich nichts verändert. Es sah aus wie vor zwanzig Jahren, als sie als junge Studentin ihre halben Nächte hier verbrachte. Nur, dass sie es heute nicht mehr cool fand, sondern deprimierend.

Sie setzte sich an die Bar und bestellte einen kleinen Schwarzen und einen Schinken-Käse-Toast. Sie zog das Pressefoto von Xaver Pucher aus der Handtasche und hielt es dem Kellner unter die Nase.

»War der oft hier?«

»Wer will das wissen?«

»Entschuldigen Sie, Kriminalpolizei, Anna Habel ist mein Name. Ich ermittle im Fall Xaver Pucher.«

»Ist ja gut. Na ja, so oft eigentlich nicht, dafür dass wir

Nachbarn waren. War ihm nicht fein genug hier. Manchmal halt, für einen Absacker oder auch mal zwei. War ja auch immer unterwegs, der Herr Starautor.«

»Können Sie sich erinnern, wann er zuletzt hier war?«

»Warten Sie mal, am Samstag, da hatte ich Dienst. So gegen ein Uhr nachts kam er hier an.«

»Und war irgendetwas anders als sonst?«

»Tja, er hat ein richtig dickes Trinkgeld gegeben. War überhaupt ziemlich aufgekratzt. Und er hat auch ein paarmal telefoniert. Es sah aus, als würde er auf jemanden warten, denn nach dem letzten Telefonat blickte er immer wieder zur Tür und legte dann das Geld für die zwei Bier auf den Tisch. Und als ich ihm rausgeben wollte, winkte er großkotzig ab.«

»Okay, vielen Dank. Wenn Ihnen noch etwas einfällt oder wenn irgendetwas passiert, das mit Xaver Pucher zu tun haben könnte, rufen Sie mich an! Hier ist meine Karte.«

»Chefinspektor Anna Habel.«

Grinsend studierte der gesprächige Kellner Annas Visitenkarte.

»Und wenn mir nichts mehr einfällt, kann ich Sie dann auch anrufen, Frau Chefinspektor?«

»Das würde ich Ihnen nicht raten.« Annas Stimme klang schärfer als beabsichtigt. »Ich bin eine vielbeschäftigte Frau.« Sie lächelte ihn an, doch es gelang ihr damit nicht, die ärgerliche Stirnfalte ihres Gegenübers zu vertreiben.

Als sie aus dem Lokal trat, blieb sie kurz stehen und atmete die frische Nachtluft ein. Nach einem Blick auf die Uhr beschloss sie, zu Fuß nach Hause zu gehen, zumindest das erste Stück durch die Innenstadt. Der Stephansplatz lag leer vor ihr, vom unvermeidlichen Gerüst, das den Dom umhüllte, hing ein riesiges Werbebanner, das ganz und gar unheilige Handytarife anpries. Als sie vom breiten Wiener Graben in die kleine Naglergasse einbog, verspürte sie wieder dieses Glück, das sie manchmal überfiel, wenn sie sich vergegenwärtigte, in welch wunderschöner Stadt sie wohnte. Sie hatte in einer reinen Mädchenklasse in einem kleinen österreichischen Provinzkaff maturiert, und die meisten der damaligen Schulkolleginnen waren da geblieben, wurden Bankangestellte, Versicherungsbeamtinnen, bauten Häuser und waren inzwischen fast alle stolze Besitzerinnen von Zweitwagen und Pool. Nur wenige aus ihrer Klasse waren in die weite Welt gezogen – und Wien, das war schon richtig weite Welt. Nie hatte sie diesen Schritt bereut, auch wenn so einiges in ihrem Leben schiefgelaufen war, doch die Stadt liebte sie, und auch fast zwanzig Jahre, nachdem sie von zu Hause ausgezogen war, überkam sie dieses Glücksgefühl, wenn sie daran dachte, dass sie in *Wien – Vienna* wohnte, und es gab auch keinen Grund, von hier wegzugehen.

Die Naglergasse mit ihren schicken kleinen Läden, dieses schmale Gässchen, das so plötzlich von der protzigen Pracht des berühmten Wiener Grabens abbog, hatte sie schon immer besonders gern gemocht. Nur einmal war das Bild gekippt, und aus dem hübschen Fleckchen, an dem die Zeit stillzustehen schien, war ein grässlicher Tatort geworden: Der damalige Bürgermeister der Stadt Wien hatte eine Briefbombe geschickt bekommen, die ihm die linke Hand zerfetzte. Im kreiselnden Blaulicht wirkte die sonst so beschauliche Gasse gespenstisch. Zu der Zeit war sie noch eine kleine Beamtin, die mitgenommen wurde, um den Tatort zu sichern. Alles in der Wohnung des Bürgermeisters kam ihr unwirklich vor, der Blutfleck auf dem teuren Perserteppich, die Ölbilder an den Wänden und die aufgeregten Beamten, die die ganze Wohnung auf den Kopf stellten.

Als sie mit der Rolltreppe zur unterirdischen Haltestelle am Schottentor fuhr, sah sie schon von weitem den Obdachlosen, der, umgeben von seinen vielen Plastiksäcken, Tag und Nacht auf den Bänken saß oder lag und laut vor sich hin brabbelte. Die neueste Errungenschaft der Wiener Linien, eine LED-Anzeige, informierte die Wartenden, dass die nächste Straßenbahn der Linie 40 in dreizehn Minuten eintreffen würde. Fast eine Viertelstunde in diesem zugigen Rondell, da verlor Wien ganz schnell sein stolzes Großstadtflair, und Anna dachte an den Spruch: »In Wien beginnt der Balkan.« Nur dass in Budapest die Straßenbahnen inzwischen in kürzeren Intervallen fuhren. Endlich bremste die Linie 40 hart in der Kurve, und Anna stieg in den hinteren Wagen. Für heute war sie genug zu Fuß gelaufen, und vielleicht konnte sie doch noch drei Sätze mit ihrem Sohn wechseln. Es war dreiviertelzehn, und noch hielt er sich brav an die Abmachungen. Sie kramte in ihrer Tasche nach Puchers Buch, da signalisierte ihr Handy den Empfang einer Kurzmitteilung: »Verspäte mich zwanzig Minuten.« »Wart auf dich«, schrieb sie zurück und blickte gedankenverloren aus dem Fenster der Straßenbahn.

Wie ausgestorben lag die Währingerstraße da, an einem Wochentag um 22 Uhr merkte man dann doch, dass auch in Wien nicht gerade das Leben pulsierte. Im Café Weimar saßen noch zwei, drei verstreute Gäste, die Volksoper lag ruhig und dunkel da, die burgenländischen Rentner saßen längst schon wieder in ihren Bussen und fuhren *Fledermaus*-beschwingt in Richtung Neusiedlersee.

Anna stieg aus und überquerte die Kutschkergasse, die in der Nacht so anders aussah, wenn das Rollgitter des Eissalons heruntergelassen, die Tische und Stühle des Kaffeehauses ordentlich gestapelt und mit einer langen Kette gesichert waren. Sie beschloss, sich im Restaurant an der Ecke noch ein Glas Wein zu genehmigen, zumal der Gedanke an ihre leere Küche in Kombination mit ungespültem Frühstücksgeschirr und nicht vorhandenem Weinvorrat ihre Laune nicht gerade besserte. Sie nahm vorne an der Bar Platz, das Lokal war noch immer ganz gut gefüllt, man konnte hier ganz vorzüglich speisen, wenn man in der richtigen Gehaltsklasse war. Die junge Wirtin nickte Anna freundlich zu, und obwohl sie hier nur hin und wieder ein Glas Wein trank, hatte sie das Gefühl, ein willkommener Gast zu sein. Nach einem kurzen Smalltalk und einem tiefen Schluck aus ihrem Merlot-Glas nahm sie noch einmal Xaver Puchers Buch aus der Tasche und schlug es auf.

Anna las die erste Seite langsam und sorgfältig. Doch, das war wirklich gut geschrieben. Sie nahm sich vor, heute noch einmal zumindest das erste Kapitel zu lesen, irgendwie musste sie den Typen besser zu fassen kriegen, der Text musste doch auch irgendetwas über ihn aussagen.

Sie legte das Geld für den Wein auf den Tresen und ging die wenigen Schritte zu ihrem Haustor. Die zwei Stockwerke schaffte sie immer noch im Eilschritt, ohne dass ihre Atemfrequenz sich spürbar erhöhte.

Florian war schon da, stand im Bad und putzte seine

Zähne. Als er Anna im Türrahmen bemerkte, spürte er wohl ihr Kommunikationsbedürfnis und putzte mit ungewohnter Akribie. Er brummte etwas durch den Zahnpastaschaum. Mit seinen sechzehn Jahren war Florian um mehr als einen Kopf größer als seine Mutter, und wieder einmal stellte sie fest, wie sehr er seit einiger Zeit seinem Vater ähnelte. Allerdings die hübschere Ausführung, dachte sie, denn kaum einer ihrer Exmänner war so unattraktiv wie Reinhard, der Kindesvater, von Anna auch kurz KV genannt.

»Wo wart ihr?«

»So rumgezogen. Dann noch bei Sebastian.«

»Hast du was getrunken?«

»Ja, Frau Chefinspektor. Ein Bier. Und nein, Frau Chefinspektor, ich habe keine illegalen Drogen konsumiert. Und noch mal nein, Frau Chefinspektor, ich habe keine harten Getränke zu mir genommen. Ich bin ja erst sechzehn.«

Na, das war ja wieder mal gründlich schiefgegangen, warum nur war es so unmöglich, mit Florian ein normales Gespräch zu führen? Mit spöttisch verzogenem Lächeln, gekonnt zerzausten Haaren und nacktem Oberkörper stand er vor ihr. Anna spürte eine Mischung aus Trauer und Zärtlichkeit. Das war doch erst gestern gewesen, dass er jede Nacht zu ihr ins Bett gekommen war und sie sich morgens mit Kuscheln und Kitzeln weckten. Wo war die Zeit geblieben?

Mit einem rauhen »Nacht« unterbrach der Sohn ihre sentimentalen Gedanken, drückte sich an ihr vorbei, und wenige Sekunden später hörte sie die Heavy-Metal-Musik durch die geschlossenen Flügeltüren.

Nicht mal mehr die gleiche Musik mögen wir, dachte Anna, als sie automatisch das vollgespuckte Waschbecken ausspülte und sich anschließend das Gesicht mit kaltem Wasser wusch. Den Blick in den Spiegel vermied sie, und als sie endlich in ihrem Bett lag, mit dem Buch in der Hand, sehnte sie sich nach einem tiefen, traumlosen Schlaf. Morgen würde kein leichter Tag werden.

11

Grauer Morgen. Die Kollegen Cornelia Karsunke, Volker Cellarius und Katia Sulimma sahen kaum auf, als Thomas Bernhardt ins Büro kam. Jeder saß an seinem Schreibtisch und brütete vor irgendwelchen Papieren, Cornelia starrte ostentativ auf ihren Bildschirm. Lediglich Katia wirkte an diesem grauen Vormittag im dämmrigen Behördenzimmer wie ein exotischer Vogel: Ihre tiefschwarz gefärbten Haare hatte sie mit viel Gel zu einer gesträubten Punkfrisur gestaltet, der Mund war mit schwarzem Lippenstift herzförmig ausgemalt, der pinkfarbene Pullover saß wie angegossen, und wie sie in ihre schwarzen Jeans gekommen war, vor allem wie sie da wieder rauskommen wollte, fragte sich Bernhardt jeden Morgen.

»Deine Freundin hat wieder angerufen«, sagte Katia, »Anna die Schreckliche. Die hat sich echt aufgeregt: Wo du bleibst, wann man in Preußen eigentlich anfängt zu arbeiten... Also so ein süßes Maderl, ein echtes k. u. k. Schätzchen. Und wie die niest... wie ein Walross im Zoo. Mein Rat: Ich würde die Wiener Domina möglichst bald anrufen.«

Bernhardt ging in sein Büro, kippte seinen Bürostuhl nach hinten, legte seine Beine auf den Schreibtisch, schaute noch für einen Moment aus dem Fenster in das Berliner Regengrau und wählte dann die Wiener Nummer.

»Habel.«

Na, das waren ja mindestens drei Ausrufezeichen. Er nahm seine Stimme absichtlich zurück, so dass nur ein sanftes sonores Brummen zu hören war.

»Bernhardt.«

»Ja, seh ich auf dem Display. Lieber Kollege, können wir dann mal, ja? Ich mach's kurz: Nicht nur ich bin verschnupft, sondern wahrscheinlich auch alle Bekannten und Freunde unseres teuren Verblichenen. Kolonja, mein Kollege, hat bei denen ein paar Hausbesuche gemacht. In diesen Kreisen gehört zum normalen Abendessen eine Linie dazu. Ja, genau, Kokain. Sehr beliebt bei unseren Kreativen, steigert angeblich die Schöpferkraft wie auch die sexuelle Erlebnisfähigkeit. Da fragt man sich, wieso man selbst immer noch beim Zweigelt ist.«

»Ich ziehe Bier vor.«

»Da könnens' ja gleich Valium nehmen. Ist weniger Flüssigkeit und dämpft genauso gut ab wie Bier.«

»Aber wir wollen doch beide wach bleiben, auf der Höhe der Zeit und unserer Möglichkeiten, sehe ich das richtig?«

»Richtig. Also, wir haben jetzt vier Spuren: Zum einen die Eifersuchtsspur. Jemand will ihn umlegen, weil unser Xaver eine Frau zu viel flachgelegt hat. Glaube ich aber ehrlich gesagt nicht, dafür ist der Mord viel zu kaltblütig vollzogen worden. Profiarbeit würde ich sagen. Und wenn's nicht zu klischeemäßig wäre, würde ich sogar behaupten: Mafia. Ja, jetzt schnaufens' nicht so. Da sind wir nämlich bei der zweiten Spur: Kokain. Das, was wir da gefunden haben, ist definitiv zu viel für den Eigengebrauch, außer er wollte monatelang in Berlin bleiben, wovon ich jetzt mal nicht ausgehe. Wollte er vielleicht ein wenig großzügig sein und seinen Freunden ein Gastgeschenk machen, oder wollte er gar das große Geschäft machen?«

»Pucher soll ein Dealer gewesen sein?«

»Ist doch möglich. Vielleicht nur dieses eine Mal. Das eine große Geschäft, und dann eine Villa auf Capri. Neben der Casa Malaparte. Kennen Sie die Bücher von Malaparte und seine Villa auf Capri? Sollten Sie aber. Na, egal. Jedenfalls: Das Kokain ist eine Spur. Ich schlag vor, dass sich zwei Rauschgiftkollegen, einer von euch und einer von uns, mal zusammenschalten und schauen, ob da was dran sein könnte. Bei uns heißt der zuständige Kollege Markus Frische, er hat die Durchwahl fünfzehn. Und dann das verschwundene Manuskript, das er in Berlin präsentieren wollte, das sind doch zwei dicke Spuren. An diese Islamistenvariante glaube ich persönlich ja nicht, aber andererseits: Was ist mit dieser ominösen arabischen Freundin? Die müssen wir ganz dringend finden, und mit der Gruppe, die in Wien dieses Flugblatt produziert hat, hatten wir ja auch noch kein Glück. In die Literaturszene müssen wir auf jeden Fall noch ein wenig tiefer rein, auch wenn's nicht Ihre Welt ist, oder? Vielleicht war es ja doch ein neidischer Kollege.«

»Stimmt, da muss ich meinen Alphabetisierungskurs in der Volkshochschule absagen. Schade.«

»Ja, gehens', jetzt sinds' nicht so grantig. Es wird schon. Also, man hört sich. Übrigens hat die Presse jetzt einen Tipp bekommen, bei uns laufen die Telefone heiß, und spätestens im Mittagsjournal gibt's bestimmt einen rührseligen Nachruf. Noch konnten wir die Details zurückhalten, aber morgen ist eine Pressekonferenz unumgänglich. Da brauch ich auch Ergebnisse aus Berlin. Was war denn bei diesem Agenten?«

»Aalglatter Typ, irgendwie. Sie kennen das ja: Macht auf dicker Freund, aber eigentlich geht's doch immer nur ums Geld. Angeblich hat er keine Ahnung, was in diesem Manuskript steht, der macht sich in erster Linie Sorgen, dass er daran jetzt nichts mehr verdienen könnte. Ob der mehr weiß, lässt sich schwer sagen. Der Pucher scheint schon ein großer Heimlichtuer gewesen zu sein. Vielleicht hat er seinen Agenten wirklich im Unklaren gelassen und auf eigene Faust und Rechnung gearbeitet. Diesen Weber nehmen wir uns auf jeden Fall noch mal vor.«

Anna war höchst unzufrieden mit Bernhardts vager Mitteilung, und sie beendete das Gespräch.

Bernhardt seufzte, schwang seine Beine vom Schreibtisch, stand auf und ging zum Fenster. Er starrte in den Regen, der das gegenüberliegende Haus schraffierte und verwischte.

Er versuchte sich Anna Habel vorzustellen. Wiener Domina, wahrscheinlich hatte Cellarius gar nicht so unrecht. Wenn sie sprach, hatte das etwas Auftrumpfendes. Und wenn sie einen Sachverhalt besonders betonen wollte, bekam ihre Stimme einen scheppernden Klang. Wobei ihre Erwägungen zum Fall Pucher durchaus nachvollziehbar waren, fand Bernhardt.

Er trat aus seinem Büro. Cornelia Karsunke und Volker Cellarius gingen gerade eine Liste durch, Katia Sulimma blickte völlig gebannt auf ihren Bildschirm. Cornelia schaute ihm in die Augen, was ihm immer ein leichtes Unbehagen verursachte, weil er ihre Blicke nicht deuten konnte.

Cellarius streckte sich. Alles an ihm wirkte kontrolliert. Ein wacher Mann mit einer schlanken, drahtigen Figur. Er trug immer gebügelte weiße oder dezent gestreifte Hemden und eine perfekt sitzende Hose. Er geriet nie in Hektik, er schwitzte nie und sah stets aus, als käme er gerade frisch geduscht aus einem Sportstudio. Er wohnte in Dahlem, wo seine Frau, das einzige Kind eines reichen Immobilienmaklers, eine Jugendstilvilla geerbt hatte. Er zog ein kleines schwarzes Notizbuch aus der Tasche und blätterte darin.

»Gib uns noch eine halbe Stunde, ich hab da gerade ein paar interessante Artikel gefunden.«

Katia sprach leise, ihre langen Fingernägel flogen nur so über die Tastatur, und Bernhardt wusste, jetzt durfte man sie nicht stören.

»Volker, da gibt es in Wien einen gewissen Markus Frische, Drogendezernat. Ruf den doch mal an und schließe ihn mit unserem Rauschgift-Lehmann zusammen. Wir brauchen ein wenig mehr über die aktuelle Achse Wien–Berlin.«

Thomas Bernhardt zog sich noch einmal in sein Büro zurück und versuchte das Chaos auf seinem Schreibtisch wenigstens oberflächlich zu beseitigen. Die Dutzenden Notizzettel stopfte er kurzerhand in die oberste Schublade und die Schnellhefter mit den aktuellen Ermittlungen stapelte er parallel zur hinteren Tischkante. Und wieder fiel sein Blick auf die Akte des Videomörders – den Bericht hatte er nach wie vor nicht zu Ende geschrieben.

Exakt eine halbe Stunde später drängten sich seine Kollegen ins Zimmer. Volker Cellarius lehnte sich lässig ans

Fenster, Cornelia Karsunke setzte sich sprungbereit auf den Besucherstuhl vor seinem Schreibtisch und Katia Sulimma räumte sich kurzerhand ein kleines Ablagetischchen frei.

»Also, dieser Frische aus Wien hat soeben mit dem Rauschgift-Lehmann gesprochen.«

Cellarius machte eine kunstvolle Pause.

»Es sieht wie folgt aus: Der Markt in Wien wird zur Zeit vollgepumpt mit dem Zeug. Warum das so ist, wissen die Wiener Kollegen noch nicht: Vielleicht Überproduktion in Afghanistan und Pakistan, vielleicht ein Verteilungskampf in Wien zwischen konkurrierenden Unternehmen. Der Kollege sprach vom Media-Markt-Phänomen: Ein Kokain-Discounter bietet alles zum Tiefstpreis an, schaltet damit die Konkurrenz aus und hebt dann die Preise wieder an. Das Interessante ist aber: In Wien gibt's ein Überangebot, in Berlin herrscht hingegen gerade Ebbe. Man könnte also folgende Schlussfolgerung ziehen: In Wien billig einkaufen, in Berlin teuer verkaufen, das würde sich auf jeden Fall lohnen. Warum sollte unser Schriftsteller-Smartie nicht auf diese Idee gekommen sein, wer weiß?«

»Er war offensichtlich ein ziemlich ausgefuchster Bursche, der Pucher«, meinte Bernhardt, »aber dass so ein Schriftsteller in den Kokain-Großhandel einsteigt? Das kann ich mir nicht so recht vorstellen.«

»Was heißt denn Großhandel? Wenn er's richtig eingefädelt hat, muss er das Zeug doch nur einem Typen übergeben. Und dann Cash und fertig.«

»Ja, mag sein, mag aber auch nicht sein. Was meinst du, Katia? Du hast da doch was!«

Katia Sulimma nahm einen Schluck Kaffee, wischte sich

über die Lippen und blickte auf das Regenfenster. Ihr Gespür für dramatische Pausen war bewundernswert.

»Also, ich traue dem Typen eine Menge zu, auch so 'n kleinen schnellen Kokain-Deal. Ich habe mich ja gestern und heute eingehend mit ihm beschäftigt, und der hat's faustdick hinter den Ohren: Der war zwar noch jung, hat sich aber in vielen Bereichen schon gut platziert. In erster Linie natürlich als Schriftsteller, es gab zwar auch ätzende Verrisse, aber selbst die haben meistens unterschwellig einen anerkennenden Ton. Die Lobeshymnen auf *Herodots wilde Reisen* überwiegen jedoch eindeutig, ich zitiere mal: ›provozierend‹, ›radikal‹, ›grenzüberschreitend‹, ein, Achtung, ›kulturanthropologischer Thriller, nach dessen Lektüre man die Welt mit neuen Augen sieht‹. Na, wie findet ihr das?«

Bernhardt und Cellarius seufzten und rollten die Augen, sagten aber nichts.

»Aber er ist eben nicht nur ein ziemlich erfolgreicher Schriftsteller gewesen, er hat auch Filme gedreht, hat Beteiligungen an einer kleinen TV-Produktionsfirma gehalten, im Wiener *Standard,* das ist eine Zeitung, hat er eine Kolumne geschrieben, Spezialität: Politiker beleidigen. Gleichzeitig hat er auch selbst eine politische Karriere angestrebt. Hat sich überall rumgetrieben, auf seine Art eine wirklich starke Figur.«

Schwang da eine gewisse Bewunderung für Pucher in Katias Schilderung mit? Bernhardt hatte aber aus einem anderen Grund aufgehorcht.

»Er wollte politisch Karriere machen? Wie denn das?«

»Na ja, er hat, wie's anscheinend so seine Art war, auch

in dem Fall den politisch inkorrekten Weg gewählt. Er wollte mit einem echten Immobilienhai, der inzwischen sogar eine eigene Bank besitzt, eine sogenannt menschenfreundliche und moderne Politik in einer der Regierungsparteien durchsetzen. Nach der Devise: Die Wirtschaft muss mehr politischen Einfluss nehmen und der verkrustete Sozialstaat modernisiert werden. Die zwei haben einen Arbeitskreis gegründet und eine Stiftung, mit Philosophen, Soziologen und dem ganzen Drum und Dran. Und dann haben sie die *Zehn Gebote einer modernen Politik* veröffentlicht. Nie von gehört?«

»Nee, zum Glück nicht.«

»Na, dann lies mal.«

Katia legte den Ausdruck eines »*B.Z.*«-Artikels auf den Tisch und zeigte auf ein Bild mit dem Vorstandsvorsitzenden der Bank. Thomas Bernhardt und Cornelia Karsunke beugten sich gleichzeitig vor und wären fast mit den Köpfen aneinandergestoßen. Es gab wohl wenige Leute in Berlin, die dieses Gesicht nicht kannten.

»Meyer-Kötterheinrich«, stieß Cornelia hervor.

Jetzt verließ auch Cellarius seinen Fensterplatz und sah seinen Kollegen über die Schulter.

»Na wunderbar. Wenn der was mit dem Tod unseres Schreiberlings zu tun hat, dann ist hier bald die Hölle los.«

Thomas Bernhardt neigte den Kopf und zupfte sich am rechten Ohrläppchen, was er immer machte, wenn ihm plötzlich etwas einfiel, was er noch nicht richtig einordnen konnte. Meyer-Kötterheinrich? Stimmt, jetzt fiel's ihm ein, der hatte bei der Staatsbank der DDR klein angefangen, war dann nach dem Mauerfall in Deals mit Plattenbauten in

Marzahn und Hohenschönhausen verwickelt gewesen, die von der Kommunalen Wohnungswirtschaft der DDR auf ziemlich dubiose Weise in den Besitz seiner Bank, die er bald nach der Wende gegründet hatte, verschoben worden waren. Jetzt war er ein großer Wirtschaftskapitän, Haus am Heiligen See in Potsdam, immer umgeben von langbeinigen, jungen blonden Frauen und angeblich einer ordentlichen Linie Kokain in geselliger Runde nicht abgeneigt.

»Cellarius, klär mich auf, das ist doch dieser Teflon-Typ, an dem nichts hängenbleibt...«

»...und der jetzt in die Politik drängt. Gilt als Hoffnungsträger, wird vom Feuilleton der FAZ gepriesen nach dem Motto: Bahn frei für Seiteneinsteiger mit unkonventionellen Ideen. Einer der Herausgeber der FAZ jubelt ihn seit Wochen hoch.«

»Du liest die FAZ?«

»Klar, allein wegen der Kurstabellen im Wirtschaftsteil. Dabei hatte Meyer-Kötterheinrich bis vor wenigen Jahren noch ein paar von diesen Nobel-Etablissements für Führungskräfte laufen.«

»Na, das passt doch.«

»Ja, aber da läuft doch was schief in diesem Land, wenn so einer jetzt plötzlich mit weißer Weste in die Politik drängt, und niemand hat was dagegen.«

»Der ehemalige Innenminister ist übrigens auch mit von der Partie.« Der Einwurf kam von Katia Sulimma, die sich nach diesem Satz beifallheischend umblickte.

»Mein Gott, eigentlich will ich das alles gar nicht wissen«, stöhnte Bernhardt und nahm das Blatt in die Hand, auf dem die *Zehn Gebote* neben dem Bild des »dynamischen Unternehmers«, wie es in der Bildunterschrift hieß, abgedruckt waren.

Zehn Gebote einer modernen und menschenfreundlichen Politik:

Unser Motto: Jeder Mensch ist Unternehmer.

1. Erkenne, dass es auf dich ankommt.

2. Denke das Undenkbare, scheue vor nichts zurück.

3. Warte nicht, dass dir geholfen wird, hilf dir selbst.

4. Erschaffe dich und die Welt neu.

5. Nimm andere mit auf deinen Weg.

6. Mache aus dem Freizeitpark Deutschland ein Land der Starken und Verantwortungsbewussten.

7. Verbinde Freiheit mit Ordnung, um mehr Gerechtigkeit walten zu lassen.

8. Kämpfe gegen Zentralismus und sozialstaatliche Bevormundung.

9. Begreife die Globalisierung als Ausgangspunkt einer neuen menschenfreundlichen Ökonomie.

10. Setze dich für einen Kapitalismus mit menschlichem Antlitz ein.

Thomas Bernhardt verzog das Gesicht, Katia Sulimma lachte.

»Na, hast du gerade auf eine Zitrone gebissen?«

»Das ist doch wirklich zu blöd, so eine Mischung aus esoterischem Lebensratgeber, protestantischer Selbstertüchtigung, ein bisschen Bhagwan und dazu viel abgestandener Liberalismus.«

Thomas Bernhardt wusste einen Augenblick lang nicht

mehr weiter, kriegte dann aber die ganz große Kurve. »Der Bauunternehmer als Anarchist. Hinter all diesem Wortgeklapper steckt doch nur der Wille, endlich unkontrolliert tun und lassen zu können, was man will.«

Katia Sulimma schaute ihn mit schiefgelegtem Kopf und einem kleinen Lächeln an.

»Aber gut verpackt, oder?«

Thomas Bernhardt schüttelte den Kopf. »Dass so was ernst genommen wird.«

Auch wenn die Kollegen jetzt eine emsige Betriebsamkeit an den Tag legten, war Bernhardt unzufrieden. Die Situation, in der sie sich gerade befanden, war ihm nicht fremd. Das war immer das unangenehmste Stadium einer Untersuchung. Sie hatten zu viele Informationen, die aber nicht richtig gesichert waren, zu viele Wege, die sie gehen mussten, zu viele Unwägbarkeiten. Und dazu noch Kommunikationsprobleme: Was gab's in Wien, warum hatte Anna Habel nichts von den Ergebnissen der Spurensicherung erzählt, nichts von ersten Obduktionsergebnissen? Hatte man in Puchers Wohnung die nötigen Dinge getan? Was war mit seinem Wiener Umfeld? Da lagen ihm viel zu wenig konkrete Informationen aus Wien vor. Er griff zum Telefonhörer und wählte Anna Habels Nummer. Doch eine Sekretärin teilte in breitestem Wienerisch mit, dass alle unterwegs seien: Aber wenns' zurück seien, würdens' sich bestimmt melden, spätestens morgen früh...

Wieso hatte man eigentlich immer das Gefühl, man würde von diesen Wienern verarscht, fragte sich Bernhardt schlechtgelaunt. »Also, Frau Habel ist mit ihrer Truppe ausgeflogen. Na ja, irgendwann wird sich unser Wiener Schätzchen schon melden. Ich kann ihr nur raten, dass sie bald ein wenig konkreter wird.«

12

Ja, hallo! Wer ist da?« Die Stimme, die sich nach sehr langem Klingeln am Telefon meldete, klang nicht gerade
freundlich.

»Guten Tag, mein Name ist Habel. Ich bin von der Polizei. Kann ich bitte mit Leyla sprechen?«

»Leyla ist verreist, die kommt lange nicht zurück.«

Grußlos wurde der Hörer aufgelegt und die Verbindung
unterbrochen. Die Nummer, die Anna im Telefonverzeichnis des Mordopfers gefunden hatte, deutete auf eine Adresse
im Zweiten Bezirk, und als sie die zum Anschluss passenden Angaben fünf Minuten später auf ihrem Schreibtisch
hatte, versuchte sie, sich das Gassennetz des Karmeltervier-
tels in Erinnerung zu rufen. Haidgasse 2, wo war das noch
genau? Fast zwanzig Jahre war es her, dass Anna das WG-
Zimmer in der Franz-Hochedlinger-Gasse bezogen hatte,
Rattenburg hatten die Briefträger das Haus genannt. Sie
hatte immer gerne darin gewohnt, auch wenn ihre südost-
europäischen Mitbewohner mitunter recht temperament-
voll waren. Erst als die Schaben die Herrschaft über die WG-
Küche übernommen hatten, fand sie es angebracht, sich
nach einer neuen Bleibe für sich und Florian umzusehen.

Sie erlöste Kolonja von seinen Papierstapeln auf dem
Schreibtisch, und zu zweit machten sie sich auf den kurzen

Weg über den Donaukanal. Die Haidgasse war ein enges, schmales Gässchen mit Blick auf den Karmelitermarkt, und Anna erinnerte sich mit Wehmut an die Zeit, als sie ihre Wochenendeinkäufe noch hier in den türkischen Läden erledigt hatte. War sie damals eigentlich glücklicher gewesen, oder verklärte sie nur das längst Vergangene? Die Hausnummer 2 war ein geducktes, etwas heruntergekommenes Haus, die Haustür stand offen, und im Hausflur verstellten mehrere Kinderwagen den Zugang zur Treppe. An den Klingelschildern stand kein einziger österreichischer Name, und als Anna mit Kolonja forsch den ersten Stock erklomm, kam ihnen ein Mädchen entgegen und blickte sie neugierig an.

»Du wissen, wo Leyla wohnt?«

Kolonja beugte sich zu ihr hinunter, als wollte er ein Hündchen tätscheln.

»Leyla wohnt im zweiten Stock, die Wohnung ganz links. Aber ich glaube, sie ist nicht da. Was wollen Sie von ihr?«

Anna ließ den verdutzten Kolonja stehen und lächelte dem Mädchen zu.

»Und wer bist du? Wohnst du auch hier?«

»Ich bin Zeynep, ich wohne mit Mama und Papa und meinen zwei großen Brüdern im ersten Stock.«

»Kennst du Leyla?«

»Klar kenn ich die. Die ist voll nett.«

»Wohnt sie alleine hier?«

»Nein, mit ihrem Bruder, der passt auf sie auf.«

In dem Moment ging die Wohnungstür gegenüber auf, und eine kleine Frau mit Kopftuch zischte Zeyneps Namen.

Die verdrehte die Augen und verschwand blitzschnell in der Wohnung.

»Wissen wir inzwischen, wer der Mieter dieser Wohnung ist?« Kolonja blätterte in seinem Notizbuch.

»Mohammed Namur, 32 Jahre, arbeitsloser KFZ-Mechaniker, libanesischer Staatsbürger, seit seiner Kindheit in Wien lebend, unbescholten.«

Anna klingelte Sturm, und binnen Sekunden wurde die Tür aufgerissen, und ein gutaussehender Typ stellte sich ihr in den Weg.

»Was wollen Sie? Ich habe Ihnen schon gesagt, dass Leyla verreist ist. Hier finden Sie nichts.«

»Nicht so hastig. Wer sagt Ihnen denn, dass wir hier etwas suchen? Woher wissen Sie überhaupt, dass wir wegen Leyla hier sind?«

»Meinen Sie, ich bin blöd, oder was? Und das alles wegen diesem Schnösel. Sie können mir glauben, ich bin froh, dass er verreckt ist, solche Typen wie der…«

Er machte eine abfällige Handbewegung und spuckte auf den Steinboden.

»Herr Namur, dürfen wir reinkommen oder müssen wir das hier im Treppenhaus besprechen?«

»Ich wüsste nicht, was wir zu besprechen hätten. Leyla ist nicht da, sie ist verreist, keine Ahnung, wann sie wiederkommt. Und ich kannte den Typen gar nicht, hab ihn nie gesehen.«

Anna spürte, wie heftiger Groll in ihr aufstieg – von diesem Macho wollte sie sich nicht verarschen lassen.

»Sie kommen morgen um elf Uhr ins Präsidium. Mordkommission. Hier ist meine Karte. Das ist eine Vorladung, und Sie machen sich strafbar, wenn Sie nicht erscheinen. Das nennt man dann Behinderung in der Aufklärung eines Mordfalls.«

Grußlos polterte sie mit Kolonja im Schlepptau die Treppe hinunter und versuchte die Tschuschen-Sprüche ihres Kollegen dieses eine Mal zu ignorieren.

»Gibt es endlich Ergebnisse aus dieser Computer-Untersuchung? Das kann doch nicht so lange dauern, so einen blöden Laptop zu knacken.«

Anna wusste, dass Computer-Kurti nichts dafür konnte, dass ihre Laune immer schlechter wurde. Sie drehten sich im Kreis. Xaver Pucher war seit mehr als dreißig Stunden tot, und sie hatten keine einzige halbwegs konkrete Spur. Doch an Kurt Heinzl prallte ihr Missmut ab wie an einem dieser berühmten Firewalls, die er so gerne und ständig neu installierte.

»Hey, beruhig dich, ich sitz da gerade mal vier Stunden dran, das ist gar nichts, bis jetzt hab ich nicht einmal das Passwort.«

»Vielleicht hat er es aufgeschrieben? Ich hätte da ein kleines schickes Notizbuch.«

»Das fällt dir früh ein.«

»Entschuldigung, warte mal, da steht was, gleich auf der ersten Seite. Versuch mal *Stangeler*.«

»Kannst du's buchstabieren?«

»S T A N G E L E R.«

»Bingo, ich werd verrückt, da lässt sie mich vier Stunden rumprobieren, und dann hat sie's im Notizbuch.«

Fünf Minuten später balancierte Computer-Kurti, wie er

von allen genannt wurde, zwei Kaffeebecher und zwei Schinkensemmeln über die Türschwelle von Annas Büro und setzte sich unaufgefordert ihr gegenüber.

»Dieses Passwort, was soll das heißen?«

»Tja, da hättest du mal ein bisschen weniger Computer gespielt und mehr gelesen.«

Anna lachte, auch ihr Passwort stammte aus einem Roman. »René Stangeler ist eine Figur aus diversen Doderer-Romanen. Heimito von Doderer, schon mal gehört?«

»Logisch, kenn ich, der hat doch diese Stiege im Neunten Bezirk gebaut?«

»Nein, er hat darüber geschrieben, und Stangeler ist ein Typ, der in diesem Roman vorkommt. Aber jetzt erzähl mal, was hast du denn noch gefunden?«

»Tja, das ist das Problem. Das Ding ist so sauber gelöscht worden, das kann eigentlich nur ein Profi gewesen sein. Was ich mit Sicherheit sagen kann, ist, dass noch vor kurzem eine relativ große Textmenge drauf war, und da, wo die war, ist nichts mehr. Wir sprechen von zirka einem Megabyte.«

»Sprich mit mir so, dass auch ich es verstehe.«

»Na, das entspricht ungefähr 500 Seiten eines normalen Worddokuments.«

»Ein Manuskript?«

»Könnte sein. Wie gesagt, momentan ist nur noch ein Schatten zu finden, ich versuche erst gar nicht, dir das zu erklären, aber ich bin ganz zuversichtlich.«

»Und sonst? Korrespondenz? Mails? Rechnungen? Honorare? Bilder? Irgendwas?«

»Keine Bilder, ein penibel sortierter E-Mail-Ordner, für jedes Mail quasi einen eigenen Unterordner. Ein paar Listen für den Steuerberater, ein paar Behördenbriefe. Also nichts.«

»Scheiße.«

»Du sagst es. Ich fürchte, mehr ist aus dem Ding momentan nicht rauszuholen. Tut mir leid. Du musst dich einfach noch ein wenig gedulden.«

»Schon gut. Ist ja nicht deine Schuld.«

Irgendwie kamen sie nicht weiter. Ein Typ wie Pucher kannte halb Wien. Aber wie sollte sie bloß die paar rausfinden, die ihn wirklich kannten? Okay, beginnen wir am Anfang, dachte Anna und suchte sich die Adresse von Erna Pucher aus den Unterlagen. Die Kollegen, die ihr die Nachricht vom Tod ihres Sohnes überbracht hatten, hatten eine kurze Aktennotiz in das Protokoll eingefügt. »Erna Pucher, 63, Hausfrau, wohnhaft: Wien 20, Engerthstraße 56/9, wirkt seltsam unbeteiligt und gefasst. Laut ihrer Aussage hat sie keinen Kontakt zu ihrem Sohn seit ca. 10 Jahren.«

Anna holte sich einen Kaffee, von dem sie ziemlich sicher war, dass er ihre Magenwand kaputtätzen würde, nahm einen Schluck und griff nach dem Telefonhörer.

»Guten Tag, Frau Pucher, hier spricht Anna Habel, Kriminalpolizei. Ich bin die leitende Ermittlerin im Mordfall Ihres Sohnes. Ich möchte Ihnen mein Beileid aussprechen und hätte noch ein paar Fragen an Sie. Kann ich Sie so etwa in einer halben Stunde kurz besuchen?«

»Ich weiß zwar nicht, wie ich Ihnen helfen kann, aber Sie können gerne kommen. Ich hab aber doch dem Kollegen eh schon gesagt, dass der Xaver und ich keinen Kontakt mehr hatten.«

»Ja, ich weiß, trotzdem, ein paar Fragen hätt ich schon noch.«

Als Anna fast genau eine halbe Stunde später im dritten Stock des Betonbaus aus den achtziger Jahren stand, wurde ihr rasch klar, dass sich der Lebensstil von Xaver Pucher radikal von dem seiner Mutter unterschied. An ihrer Tür prangte ein kunstvoll getöpfertes Namensschild, ein geschwungenes »Herzlich willkommen« lag als Fußabstreifer am Eingang, und als Anna den Klingelknopf drückte, ertönte ein elektronisch verzerrtes Big-Ben-Geläute.

Die Frau, die die Tür öffnete, passte zu ihrer Umgebung. Rötlich gefärbtes Haar, mit Dauerwelle und Haarspray in Form gebracht, rosa Lippenstift auf zu schmalen Lippen und eine Wolke blumiges Parfüm. Ein reinlich gedeckter Tisch, kleine Schälchen mit Kaffee (natürlich aus der Filtermaschine), Kondensmilch und Waffeln aus der Großpackung.

Erna Pucher genoss es sichtlich, ein Publikum für Xavers Geschichte zu haben. Lediglich als sie vom kleinen Franz erzählte, von dem Kind, das der berühmte Autor einmal gewesen war, wurde ihr Blick ein wenig traurig, und theatralisch tupfte sie sich mit einem kleinen Spitzentaschentuch die imaginären Tränchen ab. Doch seit sie sich habe scheiden lassen beziehungsweise seit ihr inzwischen verstorbener Mann sie wegen dieses Flittchens verlassen habe, wollte ihr Sohn nichts mehr mit ihr zu tun haben.

»Ich war ihm plötzlich zu gewöhnlich. Und er war immer schon berechnend und wusste, wo das Geld herkam, also entschied er sich ohne mit der Wimper zu zucken für seinen Vater.«

»Vor wie vielen Jahren ist Ihr Mann verstorben?«

»Exmann, wenn ich bitten darf. Vor fünf Jahren. War gerade mal dreiundsechzig. Hat sich totgesoffen, und seine kleine Nutte hat wohl auch das Ihre dazu beigetragen. Ja, der Erfolg steigt ihnen allen zu Kopf, und wenn sie berühmt sind, dann sind die ersten Frauen nicht mehr gut genug, werden einfach ausgetauscht, ich bin ja beileibe nicht die Einzige. Aber wissen Sie was, ich war froh, als er weg war. Mir geht's viel besser ohne Mann.«

Erna Pucher wollte anscheinend lieber über ihren toten Exmann als über ihren Sohn sprechen, und Anna sah deutlich das Bild des aufgedunsenen Alfred Pucher vor ihrem geistigen Auge. Er war ein berühmter Sportreporter gewesen, einer, den früher jedes Kind kannte, auch in Annas Erinnerung war die sonntägliche Sportshow untrennbar mit dem Gesicht von Alfred Pucher verbunden. Ein Lebemann und Partylöwe, hieß es, soll er gewesen sein, bis er vor fünf Jahren von einem spektakulären Herzinfarkt während eines Live-Interviews zur Fußball-WM dahingerafft wurde. Und Xaver schaffte es innerhalb kurzer Zeit, das blasse Image des Sohnes abzulegen und zu eigener Berühmtheit zu gelangen.

Anna ließ ihren Blick in dem aufgeräumten Wohnzimmer umherschweifen. Einbauschrank, Großbildfernseher, Sideboard mit Zierat und Reiseandenken aus aller Herren Länder. Selbst die Äpfel in der Obstschale sahen aus wie gemalt. Nirgendwo war auch nur ein einziges Körnchen Staub zu sehen. Und im ganzen Zimmer kein einziges Buch.

13

Das waren die besten Momente: Bernhardt hatte die Füße auf seinen Schreibtisch gelegt und versuchte, an gar nichts zu denken. Meditation. Stille.

Nur nicht lange genug. Katia Sulimma riss die Tür auf und schüttelte ihre rechte Hand, als hätte sie gerade auf eine heiße Herdplatte gegriffen. Dann spitzte sie die Lippen und machte mehrere Diener. »*Vienna calling*. Die Habel steht schon wieder unter Volldampf.«

Thomas Bernhardt schwang die Beine vom Tisch, nahm eine offizielle Haltung ein, wartete noch ein paar Sekunden und atmete tief durch, bevor er den Hörer abnahm.

»Bernhardt.«

»Habel, also jetzt hören Sie mal gut zu.«

Und Anna Habel erzählte und erzählte, stellte Mutmaßungen an, bewertete Fakten und verknüpfte sie miteinander und war von ihrer munter dahinfließenden Suada ganz offensichtlich begeistert. Und das, obwohl sie eigentlich nichts Neues zu berichten hatte: Der Computer hatte nicht mehr als rudimentäre Spuren aufzuweisen, und auch die Obduktion ergab nichts Auffälliges. Pucher hatte zwar geringe Spuren von Kokain im Blut, doch in den vierundzwanzig Stunden vor seiner Ermordung hatte er keinerlei Drogen zu sich genommen.

Thomas Bernhardt folgte ihren Ausführungen etwas unkonzentriert, starrte durchs Fenster auf den grauen niedrigen Himmel und sagte sich, dass er die Kollegin unbedingt loben müsse. Als ihr Redeschwall langsam versickerte, raffte er sich auf.

»Wirklich tolle Arbeit, Frau Kollegin.«

Er spürte gleich, dass sein Lob ziemlich schlaff geklungen hatte.

Ein missmutiger Schnaufer klang durch den Hörer. »Mein Lieber, Sie sollten sich mal ein bisschen mehr engagieren! Ich würde sagen, dieser Philip-Peter Weber bedarf einer verschärften Befragung. Dem müssen Sie mal die Daumenschrauben anlegen. Und am Freitag ist hier die Beerdigung unseres verblichenen Junggenies auf dem Zentralfriedhof. Für ein Ehrengrab hat's nicht ganz gereicht, aber einen feinen Auftritt unserer Kulturschaffenden wird's schon geben. Ich würd sagen, da schaun Sie vorbei, da lernen wir uns auch mal kennen und können unsere Ermittlungsergebnisse sortieren.«

»Meinen Sie, dass das wirklich notwendig ist?«

»Ja, was ist denn das? Ein bisschen mehr Entscheidungsfreude. Melancholie ist eine Todsünde, das wissen Sie doch.«

»Ich bin evangelisch.«

»Ah, jetzt hörens' auf. Was für ein Schmarrn. Auch Evangelische begehen Todsünden.«

Thomas Bernhardt seufzte.

»Also gut. Freitag geht's zur Beerdigung. Wo, wann, wie?«

»Dreizehn Uhr, Zentralfriedhof. Ich freu mich. Ich hol Sie dann in Schwechat ab, informierens' mich rechtzeitig.

Aber bis dahin hörn wir uns wohl noch ein paarmal, servus, baba.«

Baba? Wie waren die Wiener denn auf diesen Abschiedsgruß gekommen? Das war ja noch schlimmer als das neuberlinerische Tschau Tschau.

Sei's drum: Er drehte sich mit seinem Schreibtischstuhl einmal im Kreis, sprang dann vom Sitz ab und machte am Fenster ein paar Schattenboxübungen. Schluss für heute mit den misanthropischen Anwandlungen, raus ins pulsierende Leben der geilsten Hauptstadt der Welt, wie ihm die Moderatorin *Dirty Dani* jeden Morgen auf *Kiss FM* (»dem geilsten Sender der geilsten Hauptstadt«) versicherte. Als er noch zu Hause gewohnt hatte, hatten seine Kinder jeden Morgen am Frühstückstisch diesen Hiphop-Sender gehört. Er hatte das ertragen, weil *Dirty Dani* wunderbare Reime produzierte. Sein Favorit: »Liegt der Bauer auf der Lauer, ist Herr Lauer sauer.«

Als er aus seinem Zimmer kam, konnten sich Cornelia Karsunke, Volker Cellarius und Katia Sulimma vor Lachen kaum halten. Cornelia versuchte sich in einer Habel-Parodie.

»Ja, Herr Kommissar, jetzt gehens' doch endlich mal an die Arbeit, was ist denn los, hams' denn keine guten Mitarbeiter? Wos is denn mit dem Weber? Ja, auf geht's.«

Thomas Bernhardt merkte, dass sein Melancholie-Schub vorbei war, er machte bei dem kleinen Spiel mit, wohl wissend, dass es nichts Peinlicheres gab als Deutsche, die versuchten, österreichischen Dialekt zu sprechen.

»Ihr hobt's ja recht. An die Arbeit, ihr Madeln, und auch du, Cellarius. Ich geh zum Weber, Cornelia, du kommst mit. Und du Cellarius, versuchst mal, an den Typen ranzukommen, mit dem Pucher ins politische Geschäft einsteigen wollte. Wie hieß der noch mal? Ich kann mir diesen Namen nicht merken.«

Cellarius, der wieder eins seiner zartgestreiften blauen Maßhemden trug, war natürlich auf dem Laufenden.

»Meyer-Kötterheinrich. Ich hab schon bei seiner Bank angerufen. Der Herr Vorstandsvorsitzende hat erstaunlicherweise Zeit, er lädt mich für dreizehn Uhr in seinen Club am Gendarmenmarkt ein und gibt mir exakt zwanzig Minuten. Ist doch nett, oder?«

Cornelia Karsunke und Thomas Bernhardt standen im Stau auf der Leipziger Straße. Beide waren wortkarg. Cornelia wusste, dass sie ihren Chef jetzt nicht stören durfte. In einem bestimmten Stadium der Ermittlungen zog sich Bernhardt in sich selbst zurück, errichtete eine Mauer um sich und ließ nur ungern jemanden an sich heran. Seine Mitarbeiter kannten das und hatten sich oft gefragt, was in diesem Zustand in ihm vor sich ging. Bernhardt hätte es selbst nicht sagen können, er ließ einfach die Figuren eines Falles auf- und abtreten, versuchte sich ein Bild von ihnen zu machen, stattete sie mit Charakterzügen und Verhaltensweisen aus, von denen er nicht wusste, ob sie überhaupt mit den tatsächlichen Personen etwas zu tun hatten. Es war ein Spiel, das beinahe unbewusst ablief. Träge und gleichzeitig hellwach folgte er den Bewegungen der Protagonisten, die er wie auf einer Bühne hin- und herschob. Pucher und Schröder, Weber und Pucher, Weber und die Mitglieder der Literaturmafia, Pucher und Meyer-Kötterheinrich, dann drängten sich Frau Pulczinsky und die kleine Freundin von Miriam Schröder ins Bild, und auch der Imam aus der Moschee tauchte auf.

Hier ging einfach noch viel zu viel durcheinander, befand Bernhardt. Zu viele Spuren, zu viele Personen, zu viele Möglichkeiten. »Reduzierung von Komplexität« musste die Devise lauten.

»Reduzierung von Komplexität, das müssen wir als Nächstes erreichen.«

Cornelia, die am Steuer saß, schaute ihn an und lächelte.

»Da sieht man mal, dass Fortbildungskurse doch nicht umsonst sind. Du meinst, wir brauchen endlich mal einen Hauptverdächtigen? Aber backen können wir uns keinen, oder?«

»Wenn die Habel und ihre Spezialisten wenigstens dieses Notebook knacken könnten. Dann hätten wir den Schlüssel für den Fall, da bin ich sicher. Aber die reißt auch nur die Klappe auf, und dann kommt nichts. Übrigens: Am Freitag will ich nach Wien zur Beerdigung von Pucher fahren.«

»Und du bist sicher, dass dein Freund und Chef Freudenreich das erlaubt?«

»Wenn nicht, dann kann er mich mal.«

»Macht er bestimmt gern.«

Eine Zeitlang schwiegen sie wieder. Nur langsam ruckte das Auto voran. Es hatte angefangen zu regnen, das Wasser lief über die Frontscheibe und wurde von den quietschenden Scheibenwischern verteilt. Unter der grauen Schraffur des Regens konnte man in der Ferne das Rote Rathaus erahnen. Wie in einem riesigen Aquarium, das mit trübem

Wasser gefüllt war, trieben die Autos durch die Stadt. Bernhardt öffnete das Seitenfenster. Säuerliche Luft strömte ins Wageninnere.

»Das ist doch wirklich nicht auszuhalten, jetzt ist September, stell dir das mal vor. Der Berliner Winter hat begonnen, und weißt du, wann der zu Ende ist?«

»Ende April. Das hast du mir schon mindestens zehn Mal erzählt. Fixier dich doch nicht so drauf, es gibt auch schöne Tage im Herbst und Winter. Und wenn's ganz schlimm wird, machen wir 'ne Lichttherapie.«

»Wir?«

»Ja, wir. Wir gehen in Kneipen mit schönem Licht und trinken guten Rotwein. Oder ich lade dich zu mir ein...«

»Und dein Exfreund wohnt da immer noch? Oder willst du ihn ins Kino schicken?«

»Ach, der macht keine Probleme.«

Der nachlässig gesprochene Satz verstimmte Bernhardt auf der Stelle. Er schwieg. Langsam löste sich der Stau nun auf. Als sie in den Hof in der Greifswalder Straße einbogen, regnete es in Strömen. Sie sprangen aus dem Auto und liefen in eiligen Schritten zum Aufgang, der zu Philip-Peter Webers Agentur führte. Cornelia hatte sich bei Bernhardt eingehängt.

»Komm, jetzt sei nicht sauer. Mein Leben ist nicht einfach und deines auch nicht. Wir haben uns doch nichts vorzuwerfen, oder?«

Auf den ersten Treppenstufen blieben sie stehen. Bernhardt schaute in ihr regennasses Gesicht, sie blickte ruhig und mit einem Lächeln zurück. Es ist ihre Stimme, sagte sich Bernhardt, sie konnte eine so sinnliche Stimme haben.

Es war dieselbe Stimme, die er gehört hatte, als er gestern mit ihr telefoniert hatte und sie mit ihren Kindern auf die gleiche Weise gesprochen hatte.

Ohne weitere Worte gingen sie hinauf zur Agentur Weber & Partner. An der Tür zum Büro hing ein Schild, auf das mit flüchtiger Hand geschrieben stand: »Wegen Trauerfalls geschlossen. Wir bitten um Verständnis.« Bernhardt war sauer: Mit so viel Pietät hatte er nicht gerechnet. Natürlich hätten sie anrufen können, aber er liebte Überraschungsbesuche, da kam mehr dabei heraus, als wenn man sich anmeldete und dann auf gut vorbereitete Gesprächspartner traf.

Als er sich zum Gehen wandte, pfiff Cornelia leise durch die Zähne und machte ihm ein Zeichen. Die Tür war nur angelehnt! Sie drückte die Tür auf, und er folgte ihr. Er wollte nach der Dienstwaffe greifen, doch – Mist! – wie so oft hatte er sie nicht dabei. Als hätte Cornelia ihn verstanden, klopfte sie auf ihre Hüfte. Sie war eben der Profi, der er nie werden würde.

Sie schlichen den Flur entlang. Etwas war faul, oberfaul. Bernhardts inneres Alarmsystem meldete höchste Gefahr. Verdammt, warum zog Cornelia nicht ihre Pistole? Er tippte ihr auf die Schulter, sie blieb stehen. Auch sie wirkte jetzt beunruhigt, die Atmosphäre in dem stickig riechenden Flur schien geradezu elektrisch geladen. Endlich griff Cornelia zu ihrer Pistole und hielt sie vor sich, entsicherte sie aber nicht. Verdammt, warum denn nicht, fragte sich Bernhardt. Sie näherten sich in kurzen Schritten und gebückt dem großen Zimmer, in dem die Party zu Ehren Puchers stattgefunden hatte – ohne den ermordeten Ehrengast. Wie in einem Flash sah Bernhardt die Bilder des gestrigen Abends vor sich, hörte noch einmal das Stimmengewirr, folgte den Bewegungen der Gäste.

Und dann gab es eine riesige Explosion. Bernhardt konnte das Geschehen später nicht anders beschreiben: eine riesige Explosion. Er spürte einen ungeheuren Schlag gegen den Kopf, im Fallen sah er Cornelia, die nach hinten geworfen wurde. Ihre Pistole flog in hohem Bogen in den Flur. Bernhardt begriff, dass jemand mit Wucht die Flügeltür gegen sie geschlagen hatte, als sie direkt dahinter gestanden hatten. Wie in Zeitlupe vollzog sich sein und Cornelias Sturz. Er spürte Angst, Wut, Einsamkeit und ein schlechtes Gewissen. Übelkeit stieg in ihm hoch, er schmeckte sein Blut, das aus seiner Nase schoss und ihm über die Lippen lief. Und noch immer fiel er, und er sah Cornelia. Ihr gemeinsamer Sturz schien kein Ende zu nehmen. Er fürchtete sich vor dem Aufschlag und vor dem Ende. Bevor er ohnmächtig wurde und seine Augen sich schlossen, sah er eine Gestalt auf sich zukommen mit einer schwarzen Kapuzenmaske. Der Mann (oder war es eine Frau?) schlug ihm mit aller Kraft seine Faust ins Gesicht und trat ihm in den Magen. Und bevor Bernhardt endgültig erledigt war und nicht wusste, ob er das überleben würde, sah er Cornelia, ihr schmerzverzerrtes Gesicht und ihren stummen Schrei. Du Idiot, sagte er sich, du blöder Idiot – dann schalteten seine Systeme ab.

Als er zu sich kam, hallte das Wort »Idiot« in ihm nach, wurde aber gleich überlagert von einer fürchterlichen Übelkeit, die sich in ihm breitmachte und ihn zu überwältigen drohte. Und nicht nur Übelkeit, auch rasende Kopfschmerzen plagten ihn, sein Magen schien zerrissen. Das hatte er noch nie erlebt. Ein klebriges Gefühl der Scham und der Erniedrigung legte sich über ihn – warum hatte er nicht besser aufgepasst? Warum hatte er nicht besser auf Cornelia aufgepasst? Stöhnend drehte er sich auf die Seite, versuchte vergeblich, sich aufzustützen, und übergab sich – besser gesagt, er kotzte sich die Seele aus dem Leib.

Thomas Bernhardt versuchte sich zu orientieren. Irgendwann wurde ihm bewusst, dass er nicht nur sein eigenes Stöhnen hörte. Mühsam schweifte sein Blick durch das Zimmer. Er hatte Schlieren vor den Augen, das Zimmer war wie in Nebel getaucht. Endlich sah er Cornelia. Sie stöhnte und weinte. Auch sie hatte sich übergeben. Verzweifelt und in immer neuen Anläufen probierte sie aufzustehen, doch sie fiel immer wieder hin. Sie weinte herzzerreißend, und als Bernhardt mit ausgestreckten Armen auf sie zukroch, merkte er, dass auch er weinte.

Als er sie fast erreicht hatte, stammelte sie: »Anrufen.« Er suchte sein Handy mit fahrigen Händen, wo war das nur, wo war… Und dann sah er plötzlich mit klarem Blick dieses Bild, das sich ihm mit äußerster Gewalt und Intensität einbrannte und von dem er wusste, dass er es nie wieder loswerden würde.

Philip-Peter Weber lag seltsam verrenkt auf der Erde. Sein Gesicht war zerschlagen, um den Hals war eine Drahtschlinge festgezurrt. Bernhardt wandte den Blick ab, er versuchte möglichst wenig an Bildeindrücken zu speichern. Aus den Regalen an der Wand waren Ordner gerissen worden, die aufgeschlagen auf dem Boden lagen. Überall lag Papier herum, zerrissene Manuskripte. Puchers Geschichte, was sonst, begriff Bernhardt.

Cornelia robbte zu dem gemarterten Leib von Philip-Peter Weber und legte ihren Kopf auf seine Brust. So verharrte sie einen Moment, dann hob sie in einer Geste der Vergeblichkeit die Hände, rollte zur Seite und blieb in der Haltung eines Embryos liegen. Bernhardt hatte seine Hände immer noch nicht unter Kontrolle, immer wieder versuchte er, die Nummer seines Büros zu wählen. Irgendwann gelang es ihm. Katia Sulimma hob erst nach längerem Klingeln ab, wahrscheinlich hatte sie sich gerade die Fingernägel lackiert. Ihre Stimme, der sie zunächst wie gewohnt einen erotischen Unterton gegeben hatte, kippte, als ihr Bernhardt krächzend mitteilte, was geschehen war. Dann reagierte sie wie ein Profi: Sie würde alles veranlassen.

Drei Stunden später saß Thomas Bernhardt im Zimmer von Karl Freudenreich. Der schaute besorgt auf seinen Freund und Mitarbeiter, der wirklich übel zugerichtet war. Das Gesicht war zerschunden, an Kinn und Mundwinkel breitete sich ein Bluterguss aus. Noch immer hatte Bernhardt einen bitteren Geschmack im Mund, und der Brechreiz hatte nicht nachgelassen. In seinem Inneren baute sich eine maßlose Wut auf: über seine Dummheit, über das, was Philip-Peter Weber widerfahren, was Cornelia und ihm angetan worden war. Der Wendepunkt war erreicht: Nun würde er nicht mehr zu bremsen sein, er würde wirklich zu einem Verfolger werden. Er knallte den Eisbeutel, den er gegen die Wange gedrückt hatte, auf den Boden.

»Du kennst mich. Du glaubst doch nicht im Ernst, dass ich jetzt ins Krankenhaus gehe.«

Er nuschelte, seine geschwollene Zunge stieß gegen zwei lockere Zähne. Das stachelte ihn an, alles stachelte ihn jetzt an.

»Ich werde am Freitag nach Wien fahren, zu dieser Habel, und wenn die nicht gut gearbeitet hat, wenn die bis dahin nicht endlich Puchers Computer geknackt hat, dann werde ich ihr verdammt noch mal Feuer unter ihrem Wiener Arsch machen.«

»Reg dich ab. Sie ist ja dran. Als du weg warst, hat sie angerufen. Sie ziehen da langsam was raus aus dem Computer. Sie meinte, heute Abend könnte sie dir schon was sagen. Also, hör zu: Lass dich jetzt nach Hause fahren, leg dich hin und schlaf bis morgen früh, dann sehen wir weiter. Ich bestehe auf mindestens zwei Tagen Krankenstand. So kommst du mir nicht ins Büro.«

»Vorher will ich noch zu Cornelia.«

»Dazu gibt es keinen Anlass. Ich hab's dir doch schon gesagt: Sie liegt im Krankenhaus, sie haben ihr Beruhigungsmittel gegeben, und sie schläft. Ihre Verletzungen sind nicht schlimm.«

»Und die Kinder?«

»Das ist geregelt. Ihr Freund ist informiert und kümmert sich um alles.«

»Gut. Wenn du morgen zu ihr gehst, sag ihr einen Gruß von mir. Und aus Wien bring ich ihr ein paar Mozartkugeln mit. Eins kannst du mir glauben: Die Islamisten, das Kokain, das alles können wir vergessen. Hier wird 'ne ganz große Kugel geschoben. Hier geht's um viel Geld und vielleicht noch um Sex. Die primitiven Motive. Aber es wird auf hohem Niveau und mit großem Einsatz gespielt. Und nun gibt es ein Markenzeichen: Wir haben jetzt zum zweiten Mal die Drahtschlinge.«

Freudenreich zuckte mit den Schultern, was Thomas Bernhardt noch mehr in Fahrt brachte. Seine Stimme wurde langsam wieder fester.

»Und zum zweiten Mal haben wir am Tatort keine verwertbaren Spuren gefunden. Hast du mir doch gerade selbst mitgeteilt.«

»Stimmt. Aber vernachlässige nicht die anderen Spuren. Und fixiere dich nicht nur auf Meyer-Kötterheinrich. Du hättest mir übrigens sagen müssen, dass du Cellarius zu ihm schickst. Der ist da picobello empfangen worden, durfte sogar mit dem Globalplayer in diesem vornehmen Club am Gendarmenmarkt speisen. Und wurde, ich wiederhole mal seine eigene Einschätzung: verarscht und eiskalt abserviert.«

»Ja und? Das spricht doch nicht gerade für die Unschuld von diesem Kerl?«

»Sage ich ja gar nicht.« Freudenreich wurde jetzt auch hitzig. »In diesen Regionen kannst du nicht als Rächer der Enterbten auftreten. Da ist Vorsicht geboten. Du kannst dir doch denken, dass hier die ersten Telefonate eingegangen sind. Keine Drohungen, natürlich, freundliche Nachfragen, gutgemeinte Hinweise. Kennst du doch. Also gut, du kannst und sollst fliegen. Cellarius fährt dich jetzt nach Hause. Und leg dich um Himmels willen ins Bett und versuch zu schlafen.«

Im Auto döste Thomas Bernhardt vor sich hin. Nur mit halbem Ohr hörte er den Erzählungen von Cellarius zu. Eins war klar: Dieser MK, wie Cellarius Meyer-Kötterheinrich nannte, war eine ganz harte Nuss.

Cellarius begleitete ihn oder besser: schob ihn die Treppen hoch in den vierten Stock. Er riss die Fenster in der Wohnung auf und öffnete die Balkontür. Langsam verzog sich die stickige Luft. Während Bernhardt sich im Bad herzurichten versuchte, wartete Cellarius auf dem Balkon. Ein paar Minuten später trat auch Thomas Bernhardt heraus.

»Du musst nicht warten, du kannst jetzt gehen.«

»Hast du denn zu essen und zu trinken?«

»Mach dir keine Sorgen.«

»Kommt denn jemand zu dir, der für dich sorgt? Soll ich jemanden anrufen?«

»Ich mach das alles.«

Cellarius bemühte sich, so cool zu wirken, wie das Bernhardt von ihm unausgesprochen forderte.

»Schöner Blick übrigens auf die Kastanie und auf die Kirche.«

»Ja, nicht schlecht. Hält aber mit Dahlem nicht mit, was?«

Cellarius lachte und schaute ihm ins Gesicht.

»Ach, Dahlem wird allgemein überschätzt. Ich muss da wohnen, weil meine Frau das alles geerbt hat.«

»Na, scheint ja ein schweres Los zu sein.«

»Nee, nee, ist schon in Ordnung.«

Cellarius zögerte einen Moment.

»Also mach's gut.«

Thomas Bernhardt reichte seinem jungen Kollegen die Hand. Als Cellarius die Wohnungstür schon fast geschlossen hatte, steckte er seinen Kopf noch einmal durch den Türspalt.

»Übrigens, wir würden dich gerne einmal an einem Wochenende einladen. Du kennst Lizzi ja schon, ihr habt ja schon ein paarmal miteinander gesprochen. Sie findet dich sehr sympathisch.«

»Danke für die Blumen. Also, bis dann.«

»Ja, bis dann. Wenn ich was Neues erfahre, ruf ich dich an.« Endlich fiel die Tür ins Schloss. Bernhardt stöhnte und fluchte eine ganze Zeitlang vor sich hin. Dann ließ er Wasser in die Badewanne laufen. Nur mit Müh und Not gelang es ihm, in die Wanne zu steigen. Als er drin saß, Schwindel und Brechreiz ihn plagten, fragte er sich, ob er überhaupt wieder rauskommen würde. »Polizeikommissar in Badewanne ertrunken«, das wäre doch einmal eine Schlagzeile in der *B.Z.* Er schlief ein, und als sein Kopf unter Wasser sank, begriff er erst gar nicht, was geschah. Dann rappelte er sich hoch. Es dauerte lang, bis er sich aus der Wanne gewunden hatte.

Als er endlich auf seinem Bett lag, ging es ihm hundeelend. Es schien ihm, als würde er in einen schwarzen tiefen Trichter gezogen. War das Schlaf, Ohnmacht, Tod, was ihn jetzt erwartete?

Er begriff es nicht: Kleine Pfeile schossen auf ihn zu, bohrten sich in seinen Körper. Im Moment des Aufpralls ertönte ein schriller Pfeifton. Er wälzte sich hin und her, versuchte den immer schneller auf ihn zufliegenden Geschossen auszuweichen. Er schaffte es nicht. Immer zielgenauer trafen sie ihn, auf die Stirn, ins Herz. Er krümmte sich in eine Ecke. Sein Magen wurde umgestülpt, er würgte. Dann ließ er sich aus dem Bett fallen und robbte los: Telefon.

Sein Körper schmerzte, der Telefonhörer war eine schwere Hantel, die er kaum hochheben konnte.

»Wie geht's dir?«

Das war Freudenreich. Seine Stimme klang besorgt.

»Schaffst du's denn?«

»Ja, ja, kein Problem.«

»Es ist völlig unverantwortlich, dass wir dich Sturkopf nach Hause gelassen haben. Ist denn jemand bei dir?«

»Nein, es geht. Du musst dir keine Sorgen machen.«

»Warum bist du nicht zu deiner Familie gegangen?«

»Ich wollte meine Frau und meine Kinder nicht erschrecken.«

»Du weißt, dass das kein Argument ist?«

»Lass mich in Ruhe. Lass mich einfach schlafen, morgen geht's schon wieder.«

»Gut. Ruf mich an, wenn was ist. Und bis zur Reise nach Wien am Freitag hältst du Ruhe. Versprichst du mir das?«

»Ja, versprech ich. Mach's gut.«

»Du auch. Mensch, schlaf gut, soweit das möglich ist.«

Bernhardt wollte den Hörer nicht auflegen. Ruhe war jetzt angesagt. Aber er tat es dann doch. Prompt klingelte es wieder.

»Hallo.«

Er erkannte Cornelia Karsunkes sanfte Stimme sofort. Als spräche eine Schlafwandlerin.

»Hallo, wieso schläfst du nicht?«

»Wieso schläfst du nicht?«

»Ach, Geschäfte, oder wie sagt man? Ich hab noch mal kurz mit Freudenreich telefoniert.«

»Man hat mir erzählt, du bist im Krankenstand und fährst Freitag nach Wien?«

»Ja, ich versuch's.«

»Wie geht's dir?«

»Ach, beschissen.«

»Mir auch. Weißt du, es nicht das Körperliche. Ich habe ja keine schweren Verletzungen, du doch auch nicht?«

»Nein, nein, alles okay.«

»Eben nicht. Es ist nicht das Körperliche, wir sind halt verprügelt worden oder noch nicht mal das, wir sind niedergeschlagen worden. Nichts Schlimmes. Er hätte uns ja auch erschießen können.«

»Stimmt, zwei Leute mit einer Drahtschlinge in einem Durchgang zu erledigen, das wäre schwierig gewesen.«

Cornelia schwieg. Bernhardt hätte sie in diesem Augenblick gerne in die Arme genommen. Schließlich sagte sie: »Es ist etwas anderes. Ich werde das Bild von Philip-Peter Weber nicht los. Wie er da lag.«

»Aber du hast doch schon öfter Leichen gesehen. Du warst in solchen Momenten doch immer stärker als ich.«

»Kann sein. Aber diesmal ist etwas so Böses, Niederträchtiges im Spiel, das macht mich ganz fertig. Wir müssen die stoppen.«

»Die?«

»Ich weiß nicht. Jedenfalls hat das doch was mit diesem Roman zu tun von diesem Schriftsteller, oder?«

»Wahrscheinlich schon. Mal sehen, was die Habel in

Wien rausgekriegt hat. Im Übrigen hast du recht, dieses Mal ist es besonders schlimm. Und wir müssen ganz schön aufpassen.«

»Ja, du auf dich, und überhaupt.«

»Und du auf dich auch. Kommst du morgen raus aus dem Krankenhaus?«

»Ja, wahrscheinlich.«

Cornelias Stimme war noch leiser geworden. »Ich bin bis zum Wochenende krankgeschrieben. Da will ich mit den Kindern was Schönes machen. Meinst du, ein Besuch im Zoo, wär das schön?«

»Bestimmt, tu das. Schlaf gut. Ich denk an dich.«

»Ich denk auch an dich. Und sei vorsichtig.«

Bernhardt legte den Hörer neben den Apparat. Als er endlich im Bett lag, sackte er schnell in den Schlaf.

14

Wie Anna nicht anders erwartet hatte, erschien Mohammed Namur nicht zum vereinbarten Termin. Obwohl sie eigentlich davon ausging, dass er nichts mit Puchers Tod zu tun hatte, musste seine mangelnde Kooperation mit der Polizei Konsequenzen nach sich ziehen, das wurde von ihr erwartet, und niemanden interessierte, ob sie damit ihre Zeit verschwendete oder nicht.

»Frau Schellander, würden Sie bitte eine Fahndung rausgeben! Folgende Person wird gesucht: Mohammed Namur, 35 Jahre alt. Libanesischer Staatsbürger, Wohnadresse: Haidgasse 2, 1020 Wien. Er hatte heute eine Vorladung und ist nicht erschienen, vielleicht ist er ein Zeuge, aber, Frau Schellander, kein Mörder, kein Kinderschänder und auch nicht Al Kaida. Bitte geben Sie das an die zuständigen Kollegen weiter!«

»So?«

»Genau so.«

Die Fahndung, die daraufhin über alle Kanäle des Polizeifunks lief, war natürlich ein gefundenes Fressen für die Journalisten, die schon ungeduldig auf einen konkreten Hinweis, irgendeine Spur warteten. Bis jetzt waren die Medien lediglich voll von betroffenheitstriefenden Berichten und vagen

Theorien, die sich die Journaille quasi aus den Fingern gesogen hatte.

Die Pressekonferenz war mittags angesetzt und brechend voll. Unter die bekannten Figuren hatten sich auch Redakteure großer ausländischer Zeitungen gemischt. In der Mitte des Podiums saß Hromada mit seinen Kärtchen, auf die er wie immer ausformulierte Sätze geschrieben hatte, die er nun vorlas. Neben ihm Markus Frische, gebügeltes Hemd und braungebrannt, er war der Einzige, dem man die letzten achtundvierzig Stunden nicht ansah. Wie immer fühlte sich Anna in dieser Situation nicht wohl, sie wusste, wenn Hromada seine Karten abgearbeitet hatte, würde er sich erschöpft zurücklehnen und alles Weitere ihr überlassen oder aber dem übereifrigen Frische – und das war fast noch schlimmer.

Die erste Frage kam natürlich vom Redakteur der kleinformatigen Tageszeitung. »Stimmt es, dass es einen flüchtigen Tatverdächtigen gibt?«

Schweigen auf dem Podium. Anna räusperte sich und beugte sich vor.

»Na ja, flüchtig ist etwas übertrieben und tatverdächtig auch. Es handelt sich um einen Zeugen, der nicht zur Einvernahme erschienen ist. Ich bin aber sicher, dass er in den nächsten Stunden erscheinen wird.«

»Stimmt es, dass Spuren in die islamistische Terrorszene weisen?« Die Frage kam von einer jungen Frau, die zu ihrem blauen Kostüm eine Perlenkette trug.

Annas Antwort fiel knapp aus: »Es gab Morddrohungen aus dieser Ecke, und es ist momentan die Spur, die wir am stärksten verfolgen.«

Doch das blaue Kostüm war nicht so leicht zufriedenzustellen. »Und warum sitzt dann das Drogendezernat mit auf dem Podium?«

Frische sah seinen Moment gekommen und schenkte der Journalistin ein gewinnendes Lächeln. »Also erstens, weil es auch eine Spur in diese Richtung gibt, und zweitens, weil wir in so einem Fall alle fähigen Kräfte bündeln müssen. Wir wollen schließlich bald Ergebnisse sehen, nicht wahr?«

»Xaver Pucher war ja auf dem Weg nach Berlin. Gibt es dort schon erste Resultate?«

»Ja, aber leider ist es zu einer weiteren Bluttat gekommen.«

Anna hätte Frische am liebsten den Kopf gewaschen, doch sie beherrschte sich. Ein Raunen ging durch die Menge. Anna versuchte nun so knapp wie möglich den Tod von Philip-Peter Weber zu schildern. Sie ließ sämtliche Details aus, sowohl die Art der Hinrichtung als auch die Überwältigung der Kollegen aus Berlin.

»Was ist Ihre Erklärung dafür? Innerhalb von drei Tagen zwei Morde, die tausend Kilometer auseinanderliegen und doch zusammenhängen? Das kann doch nur ein länderübergreifendes Netzwerk wie etwa Al Kaida sein?«

Das war wieder der für seine scharfe Analyse berühmte Kollege des Kleinformats.

»Na ja, Herr Richter, mit dem Flugzeug schafft man es schon in einer Stunde von Wien nach Berlin, da braucht man noch kein Netzwerk.«

Vereinzelte Lacher, Anna entspannte sich ein wenig.

Alle weiteren Fragen konnten mit der üblichen Floskel »um die Ermittlungen nicht zu gefährden, dürfen wir diese

Frage nicht beantworten« abgeschmettert werden, und bald verlor die Meute das Interesse und zog murrend ab.

Als Anna den Raum verließ, sah sie aus den Augenwinkeln, dass Frische heftig auf die junge blaukostümierte Journalistin einredete. Bevor der Hofrat sich zu ihr durchgekämpft hatte, nahm Anna ihr Handy aus der Hosentasche und täuschte mit ernster Miene ein Gespräch vor.

In ihrem Büro nahm sie sich noch einmal Puchers kleines Telefonverzeichnis vor und blätterte es von vorne bis hinten durch, las jeden Eintrag aufmerksam. Der Kollege von der Spurensicherung hatte recht: Das war ein *Who is Who* der österreichischen Kulturszene. Anna seufzte und verschränkte die Arme hinter dem Nacken. Sie konnte ja schlecht den Bundespräsidenten oder den Kulturstadtrat anrufen und fragen, in welchem Verhältnis sie zu Pucher standen. Plötzlich fiel ihr Blick auf einen Namen, und sie griff zum Telefon.

»Mobilbox Simon Kupfer. Bin gerade unglaublich beschäftigt, wenn ich's schaff, ruf ich zurück.«

»Hallo, Herr Kupfer, hier spricht Anna Habel, Mordkommission. Ich bin die leitende Ermittlerin im Mordfall Xaver Pucher und bitte dringend um Rückruf.«

Anna hinterließ ihre Handynummer. Sie versuchte ihr Chaos auf dem Schreibtisch ein wenig zu sortieren, schob dann am Bildschirm ihre E-Mails in die passenden Ordner und wartete auf eine Eingebung. Oder zumindest auf das Klingeln des Telefons. Die Nummer der Berliner Kollegen hatte sie groß auf ihrer Schreibtischunterlage notiert, und als sie sie freigelegt hatte, wählte sie sie, ohne groß nachzudenken.

»Mordkommission Berlin. Katia Sulimma.«

»Grüß Gott. Habel aus Wien. Ich wollte mich nur mal melden und hören, was es denn bei euch Neues gibt.«

»Nicht viel. Der Bernhardt und die Karsunke sind ja außer Gefecht, und Herr Cellarius und ich halten die Stellung.«

»Wie geht es den beiden denn?«

»Ach, Unkraut verdirbt nicht. Die sind bald wieder aufm Damm. Bernhardt muss ja am Freitag zu Ihnen.«

»Ja, ich weiß. Schafft er das denn?«

»Darauf können Sie Gift nehmen, so eine kleine Wienreise wird er sich nicht entgehen lassen.«

»Es wird aber keine Vergnügungstour.«

»Ja, ja, Frau Habel, war nur Spaß. Aber seien Sie unbesorgt: Er wird kommen, und wir rufen Sie an, sobald hier was Neues passiert.«

Da Mohammed Namur heute hier wohl nicht mehr auftauchen würde und Kupfer ja ihre Handynummer hatte, beschloss Anna, mal pünktlich Schluss zu machen.

Florian saß in der Küche und las den *Falter*. Die Spülmaschine war ausgeräumt, der Müll unten und anscheinend hatte er sogar den Frühstückstisch abgewischt. Anna verkniff sich eine Bemerkung und versuchte so zu tun, als wäre das ganz normal.

»Hallo! Essen?«

»Hm.«

»Und was hättest gerne?«

»Kochen oder holen?«

»Lieber kochen. Wenn's kein dreigängiges Menü sein muss.«

»Nö. Mir egal.«

»Na wunderbar, *egal* koch ich gern. Dann geh ich mal schnell zum Billa und lass mich inspirieren.«

In der kleinen Billa-Filiale war es voll wie immer. Im Eingangsbereich, in der sich auch die Kassen befanden, kämpften die Kommenden mit den Gehenden. Anna verzichtete auf den Einkaufswagen, holte sich Zwiebeln, zwei Dosen Tomaten und ein halbes Kilo Faschiertes, legte alles auf das Laufband und lief noch mal schnell zurück zu den Nudeln. Sehr kreativ war die Kochidee nicht gerade, und Kohlehydrate am Abend sollten ja so ziemlich das Schlechteste sein, doch andererseits machten Nudeln glücklich, und ein bisschen glücklich sein, das wäre gar nicht schlecht. Florian saß vor dem Fernseher und guckte Simpsons.

»Ich schau mit dir Simpsons, und du hilfst mir nachher beim Kochen?«

Statt einer Antwort rückte Florian bereitwillig zur Seite, ohne den Blick vom Bildschirm zu lösen.

In der Küche übernahm Florian die Zwiebeln, Anna setzte Nudelwasser auf, und während sie das Fleisch anbriet, deckte er ohne Aufforderung den Tisch.

»Was ist eigentlich los mit dir?«

»Was denn?«

»Na, du bist so... seltsam.«

»Was meinst du mit seltsam?«

»Na, so sozial. Hast du was angestellt? Willst du über was reden?«

»Dir kann man's aber auch nicht recht machen.«

»Ist schon gut, ich mein ja nur. Wie ist es denn so in der Schule?«

»Eh ganz okay.«

»Und die Klasse?«

»Die übliche Mischung.«

»Und Mädchen?«

»Ja, Mädchen haben wir auch.« Florian grinste. »Alles Tussis. Sarah ist ganz nett, aber die spielt jede freie Minute Volleyball.«

»Bist du nicht auch seit neuestem im Volleyballteam?«

Anna grinste zurück und musste sich beherrschen, Florian nicht durchs Haar zu strubbeln, so süß fand sie ihn mit seinen errötenden Wangen.

Am nächsten Morgen traf ungefähr fünf Minuten nach Anna Mohammed Namur im Präsidium ein. In Handschellen, begleitet von drei Beamten in Uniform. Von seinem forschen Auftreten war nicht mehr viel zu spüren, wie ein Häufchen Elend saß er im Vernehmungsraum und starrte an die Wand. Anna ließ ihn noch etwas zappeln und beschloss, es erst mal mit der »Guten-Bulle-Masche« zu versuchen. Sie stellte einen Becher Kaffee vor ihm auf den Tisch.

»Herr Namur, wir suchen Ihre Schwester. Wissen Sie, wo sie sein könnte?«

»Ich weiß schon lange nicht mehr, was Leyla macht.«

»Dazu kommen wir noch. Ich will wissen, wo sie jetzt gerade ist. Vor zwei Tagen sagten Sie, sie sei verreist. Wohin ist sie gefahren?«

»Sie ist nicht verreist. Ich weiß nicht, wo sie ist.«

»Warum haben Sie uns gesagt, sie sei verreist?«

»Weiß auch nicht. Sie ist verschwunden, da hab ich mich geärgert und gesagt, sie ist verreist.«

Er drehte den Kaffee zwischen seinen Händen, trank aber nicht.

»Wo könnte sie denn sein?«

»Ich weiß nicht.«

»Aber Sie wohnen zusammen?«

»Ja, schon. Aber in letzter Zeit macht Leyla, was sie will. Kommt nicht nach Hause, geht weg, ohne zu sagen, wohin.«

»Aber sie ist erwachsen! Sie darf das.«

»Ja, das sagt sie auch. Aber bei uns ist das anders. Bei uns kann eine Frau nicht einfach über Nacht wegbleiben. Ich bin ihr Bruder. Ich bin verantwortlich für ihre Ehre.«

Anna lehnte sich zurück und fühlte sich plötzlich erschöpft. Sie wusste, sie hätte den Herrn, der da vor ihr saß, über westliche Frauenrechte aufklären müssen, aber war das nicht schon latent rassistisch? Sie fühlte sich von dieser Debatte völlig überfordert und beschloss, Namurs Ehrbegriff erst einmal zu ignorieren.

»Kannten Sie Xaver Pucher?«

»Nein«, stieß Namur zwischen zusammengebissenen Zähnen hervor.

»Wie? Sie sind ihm nie begegnet?«

»Nein, sage ich doch.«

»Herr Namur, wenn Sie mich anlügen, finden wir es heraus. Und dann sind Sie dran. Also überlegen Sie noch einmal: Sind Sie Xaver Pucher jemals begegnet?«

»Also, ich hab ihn einmal gesehen. Da bin ich Leyla nachgegangen, sie hat es nicht bemerkt. Die beiden haben sich im Kaffeehaus getroffen. Ich habe sie beobachtet.«

»Sie haben Ihre eigene Schwester verfolgt und beobachtet und sind dann ganz ruhig wieder nach Hause gegangen?«

»Ja. Ich bin dann in meinen Boxclub gegangen und habe mir vorgestellt, der Boxsack sei dieser Typ.«

»Wo waren Sie am Sonntagabend?«

»Im Kulturverein.«

»Kulturverein?«

»Ja, ein islamischer Verein bei mir um die Ecke, Zweiter Bezirk.«

»Name. Adresse.«

»*Lubnaniyin awwalan,* ist bei Praterstern. Vorgartenstraße.«

»Herr Namur, ich werde das überprüfen.«

»Ich war da, es gibt viele Menschen, die mich gesehen haben.«

»Haben Sie Ihre Schwester jemals bedroht?«

»Bedroht, bedroht, was meinen Sie mit bedroht? Ich habe gesagt, sie soll aufhören mit diesen Geschichten, sonst schicke ich sie zurück in den Libanon. Aber sie hat nur gelacht.«

»Und dann hat es Ihnen gereicht, und Sie haben –«

»Nein! Ich habe gar nichts! Ich hätte diesen, diesen … Pucher … gerne zusammengeschlagen, aber ich bin ja nicht blöd! Ich will in Österreich bleiben!«

»Haben Sie Ihre Schwester in den Libanon geschickt?«

»Nein. Sie müssen mir glauben, ich weiß nicht, wo sie ist.«

»Ich möchte gerne Leylas Pass sehen. Wissen Sie, wo der ist?«

»Ja, zu Hause.«

»Gut. Dann dürfen Sie jetzt gehen. Ein Beamter bringt Sie nach Hause, und Sie händigen ihm bitte den Reisepass

Ihrer Schwester aus. Sie halten sich zur Verfügung und verlassen die Stadt nicht. Sollte Ihre Schwester Kontakt zu Ihnen aufnehmen, rufen Sie mich sofort an. Und mit sofort meine ich sofort, egal um welche Uhrzeit.«

»Ja. Natürlich. Aber sie hat nichts mit dem Mord zu tun. Sie ist ein gutes Mädchen.«

»Ich glaube auch nicht, dass sie etwas mit dem Mord zu tun hat, wir müssen sie nur dringend sprechen. Vielleicht weiß sie ja etwas, womöglich ist sie sogar in Gefahr.«

Namurs Augen wurden groß.

»Wie meinen Sie, in Gefahr? Aber warum? Sie hat doch niemandem was getan. Sie ist bloß ein dummes Mädchen, das sich in den falschen Mann verliebt hat.«

»Jetzt machen Sie sich mal keine Sorgen, wir werden sie schon finden.«

Anna schob den händeringenden Mann behutsam zur Tür hinaus und trank seinen unberührten Kaffee in einem Zug aus.

Kaum zurück in ihrem Büro, klingelte das Handy in ihrer Hosentasche.

»Habel.«

»Simon Kupfer.«

»Ah, Herr Kupfer. Gut dass Sie sich melden.«

»Sie sind doch die Kommissarin, die ich kenne, oder?«

»Ja, und leider ist es ein trauriger Anlass, der uns wieder zusammenführt. Herzliches Beileid.«

»Danke. Ich kann das noch gar nicht glauben. Für mich ist das alles nicht wahr.«

»Leider schon, Herr Kupfer, leider schon. Ich würde Sie gerne treffen.«

»Ja klar. Soll ich ins Präsidium kommen?«

»Nein, ich komme zu Ihnen. Wo wohnen Sie denn?«

Anna wollte sehen, wie Kupfer wohnte, sie hatte das Gefühl, es könnte ihr helfen, ein weiteres Puzzlestück zu finden.

»Okay.« Simon Kupfer schien überrascht.

»Wir können uns auch im Kaffeehaus treffen.«

»Nein, nein. So ist es am einfachsten. Wie ist denn die Adresse?«

»Marxergasse 34.«

»Gut. Ich bin in zwanzig Minuten da. Und Herr Kupfer, Sie brauchen nicht aufzuräumen.«

Anna parkte vor den Sofiensälen und ging ein kleines Stück zurück. Am Klingelschild standen nur Nummern, und Anna drückte auf gut Glück auf einen Knopf. Die Tür sprang umgehend auf, und aus der Gegensprechanlage ertönte Kupfers verzerrte Stimme: »Zweiter Stock.«

Er lehnte breit am Türrahmen und wirkte größer, als Anna ihn in Erinnerung hatte.

»Guten Tag.« Anna reichte ihm förmlich die Hand.

»Hallo. Waren wir letztes Mal nicht beim Du?«

»Da gab es auch noch keinen Mord, bei dem Sie zumindest Zeuge sind und ich ermittelnde Beamtin bin. Also, ich würde gerne das Du vergessen.«

Anna klang forscher, als sie beabsichtigt hatte, und sie bemerkte, wie Kupfer auf Distanz ging.

»Darf ich trotzdem reinkommen?«

»Klar. Ich weiß zwar nicht genau, was Sie von mir wollen, aber kommen Sie ruhig herein.«

Simon Kupfer führte Anna in eine unaufgeräumte Küche.

In der Spüle stapelte sich das Geschirr mehrerer Tage, in der Ecke stand eine stolze Ansammlung leerer Bier- und Weinflaschen, und die Kaffeeringe auf dem Küchentisch schienen nicht frisch zu sein. Anna nahm unaufgefordert Platz, Kupfer ließ sich ihr gegenüber auf einen Stuhl fallen. Er bot ihr nichts an.

»Wann haben Sie Xaver Pucher das letzte Mal gesehen?«

»Letzte Woche. Ich glaube am Dienstag oder Mittwoch.«

»Bei welcher Gelegenheit?«

»Wir trafen uns auf ein Bier im *Amarcord*.«

»Warum?«

»Warum, warum... Warum nicht? Wir waren Freunde!«

»Schon gut. Ich meine, gab es einen konkreten Anlass für das Treffen?«

»Nein. Wir hatten uns länger nicht gesehen, und Xaver rief mich am Handy an, ob wir uns spontan treffen. Da wir beide im Fünften unterwegs waren, schlug er das *Amarcord* vor.«

»Wie wirkte er?«

»Normal. Wie immer eigentlich.«

»Irgendwie aufgeregt?«

»Ach, Xaver war immer irgendwie aufgeregt. Er stand immer gerade vor einem Durchbruch, er hatte immer irgendetwas Sensationelles am Laufen.«

»Was war es diesmal?«

»Ich weiß es nicht. Er hat wenig erzählt. Er schien nur aufgeregter als sonst wegen seiner Berlin-Reise. Dabei war das ja nichts Besonderes. Er fuhr ja total oft nach Berlin.«

»Und warum war er diesmal aufgeregter?«

»Das hat er nicht gesagt. Er meinte nur, wenn das alles so

klappt, wie er sich das vorstellte, dann würde er in die Geschichte eingehen.«

»Und Sie haben keine Idee, was er vorhatte?«

»Nein, das Übliche. Seinen Agenten treffen, seine Freundin.«

»Kennen Sie die Freundin?«

»Na ja, kennen ist übertrieben. Ein-, zweimal gesehen bei einer Party.«

»Und Leyla?«

»Was wissen Sie von Leyla?«

»Was wissen *Sie* von Leyla?«

»Ich weiß, was alle behaupten. Dass es sie gar nicht gibt, dass er sie sich nur ausgedacht hat, um sich wichtig zu machen.«

»Es gibt sie also?«

»Natürlich gibt es sie! Warum sollte sich jemand eine Freundin ausdenken?«

Anna schwieg. Biss sich auf die Zunge und wartete lange. Kupfer fuhr gedankenverloren mit dem Zeigefinger einem Kaffeerand nach.

»Sie tat mir leid. Er hat sie irgendwie nicht gut behandelt.«

»Wie meinen Sie das?«

Anna spürte die Aufregung in ihrer Stimme selbst und ärgerte sich darüber.

»Nicht so, wie Sie jetzt schon wieder meinen. Er war kein Macho. Er war nur so, wie soll ich sagen, distanziert. Er ließ nie jemanden an sich heran. Ich glaube, darunter hat Leyla immer gelitten.«

»Wusste sie von seiner Berliner Freundin?«

»Ich weiß es nicht.«

Kupfer senkte den Blick, stand schließlich auf und nahm sich ein Glas Wasser.

»Wissen Sie, wo Leyla sich momentan aufhält?«

»Die wohnt doch bei ihrem Bruder.«

»Da ist sie aber nicht.«

»Das Schwein, der hat sie sicher aus dem Land geschafft.«

»Nein, hat er vermutlich nicht. Kennen Sie Freundinnen von Leyla, bei denen sie untergekommen sein könnte?«

»Nein, ich kenne niemanden.«

»Darf ich bei Ihnen mal aufs Klo?«

Kupfer nickte nur und deutete mit dem Kopf in Richtung Flur.

»Zweite Tür links.«

Anna stand in dem kleinen Badezimmer, das fast vollständig von einer mächtigen Badewanne ausgefüllt wurde. Sie versuchte das verschmierte Spiegelschränkchen geräuschlos zu öffnen, und in Windeseile scannte sie den Inhalt: Pflaster, Zahnseide, Rasierzeug, Nagelschere, eine Menge Tabletten, die für eine mittlere Krankenhausapotheke ausgereicht hätte, und ein Päckchen Tampons. Wie fürsorglich, dachte Anna, ein Mann, der für alle Fälle Damenhygiene zu Hause hat. Sie wusch sich die Hände und ging wieder in die Küche. Simon Kupfer saß zusammengesunken auf seinem Stuhl, er schien sich nicht bewegt zu haben.

»Herr Kupfer, haben Sie eigentlich eine Freundin?«

»Wieso, sind Sie zu haben?«

»Sehr witzig. Selbst wenn, ich bin wohl eine Spur zu alt für Sie. Nein, im Ernst. Leben Sie in einer Beziehung?«

»Ich bin ein einsamer Wolf. Hin und wieder finde ich

eine Gefährtin für die Vollmondnächte, aber Alltag mit mir, das hält keine aus.«

»Wann haben Sie denn Leyla zum letzten Mal gesehen?«

»Sie denken doch nicht ... Absurd.« Kupfer schüttelte den Kopf. »Das ist Wochen her. Da war sie mit Xaver im Alt Wien, ich bin später dazugestoßen.«

Bevor Anna ihre Frage »Irgendetwas Besonderes vorgefallen?« ausgesprochen hatte, wusste sie bereits, dass Kupfer den Kopf schütteln würde. In dieser Geschichte war immer alles ganz normal, nur am Schluss war etwas Außergewöhnliches passiert, und der Protagonist war gestorben.

»Wo waren Sie in der Nacht von Sonntag auf Montag?«

»Nicht im Zug nach Berlin.«

»Ich hätte gerne eine Antwort. Wir können sonst das Gespräch auch gerne im Präsidium weiterführen.«

»Wenn ich Ihnen sage, wo ich war, werden Sie nicht zufrieden sein.«

»Sie waren alleine hier und haben ferngesehen.«

»Woher wissen Sie das? *Tatort*. Mit meinen Lieblingskommissaren Thiel und Boerne, das sind die aus Münster.«

»Alles klar. Das Fernsehprogramm kann ich zwar leicht überprüfen, aber als Alibi reicht es nicht, das ist Ihnen wohl klar. Sie verlassen bitte die Stadt nicht. Sollte Ihnen noch etwas einfallen, oder sollte sich Leyla bei Ihnen melden, rufen Sie mich sofort an. Hier ist meine Handynummer.« Anna legte ihre Karte auf den Tisch. Kupfer nahm sie und drehte sie gedankenverloren in den Händen. »Werde ich verdächtigt?«

»Jeder wird verdächtigt, bis wir den Täter haben. Auf Wiedersehen. Bemühen Sie sich nicht, ich finde selber raus.«

Im Auto atmete Anna erst mal tief durch. Was für ein seltsamer Typ. Undurchschaubar, halb faszinierend, halb abstoßend. Und wie Anna von dem gemeinsamen Abend von vor ein paar Wochen wusste, konnte er sehr charmant sein. Davon war allerdings heute nichts mehr zu spüren gewesen. Sie kramte ihr Handy aus der Tasche und wählte die Nummer von Bernhardts Mobiltelefon. Die Mailbox sprang sofort an, und Anna legte enttäuscht auf. Zu gerne hätte sie ihm von dieser seltsamen Begegnung erzählt, vom zusammengesunkenen Kupfer, dem sie seine tiefe Trauer nicht ganz abnahm, von der schmuddeligen Wohnung und den Tampons im Badezimmer. Das Klingeln des Telefons riss sie aus ihren Gedanken.

»Habel.«

»Kolonja. Sag mal, wo steckst du denn?«

»Ich habe Kupfer einvernommen. Du weißt schon, Puchers angeblich besten Freund.«

»Und?«

»Ich weiß auch nicht. Seltsamer Vogel. Ist mir nicht ganz geheuer, aber er hat kein Motiv.«

»Was ist mit dem Libanesen? Hromada ist ganz aus dem Häuschen, dass du den hast gehen lassen.«

»Der hat nichts damit zu tun. Ich überprüf jetzt noch sein Alibi, aber glaub mir, der kannte den Pucher nicht mal.«

»Kommst du noch mal hierher?«

»Ich weiß noch nicht. Ich fahr jetzt mal in so einen islamischen Kulturverein wegen Namurs Alibi, und dann meld ich mich.«

»Und Berlin?«

»Das Rückgrat der Abteilung ist wohl außer Gefecht gesetzt. Die anderen, die da noch rumsitzen, sind, glaub ich, ziemlich gelähmt ohne ihr Alphamännchen. Und der leckt wohl noch seine Wunden.«

»Alles klar. Bis später. Ich halte hier die Stellung.«

»Okay, ich meld mich. Und Kolonja, noch was. Wir brauchen dringend ein paar Fotos. Simon Kupfer, Miriam Schröder, Philip-Peter Weber und Leyla Namur. Die ersten drei findest du wahrscheinlich über eine Bildagentur, von Leyla nehmen wir das aus dem Pass, den der Kollege hoffentlich schon abgeliefert hat.«

Wie nicht anders erwartet, fand Anna im *Lubnaniyin awwalan* mindestens fünf Männer, die bestätigen konnten, dass Mohammed Namur am Sonntag zwischen 19 und 22 Uhr im Kulturverein gewesen war, Shisha geraucht und mehrere Partien Backgammon verloren hatte. In einem großen Kassabuch stand verzeichnet, dass er einen Kaffee und zwei Tassen Tee getrunken hatte und somit einen Betrag von 5 Euro 20 hatte anschreiben lassen. Anna bedankte sich höflich und verließ das dunkle Kellerlokal.

Draußen fiel ihr zum ersten Mal an diesem Tag auf, dass die Sonne schien, weshalb sie beschloss, ihre Gedanken bei einem Spaziergang im Prater zu sortieren. Sie parkte ihr Auto in einer engen Gasse direkt neben dem Prater und ging von da gleich auf die Prater Hauptallee, die wie immer von Joggern, Radfahrern und Hundebesitzern bevölkert war. Sie spazierte ein Stück Richtung Lusthaus und bog dann in einen kleinen Nebenpfad ein. Wie schön es hier ist, dachte sie, was für ein unglaublicher Ort mitten in der

Großstadt, wie glücklich sie doch immer wieder war, hier gelandet zu sein, auch wenn sie wusste, dass sie die Stadt hoffnungslos romantisierte. Sie setzte sich auf eine leere Bank, und kaum hatte sie ihr Notizbuch aus der Tasche geholt, klingelte schon wieder das Handy. Anna blickte auf das Display.

»Kolonja. Du schon wieder. Du bist aber heute anhänglich. Was ist denn los?«

»Hier steht ein gutaussehender junger Mann mit seinem Sprössling im Buggy und fragt nach dir. Verschweigst du uns was?«

»Ja, da würdet ihr schauen, wenn ich mir so einen smarten Typen angeln würde. Aber leider komm ich nicht dazu, so wie du mich in Beschlag nimmst – Herr Prokop ist der Nachbar unseres Mordopfers.«

»Schön, und was sag ich ihm?«

»Du setzt dich mit ihm in dein Büro, bietest ihm einen Kaffee an und fragst ihn, was er will. Das schaffst du ohne mich.«

»Und das Kind?«

»Was soll mit dem Kind sein? Du sperrst es nicht in die Arrestzelle. Herrgott, Kolonja, das ist ein Zeuge, der irgendetwas beobachtet hat. Das dauert wahrscheinlich zehn Minuten. Du musst das Kind nicht adoptieren.«

»Okay, ich frag ihn, was er will. Wann kommst du?«

»Ich mach mich auf den Weg.«

Anna seufzte und warf einen wehmütigen Blick auf die grünen Büsche.

Als Anna ins Präsidium kam, stand die Tür zu Kolonjas Zimmer weit offen. Sie warf einen Blick hinein, und er wedelte mit einem roten Schnellhefter in der Luft umher.

»Hier sind die Fotos!«

»Und was ist mit Prokop?«

»Der ist spazieren gegangen. Sein Kind hat wie am Spieß zu brüllen begonnen, als ich ihn in mein Büro gebeten habe. Da hat er beschlossen, auf dich zu warten und inzwischen eine Runde zu drehen.«

»Du alter Kinderschreck.« Anna lachte. »Hat er eine Nummer hinterlassen?«

»Nein, er hat gesagt, er ist um vier Uhr wieder da.«

»Gut, dann geh ich mal in mein Büro. Danke für die Fotos.«

Zehn Minuten später stand Matthias Prokop im Türrahmen. Sein Sohn schlief im Kinderwagen, die Haare verschwitzt, der Kopf zur Seite gesunken.

»Hallo, Herr Prokop. Das trifft sich gut, gerade hab ich die Fotos bekommen, die ich Ihnen zeigen wollte. Aber was führt Sie zu mir?«

Prokop stellte den Buggy behutsam in die Ecke und gab Anna die Hand. »Mir ist noch etwas eingefallen, besser gesagt, meiner Frau.«

»Ja?« Anna deutete auf den Stuhl vor ihrem Schreibtisch.

»Also, meiner Frau ist eingefallen, dass es bei Pucher vor kurzem in der Nacht einen fürchterlichen Streit gab.«

»Wann war das?«

Anna nahm den Tischkalender zur Hand.

»Ja, wir haben das schon rekonstruiert. Das war am Montag vor einer Woche, und zwar mitten in der Nacht, so gegen drei Uhr früh. Meine Frau konnte nicht schlafen und machte sich in der Küche einen Tee, und da hörte sie schreckliches Gebrüll aus Puchers Wohnung. Kurz darauf hat jemand mit heftigem Türenknallen die Wohnung verlassen.«

»Wissen Sie, wer es war?«

»Nein, ich hab ja auch gar nichts mitgekriegt, ich hab geschlafen.«

»Eigentlich hätte Ihre Frau kommen müssen.«

»Ja, ich weiß, aber die ist schon wieder weg, diesmal in Straßburg.«

»Hat sie denn gesehen oder gehört, wer da so gestritten hat?«

»Nein, sie kann nur mit Sicherheit sagen, dass es eine Frau und ein Mann waren. Also wahrscheinlich Pucher und eine Frau. Und die Wohnung verlassen hat eindeutig eine Frau, das konnte sie an den Schritten erkennen.«

»Tja, vielen Dank für Ihr Kommen, vielleicht finden wir ja noch andere Zeugen, einen Taxifahrer oder so. Würden Sie sich bitte noch die Fotos anschauen?«

»Klar. Zeigen Sie her.«

Matthias Prokop betrachtete die Fotos aufmerksam und identifizierte Miriam Schröder als die »Freundin aus Deutschland« und Leyla Namur als die arabische Schönheit, die er des Öfteren durchs Stiegenhaus hatte huschen sehen. Simon Kupfer war ihm als Schriftsteller ein Begriff, und er konnte sich auch erinnern, ihn auf einer Party seines Nachbarn gesehen zu haben. Philip-Peter Webers Konterfei sagte ihm nichts.

»Dann danke ich Ihnen noch einmal für Ihre Mitarbeit, nett, dass Sie extra gekommen sind.«

Anna stand auf, ging um den Tisch und gab Prokop die Hand.

»Gern geschehen, das ist doch selbstverständlich.«

Warum kann ich nicht öfter mit so kultivierten, gutaussehenden Männern zu tun haben?, dachte Anna. Und warum sind die immer schon verheiratet?

15

Als Anna ihr Auto in der Parkgarage des Flughafens abstellte, war sie nicht gerade bester Laune. Viel Leerlauf hatte es in den letzten beiden Tagen gegeben. Versandete Spuren, schlechte Koordination. Kein einziges Mal hatte sie mit Thomas Bernhardt telefoniert, der tatsächlich einen Tag zu Hause geblieben, aber schon am nächsten Tag wieder im Büro erschienen war. Allerdings war er dort zusammengeklappt, so dass man ihn doch noch, wenigstens für ein paar Stunden, zur Untersuchung ins Krankenhaus steckte. Diagnose: allgemeine physische und psychische Erschöpfung.

Nun kam er also. Ihr fiel ein, dass sie kein Erkennungszeichen ausgemacht hatten. Wahrscheinlich erkannte sie ihn fünf Kilometer gegen den Wind, ein Bulle aus Berlin, wie sollte der schon aussehen. Grau, aber anders grau als die ganzen McKinsey-Beratungstypen, wahrscheinlich mit einem Touch ins Alternative, graue Haare, Staubmantel, so schwierig konnte das nicht sein. Noch zehn Minuten, natürlich hatte der Flug aus Berlin Verspätung. Anna ging zum nahen Buch- und Zeitschriftenladen, prüfte kurz das Sortiment und entschied sich dann gegen eines der deutschen Politmagazine.

»Haben Sie *Herodots wilde Reisen* von Xaver Pucher?«

Der Mann an der Kasse schaute sie stumpf an und schrieb eifrig Zahlen in eine große Liste. Mussten Buchhändler eigentlich immer Listen führen?, fragte sich Anna. Schließlich wandte er sich ihr doch noch zu.

»Ja, ich glaub, ein oder zwei hab ich noch. Geht weg wie warme Semmeln, seit der Gute ins Gras gebissen hat.«

Anna schluckte die Bemerkung, die sie schon auf der Zunge hatte, wieder runter. Warum ließ man den toten Pucher nicht einfach in Ruhe, warum musste man dauernd blöde Sprüche über ihn machen? Es war diese typisch wienerische Leier: Der ganze Erfolg hat ihm nichts genutzt, der reiche Papa nicht, der Bestseller nicht – jetzt is er hin.

Die Anzeigentafel zeigte, dass die Maschine aus Berlin inzwischen gelandet war. Anna postierte sich in der zweiten Reihe der Wartenden. Immer wieder war sie sicher, ihn zu erkennen, doch all die grauen Herren strebten zielsicher dem Ausgang zu oder folgten den professionellen Abholern mit ihren handgeschriebenen Schildern.

»Frau Habel?«

»Äh, ja bitte?!«

»Sie sind doch Frau Habel, Kripo Wien? Gestatten: Thomas Bernhardt.«

Anna ignorierte die Hand, die ihr entgegengestreckt wurde, und starrte ihrem Gegenüber unverhohlen ins Gesicht. Ein großer Bluterguss zog sich über die gesamte linke Gesichtshälfte und ein riesiges Pflaster klebte quer über der Stirn.

»Na, da haben Sie wohl ein klein wenig untertrieben mit Ihren paar Kratzern. Meine Güte, jetzt versteh ich die zwei

Tage Krankenstand auch, ich hab mir gedacht, Sie sind ein Hypochonder, aber das ist ja wirklich eindrucksvoll.«

Bernhardt versuchte erst gar nicht, zu Wort zu kommen, und endlich streckte ihm Anna Habel die Hand hin und grinste ihn breit an.

»Entschuldigen Sie, freut mich, Sie kennenzulernen, ich bin etwas erstaunt. Ich habe Sie mir anders vorgestellt.«

»Das kann ich mir denken. Wahrscheinlich haben Sie so einen grauen Herrn im Trenchcoat erwartet, und nun steht da so ein Typ, der in allen Regenbogenfarben schillert.«

»Darf ich Ihre Tasche nehmen?«

»Kommt überhaupt nicht in Frage. Sie ignorieren jetzt erst mal meine Sonderausstattung, das ist halb so schlimm. Wo steht Ihr Wagen?«

Als Bernhardt sich auf den Beifahrersitz sinken ließ, stöhnte er laut auf und drückte für mehrere Sekunden die Stirn gegen die kühle Scheibe. Anna unterdrückte den spontanen Impuls, ihm die Hand aufs Knie zu legen, und murmelte lediglich ein paar tröstende Worte.

Ihre mütterlichen Gefühle verflogen allerdings rasch, als Bernhardt ihr erzählte, warum er so zugerichtet war.

»Ihr wart zu zweit und habt euch von einem Kerl derart zurichten lassen? Dienstwaffen habt ihr wohl nicht, da in Berlin. Und die Kollegin? Die war wohl mit Stöckelschuhen unterwegs und wollte ihre lackierten Nägel nicht ruinieren?!«

Was für eine blöde, selbstgefällige, überhebliche Ösi-Zicke, dachte Bernhardt und sah demonstrativ aus dem Seitenfenster. Von der ließ er sich nicht provozieren.

»Sparen Sie sich Ihre Energie doch für die Lösung des

Falles, liebe Frau Kollegin, vielleicht würden Sie in Wien dann auch ein paar Erfolge erzielen.«

»Entschuldigung. Sie haben recht, wir sollten versuchen, miteinander auszukommen, zumindest für die nächsten paar Stunden. Waren Sie denn schon mal in Wien?«

Der charmante Plauderton wollte ihr nicht so recht gelingen, doch Bernhardt beschloss, darauf einzusteigen.

»Mit zweiundzwanzig, und ich erinnere mich an billigen Wein in einem verrauchten Kaffeehaus und einen kriminellen Taxifahrer, der die Stadt mehrmals umrundet hat, bevor er mich in meiner Pension absetzte. Was ist das denn für eine futuristische Landschaft, hier sieht's ja aus wie in einer russischen Schwerindustriestadt!«

Anna musste wider Willen lachen.

»Das ist die OMV, hier wird Österreichs Benzin hergestellt, glaub ich zumindest. Besonders nachts schaut es beeindruckend aus, Hunderte kleine Lichter und weißer Rauch und dazu diese unglaublichen Gebilde. Ansonsten gibt es hier nicht viel zu sehen, die Flughafenautobahn ist nicht gerade der schönste Anblick Wiens.«

»Wann beginnt das Begräbnis?«

»Um 13 Uhr. Ich bring Sie jetzt rasch in Ihr Hotel. Da können Sie sich erst einmal frischmachen. Ich warte da auf Sie.«

»Danke, nein. Frischer werd ich nicht mehr. Wir fahren zu Ihnen ins Büro und besprechen noch ein paar Details.«

»Sehr wohl, Herr Inspektor.«

»Inspektor gibt's kan.«

Bei der Anspielung auf die Krimikultserie *Kottan ermittelt* der achtziger Jahre musste Anna wieder lachen. Wenn das Bernhardts Vorstellung von der österreichischen Polizei war, musste man sich über seine süffisante Art nicht wundern.

Während sie sich in die richtige Spur einreihte, gab Anna eine Kurzwahl ein und erteilte ganz chefmäßig der Sekretärin Susanne Schellander Anweisung, alle zu einer kurzen Besprechung zusammenzutrommeln. Dann verabredete sie sich noch mit Andrea kurz vor dem Begräbnis – die musste bei der Zeremonie als Informantin herhalten, schließlich kannte niemand mehr Gesichter der österreichischen Literaturszene als sie.

Die Besprechung im Präsidium war angespannt. Die Kollegen beäugten den Deutschen argwöhnisch. Der erzählte sehr nüchtern, was sie herausgefunden hatten, so dass alle das Gefühl bekamen, Berlin sei mit den Ermittlungen viel weiter. Als Bernhardt dann die Szene in Philip-Peter Webers Büro schilderte, stand in allen Gesichtern Verachtung geschrieben: Keinem von ihnen wäre das passiert, da waren sich die Wiener Beamten sicher. Kolonja versteifte sich auf seine Araber-Theorie, am liebsten hätte er Mohammed Namur sofort in Untersuchungshaft gesteckt, während Markus Frische den Jahrhundertfall fürs Rauschgiftdezernat witterte.

Thomas Bernhardt ließ sich zu keinerlei Spekulationen hinreißen, er hörte sich alle Theorien teilnahmslos an, und sein Blick ruhte auf Anna. Die schwieg.

»Nun, und Sie, Frau Habel? Glauben Sie auch an die große Drogen-Connection? Oder an eine Fatwa?«

»Noch glaub ich gar nichts. Das wär doch alles viel zu einfach. Und welche Rolle würde Philip-Peter Weber dabei spielen? Nein, so simpel ist es wohl nicht. Ich glaube, der Schlüssel zum Fall liegt in der gelöschten Festplatte. Vielleicht hatte der Weber ja eine Vorabfassung des neuen Manuskripts und wollte es nicht rausrücken?«

Kolonja lachte auf.

»Das ist ja mal wieder typisch für unsere Literaturprofessorin hier. *Die Lösung liegt im Manuskript.* Welcher Roman wäre wohl so wichtig, dass er zwei Tote verursacht?«

»Ach, mein lieber Herr Kollege, ganze Völker wurden schon umgebracht wegen einem Fetzen Papier, aber das kannst *du* dir nicht vorstellen, ich weiß.«

Und dann ging's in einem Höllentempo in Anna Habels Dienstwagen durch Wien. Als sie am Zentralfriedhof ankamen, war Bernhardts Gesicht von einer etwas ungesunden Blässe, die die Blutergüsse umso greller schillern ließ.

Die große Feuerhalle war voll. Eine Menge dunkel gekleideter Menschen, die alle versuchten, betreten und betroffen zu wirken. Und doch war es unübersehbar eine Veranstaltung der Sorte »Sehen und gesehen werden«.

Anna hielt sich etwas abseits, flankiert von Andrea und Thomas Bernhardt, dessen blaue Flecken bei Andrea echte Bewunderung hervorriefen.

»Toll, so was kenn ich nur aus dem Fernsehen! Wie sieht denn der andere aus?«

»Wenn ich das wüsste, würd ich jetzt nicht hier in Wien im Krematorium stehen.«

Bernhardt schaute Andrea grimmig an, doch die ließ sich davon nicht aus der Ruhe bringen und schenkte ihm ein breites Lächeln.

In der ersten Reihe stand Mutter Pucher in einem schlechtsitzenden schwarzen Kostüm, sie spielte die Rolle der trauernden Mutter fast perfekt. Lediglich ihr prüfender Blick in einen kleinen Handspiegel verriet, dass ihre Sorge ums Make-up ebenfalls eine große Rolle spielte. Anna erkannte den Kulturstadtrat, er überragte trotz seiner schlechten Körperhaltung die übrigen Trauergäste um Haupteslänge. Aber auch der Bürgermeister und sogar der Staatssekretär für Kultur waren anwesend, viele bekannte Gesichter, Schauspieler, Musiker, Kulturschaffende. Und ebenfalls in der ersten Reihe Puchers Schriftstellerkollege Simon Kupfer, das etwas aufgedunsene Gesicht starr auf den Sarg gerichtet. In den mittleren Reihen dominierte das weibliche Geschlecht, viele Frauen weinten oder hielten nur mühsam die Tränen zurück.

Anna zerschmolz beinahe, als leise Klaviermusik einsetzte und sie die ersten Takte einer Schubert-Sonate erkannte. Die hintere Flügeltür ging noch mal auf, und ein älterer Herr mit dichtem dunklen Haar bewegte sich eilig Richtung Rednerpult, dicht gefolgt von zwei Bodyguards.

Bernhardt warf Anna einen fragenden Blick zu, und die flüsterte kaum hörbar: »Unser Bundespräsident.«

Da begann auch schon die Rede. Da der arme Verstorbene konfessionslos – nein, ein glühender Atheist gewesen sei, konnte die Rede ja schließlich kein Geistlicher halten, und so habe er – als Präsident und als Freund – gerne diese Aufgabe übernommen. Ein paar sentimentale Erinnerungen an Pucher als kleiner Junge, auf der Promi-Tribüne bei den Fußballspielen, die der Papa moderierte, doch irgendwie ahnte man schon damals, dass seine Welt nicht die des Fußballs sein würde. »Klar, der wusste schon mit fünf, dass er mal Schriftsteller werden würde«, raunte Andrea Anna zu, worauf sich sofort ein dunkles Kostüm mit Tränen in den Augen vorwurfsvoll zu ihnen umdrehte.

Nach dem Bundespräsidenten folgte noch die unvermeidliche Rede des Kulturstadtrats, in der er es nicht versäumte zu betonen, er würde keine Sekunde ruhen, bis dieser schreckliche Tod aufgeklärt sei und der Mörder seiner gerechten Strafe zugeführt werde. Anna versteckte sich ein wenig hinter Bernhardt, sie hatte keine Lust, in der morgigen Zeitung ein Foto von sich zu entdecken, untertitelt mit »Polizei sucht nach Schriftsteller-Mörder – immer noch ergebnislos«.

Als keiner mehr etwas zu sagen hatte, öffnete sich mit einem unpassenden Geräusch eine Klappe im Boden, und der helle Holzsarg mit der schlichten weißen Blumendekoration senkte sich herab, bis er verschwand – dramatisch untermalt von Mozarts *Requiem*. Das hätte ihm gefallen. Die perfekte Inszenierung, dachte Anna, die selbst kaum ihre Rührung verbergen konnte.

»Na, na, na, jetzt werden Sie mal nicht sentimental, Frau Kollegin, standen Sie sich denn so nahe?«

Bernhardt klopfte ihr unbeholfen auf die Schulter und kramte aus seiner Jacketttasche ein zerknittertes Taschentuch.

»Nein, das nicht, aber traurig finde ich es trotzdem. Ein junger, begabter Mensch, voller Hoffnung – was für eine sinnlose Verschwendung.«

»Na, für irgendjemanden scheint ein toter Pucher mehr Sinn zu machen als ein lebender.«

Obwohl Bernhardt nur flüsterte, konnte man seinen Zynismus nicht überhören.

»Sie haben wohl niemals Gefühle.«

»Selten. Und nur ganz selten im Dienst. Es muss schließlich noch einen Unterschied geben zwischen Mann und Frau.«

Blöder Macho! So läuft der Hase also, er hat Probleme mit Frauen, die auf seiner Hierarchiestufe stehen. Anna verbarg nur mit Mühe ihren Ärger, straffte die Schultern und streckte sich ein wenig. Sie wandte sich demonstrativ Andrea zu, die von dem Wortwechsel nichts mitbekommen hatte.

Plötzlich entstand in den hinteren Reihen ein kleiner Tumult, aus dem allgemeinen Stimmengewirr kristallisierte sich ein helle Stimme heraus, die immer lauter wurde. Sie gehörte einer schönen, jungen Frau mit dunklem Teint und schwarzem Haar, über das sie ein weißes Tuch gezogen hatte. Sie stolperte Richtung Sarg, laut schluchzend, die Menge gab ihr verblüfft den Weg frei, doch als sie die vorderen Reihen erreicht hatte, war der Sarg längst im Boden verschwunden.

»Xaver, Xaver! Es tut mir so leid! Du kannst nicht einfach gehen...«

»Wahnsinn, es gibt sie doch, die unbekannte Leyla, dabei hätte ich schwören können, sie sei ein Hirngespinst, reine Angeberei.« Andrea versuchte erst gar nicht, ihre Begeisterung für die dramatische Wendung zu verbergen.

Bernhardt schien ebenfalls aufzuhorchen, und Anna streckte sich, um einen Blick auf das Schauspiel zu werfen. Hatten sich die Fotografen bis jetzt diskret zurückgehalten, kämpften sie nun rücksichtslos um die besten Plätze. Bevor Anna reagieren konnte und sich aus ihrer Position nach vorne gedrängt hatte, war der massige Kupfer bei der weinenden Frau und warf ihr schützend sein schwarzes Jackett über. Er redete beschwichtigend auf sie ein und trug sie mehr, als dass er sie führte, dem Ausgang zu. Anna kämpfte sich durch die Menge. Kupfer wirkte wie ein Riese gegen die zarte Person an seiner Seite, und er sah mehr noch als sonst wie ein Schläger und nicht wie ein Schriftsteller aus.

Als Anna beim Ausgangstor der Halle angekommen war, eskalierte die Situation. Kolonja, der natürlich keine Ahnung hatte, mit wem er es hier zu tun hatte, war schon im Begriff, beide zu verhaften. Kupfer war wild entschlossen, seine kostbare Fracht aus der Halle zu bringen, und kurz davor, dem »rassistischen, vertrottelten Provinzkieberer« einen Fausthieb zu versetzen.

»Meine Herren, jetzt beruhigen Sie sich doch erst mal. Herr Kupfer, bitte. Ich verstehe ja Ihre Aufregung und finde es auch sehr ehrenhaft, dass Sie die junge Dame vor der Pressemeute schützen wollen, aber wir müssen sie dringend sprechen. Wir suchen sie seit mehreren Tagen, und so leid es mir tut, aber dieses Versteckspiel verbessert ihre Situation keineswegs.«

Unter dem schwarzen Haarvorhang blickten sie plötzlich zwei dunkel umrandete Augen angstvoll an.

»Ich habe nichts getan. Ich liebe ihn doch.«

Die flüsternde Stimme der jungen Frau war kaum zu vernehmen, Kupfer zog rasch seine Jacke wieder über ihren Kopf.

»Sagen Sie Ihrem Analphabeten, er soll die Finger von ihr lassen, bevor ich mich vergesse!«

»Herr Kupfer. Es tut mir leid, aber der Analphabet ist mein Kollege, und der hat recht. Wir müssen dringend mit Leyla – so heißt sie doch? – sprechen. Nur ein paar Fragen, niemand will sie unter Druck setzen!«

»Klar, kein Problem. Ich bürge für sie. Sie wird sich morgen bei Ihnen melden. Lasst ihr doch erst mal ein wenig Zeit, sich zu beruhigen, sie steht nahe vor dem Nervenzusammenbruch.«

»Und wer garantiert uns, dass ihr sympathischer Bruder sie nicht bis morgen aus dem Land schafft?« Kolonja schäumte vor Wut, Anna baute sich indes vor Kupfer auf, versuchte einschüchternd und entschlossen zu wirken.

»Morgen um elf seid ihr beide auf dem Präsidium, sonst sind Sie dran, Herr Kupfer.«

»Yes, Ma'am.«

Bevor Kolonja sich entrüstet auf Anna stürzen konnte, fühlte sie eine Hand in ihrem Rücken, die sie sanft nach draußen schob. Thomas Bernhardts Miene verriet nicht, ob er verstand, was hier gerade passierte.

»Die Kollegin lässt gerade eine mutmaßliche Täterin mit ihrem Wachhund entkommen«, schrie ihnen Kolonja hinterher. »Da braucht man nur ein paar Zeilen zu Papier zu bringen, und schon ist man bei der Literaturprofessorin Habel über jeden Verdacht erhaben.« Kolonja platzte fast. »Ich glaube nicht, dass der Hromada diese Aktion gutheißen wird, diesmal bist du zu weit gegangen mit deinen berühmten unkonventionellen Ermittlungsmethoden.«

Anna wandte sich um und zischte: »Ich bin hier die leitende Ermittlerin, und wenn dir etwas nicht passt, mein lieber Kolonja, dann kannst du ja eine Beschwerde gegen mich erheben, auf dem Dienstweg natürlich. Und nun würde ich vorschlagen, wir konzentrieren uns noch ein wenig auf die anderen Hinterbliebenen.«

Mit dem Berliner Kollegen an ihrer Seite befragte sie noch den einen oder anderen Trauergast, verteilte ihre Visitenkarten und machte sich ein paar Notizen. Andrea zog sie immer wieder zu jemandem hin, stellte ihr diesen oder jenen vor, und Anna versuchte sich die Namen zu merken und rauszukriegen, in welchem Verhältnis diese Leute zu Pucher gestanden hatten. Thomas Bernhardt übernahm die Rolle des stummen Beobachters. Er konnte nicht umhin, ihre Art zu bewundern. Wie sie mit einer Vielzahl von Leuten sprach, sich Notizen machte und immer wieder einmal freundlich lachte. Selbstsicher und charmant. Die hatte schon was, die Habel.

»So, ich glaub, wir haben genug gehört und gesehen. Pucher hatte nur Freunde, keiner wollte ihm Böses, alle bewunderten ihn. Also hat ihn auch niemand umgebracht. Würde ja Kolonjas Fatwa-Theorie sehr entgegenkommen. Aber jetzt lad ich Sie erst mal zum Riesenschnitzel ein. Oder wollen Sie mit zum offiziellen Leichenschmaus?«

»Nein, Gott bewahre. Riesenschnitzel klingt gut. Ist das weit von hier?«

»Nein, gleich da hinten an der Straße. Aber was halten Sie davon, noch einmal über den Friedhof zu gehen? Hier waren Sie sicher noch nie.«

»Nein, auf die Idee, einen Friedhof zu besichtigen, bin

ich als zweiundzwanzigjähriger Tourist nicht gekommen, warum also nicht.«

»Na dann rein ins Vergnügen.«

Sie überquerten die Simmeringer Hauptstraße und gingen durch ein riesiges Tor. Auf dem breiten Weg herrschte ein reges Treiben, alte Menschen mit Gießkannen, aber auch junge Mütter mit Kinderwagen und Kleinkinder mit Laufrädern waren unterwegs.

»Was für ein Ort! Wie groß ist dieser Friedhof wohl?«

»Keine Ahnung! Einer der größten Europas, hab ich mal gelesen. Wir spazieren hier auf etwa drei Millionen Leichen, stellen Sie sich das mal vor.«

»Es lebe der Zentralfriedhof, mit all seinen Toten.
Der Eintritt is für Lebende heut ausnahmslos verboten.
Weu da Tod a Fest heut gibt, die ganze lange Nacht…«

»Warum kennen Sie dieses ganze Österreich-Zeugs? Erst *Kottan*, jetzt Ambros. Ich meine, an der Aussprache müssens' noch a bisserl arbeiten, aber dass ihr Piefkes das überhaupt kennt?!«

»Das war mal eine Zeitlang total in bei uns. Ludwig Hirsch, Wolfgang Ambros, Georg Danzer. Mit Rainhard Fendrich sind wir dann ausgestiegen, das war uns dann doch eine Schublade zu tief. Also, verstanden hab ich nie alles, aber auswendig lernen kann man ja auch Fremdsprachen. Und bei Ambros und Hirsch war ich ziemlich gut.«

Anna lachte und fasste Thomas Bernhardt am Arm.

»Kommen Sie, ich zeig Ihnen noch was!«

Sie zog ihn in einen kleinen Nebenweg, und nachdem sie

ein paar Minuten gegangen waren, sah der Friedhof plötzlich anders aus. Verschlungene Pfade, verwachsene Grabstellen, umgestürzte verwitterte Steine. Weit und breit war keine Menschenseele zu sehen, ab und zu huschte ein Eichhörnchen über ein Grab, und die Vögel zwitscherten, als hätten sie längst die Herrschaft über dieses vergessene Fleckchen Natur übernommen.

»Das ist einer meiner Lieblingsorte in dieser Stadt, der jüdische Friedhof«, flüsterte Anna. Bernhardt sagte nichts, ging nur hin und wieder zu einem der verwitterten Grabsteine und versuchte die Inschriften zu lesen. Zum ersten Mal, seit sie sich am Morgen am Flughafen kennengelernt hatten, machte sich eine friedvolle Stimmung zwischen den beiden breit. Nach zwanzig Minuten erklärte Anna die Pause für beendet und dirigierte den Berliner Kollegen mit der Sicherheit einer Fremdenführerin wieder Richtung Hauptweg, von dem sie sich zu Bernhardts Verwunderung nicht wirklich weit entfernt hatten.

»Also für eine Frau haben Sie einen erstaunlich guten Orientierungssinn«, meinte Bernhardt. Anna schüttelte nur den Kopf und murmelte etwas von präpotentem Chauvi.

Wenige Minuten später verließen sie den Friedhof durch das Tor 1 und überquerten die Straße. Gegenüber lag ein altes, etwas verfallenes Gebäude mit dem seltsamen Namen *Schloss Concordia*. In der holzgetäfelten einfachen Gaststube herrschte ausgelassene Stimmung, obwohl sicher die Hälfte der Gäste Trauerkleidung trug.

»Was ist das denn?«

Bernhardt blickte sich unsicher um.

»Das ist die Versinnbildlichung des Spruches ›Der Tod ist ein Wiener‹. Hierher verschlägt es trauernde Witwen, heuchelnde Erben, Touristen mit Alternativ-Reiseführern und die Hackler der umliegenden Firmen zum Mittagstisch. Und hier gibt es die größten Schnitzel der Stadt. – Zwei Schnitzel und zwei Seiterln, bitte!«

Auch hier hatte Anna Habel alles im Griff.

»Ich weiß, wir sind im Dienst, aber ich brauch jetzt ein Bier zu therapeutischen Zwecken. Sie werden mich ja wohl nicht verpfeifen, oder?«

»Dazu wäre ich nach einem Bier inklusive Voltaren und Schlafmangel sicher nicht mehr in der Lage.« Bernhardt lächelte sie schief an, und Anna konnte nicht abstreiten, dass sie ihn trotz blauem Auge und ramponierter Nase nicht unattraktiv fand, oder vielleicht gerade deswegen.

»Na, und was sagen Sie zu dem ganzen Almauftrieb hier?«

»Er schläft mit ihr.«

»Wie bitte?«

»Ich sagte, er schläft mit ihr.«

»Wer schläft mit wem?«

»Na, Ihr cooler Rambo-Autor mit der arabischen Schönheit.«

»Unsinn. Er wollte sie beschützen. Er war ein guter Freund ihres Liebhabers.«

»Das auch. Aber er schläft trotzdem mit ihr, allerdings weiß ich nicht, wie lange schon.«

»Ah, bei eurer Ausbildung ist anscheinend mehr Psychologie dabei als bei unserer. Oder könnte es einfach daran liegen, dass Sie ein Mann sind und sich gar nicht vorstellen können, wie man mit einer schönen Frau nicht schlafen kann?«

»Jetzt seien Sie nicht schon wieder so bissig! Ich habe nur laut gedacht, und Sie werden sehen, ich habe recht. Interessant wäre eben nur zu wissen, ob das Verhältnis der beiden erst nach Puchers Tod begonnen hat oder vielleicht auch schon davor.«

»Erwarten Sie etwa, dass mir Leyla morgen berichtet, sie hätte den Mord begangen, weil unser Jüngelchen sie nicht für Kupfer freigeben wollte?«

»Das ist ein bisschen eindimensional, Frau Kollegin. Ich habe nicht gesagt, dass sie ihn umgebracht hat, ich habe lediglich gesagt, dass –«

»Ja, ich habe es verstanden, Herr Sexualtherapeut. Wir werden sehen.«

Bevor ihr Geplänkel zu einem Streit ausarten konnte, wurden zwei gigantische Schnitzel serviert. Ungläubig starrte Bernhardt auf die über den Tellerrand hängenden Teile und hob die Hände.

»Okay, ich geb auf!«

Anna setzte Bernhardt am Hotel Triest ab und reihte sich in den Stau auf der sogenannten »Zweierlinie« in Richtung Büro ein. Als sie nach Wien gekommen war, hatte sie wie ein Schwamm die Geschichte der Stadt eingesogen, jedes Detail fand sie spannend, und irgendwann hatte sie auch rausgefunden, warum dieser lange Straßenzug so hieß. Als nämlich die Ringstraße eröffnet wurde, waren Lastfuhrwerke auf dem Prachtboulevard unerwünscht. Die mussten auf die sogenannte »Strecke zwei« ausweichen, und später fuhren hier dann auch noch Straßenbahnen mit einer Zwei im Namen. Kaum ein Wiener kannte die mehr als ein Dutzend Bezeichnungen für die einzelnen Abschnitte der langen Straße, sie hieß schlicht und einfach »Zweierlinie«.

Anna liebte diese Straße, obwohl sie immer verkehrsreicher wurde. Rechts die beiden völlig identisch geschnittenen, spiegelverkehrten Museen, zwischen denen Maria Theresia thronte. Unzählige verregnete Sonntagvormittage hatte sie mit Florian im linken der beiden Museen verbracht und das riesige Dinosaurierskelett bestaunt, sie kannte die Abfolge der zur Schau gestellten Tiere immer noch in- und auswendig, zumindest die in der Säugetierabteilung im zweiten Stock. War es wirklich schon zwölf Jahre her, dass Florian sich nicht an dem ausgestopften Braunbären vorbeizugehen traute und mit Begeisterung die ausgestopften räudigen Ziegen in der Abteilung »Bauernhof« gestreichelt hatte? Aus Sentimentalität war sie immer noch Mitglied im Verein zur Förderung des Naturhistorischen Museums, auch wenn sie seit mehr als zehn Jahren keinen Fuß mehr in dieses Gebäude gesetzt hatte. Vielleicht konnte sie Florian dazu überreden, mal wieder einen Ausflug in die Vergangenheit zu unternehmen. Falls sie ihn überhaupt mal wiedersah.

Im Präsidium herrschte wider Erwarten Ruhe, keine Anrufer, die zurückgerufen werden mussten, lediglich Kolonja saß in seinem Büro und blickte ostentativ nicht von seinem Bildschirm auf, als Anna die Tür öffnete. Sie verspürte nicht die geringste Lust, dem schmollenden Wichtigtuer versöhnlich die Hand zu reichen, und zog die Tür schnell wieder zu.

Um 19 Uhr war sie mit Thomas Bernhardt in der Bäckerstraße verabredet. Er wollte einen Blick in die Wohnung von Pucher werfen – er konnte nicht genau sagen, wonach er suchte, doch Anna verstand. Sie betraten jedes Zimmer, blickten sich um, ließen die Atmosphäre wirken und versuchten sich die Räume belebt vorzustellen. Hier hatte Pucher seinen Kaffee gekocht, hier hatte er geduscht, da hatte er seinen Roman geschrieben, hier hatte er seine Leyla geliebt…

»Sind alle Wohnungen in Wien so?«

»Also, wenn Sie meinen, so groß und so gediegen eingerichtet, dann kann ich nur sagen, nein. Meine zumindest nicht. Aber in der Tat, in Wien gibt es schon sehr viele Wohnungen dieser Art: riesig, pompös, ein wenig abgewohnt. Wir haben's gern alt und ein wenig morbid. Ich kenne kaum jemand, der freiwillig in eine Neubauwohnung ziehen würde.«

»Das versteh ich gut, allein die Deckenhöhe gibt einem das Gefühl, dem Kaiserhaus anzugehören, zumindest entfernt. Aber so was haben wir in Berlin natürlich auch.«

Anna seufzte. Alter Berliner Angeber. Sie murmelte etwas von Heizkosten und zugigen Fenstern.

»Na ja, das dürfte wohl kein Problem für unseren Jungautor gewesen sein.«

Bernhardt ließ sich in einen alten ledernen Ohrensessel sinken.

»Glauben Sie, dass er den ganzen alten Kram hier selbst zusammengetragen hat, oder gibt es auch Einrichtungsberater für altes Zeugs?«

»Wahrscheinlich gibt es Berater für alles. Mit dem nötigen Kleingeld kannst du dir sicher so eine Einrichtung mitsamt der Patina fix und fertig kaufen. Aber ich glaube, Pucher war schon der Typ, der Spaß daran hatte, beim Altwarenhändler zu stöbern. Es hat doch echt Stil, oder? Aber zurück zum Thema. Wir haben noch immer keine konkrete Spur.«

»Na ja, die einzige Verdächtige haben Sie heute laufen lassen!«

»Sie meinen doch wohl nicht unsere aufgelöste Schönheit aus Tausendundeiner Nacht? Jetzt machen Sie sich doch nicht lächerlich, wie soll die denn so einen Mord begehen? Und dann war sie auch noch schnell in Berlin, hat Puchers Agenten hingerichtet und den Kommissar inklusive Kollegin zusammengeschlagen.«

»Gut, Sie haben recht, nicht sehr plausibel. Aber an irgendetwas muss man ja glauben.«

»Haben Sie eigentlich das Buch schon gelesen?«

»Nicht ganz. Hatte keine Zeit. Aber die wichtigsten Stellen.«

»Also die berühmte Burka-Szene.«

»Ja, die ist schon provokant. Aber wegen so etwas wird man doch nicht umgebracht!«

»Hat ja auch keiner behauptet. Außer mein Kollege Kolonja vielleicht, der hinter jedem Bart Bin Laden vermutet.«

Sie unterhielten sich noch eine Weile über mögliche Motive, weitere Vorgehensweisen und die Tatsache, dass man bei der morgigen Pressekonferenz mit nichts Neuem würde aufwarten können. Als Annas Handy klingelte, fuhren beide zusammen, als hätte man sie bei etwas Verbotenem ertappt. Anna begann im Wohnzimmer, das Pucher sicher

»Salon« genannt hatte, auf und ab zu gehen, und auch Bernhardt erhob sich schuldbewusst vom Fauteuil, in dem er in der letzten halben Stunde gemütlich gelümmelt hatte.

»Jawohl, Herr Hofrat. Nein, natürlich nicht, Herr Hofrat. Ich bin sicher, sie kommt, machen Sie sich keine Sorgen. Ja, ich weiß, dass sie eine wichtige Zeugin ist, aber Sie hätten sie heute sehen sollen, in dem Zustand, in dem sie war … Nein. Absolut nicht vernehmungsfähig … Ja, natürlich. Ich bin mit dem Berliner Kollegen in der Wohnung von Pucher. Wir gleichen unsere Ergebnisse ab. Nein, ich komme heute nicht mehr, ich muss noch … Ja, in Ordnung, Herr Hofrat. Wir sehen uns morgen.«

Anna rollte mit den Augen und strich sich die Haare aus dem Gesicht.

»Puh, noch mal Glück gehabt. Kolonja, die alte Petze, ich fass es nicht. Haben Sie auch solche Kollegen? Die Ihnen hinterrücks gerne mal eine reinwürgen?«

Thomas Bernhardt dachte völlig unmotiviert an Cornelia und spürte ein leises Ziehen in der Magengegend. Schnell verscheuchte er den Gedanken und ließ Cellarius vor seinem inneren Auge erscheinen, den kleinen Streber mit den blaugestreiften Hemden.

»Solche Kollegen hat doch jeder, dilettantische Neider, kleinkarierte Bürokraten. Da stehen wir doch drüber, Frau Chefinspektor.«

»Sie sagen es. Und jetzt gehen wir was essen. Ergebnisorientiert, versteht sich.«

»Schon wieder essen? Nach dem Schnitzel?«

»Na ja, eigentlich will ich was essen, damit ich dazu ein Glas Rotwein trinken kann. Denn wenn ich ein Glas Rotwein ohne Essen zu mir nehmen würde, kämen Sie zum Schluss, ich hätte ein Alkoholproblem.«

»Muss ich auch was essen, damit ich Bier trinken kann?«

»Natürlich. Bier ist schließlich auch Alkohol.«

»Na dann, auf geht's.«

Sie gingen durch die kurze Bäckerstraße und landeten schließlich im Gasthaus Pfudl. »Gutbürgerliche Küche, gepflegte Weine, ein Stück bester Wiener Gasthaus-Tradition.«

»Das Friedhofsding gefiel mir besser.«

Bernhardt war von der drei Seiten langen Speisekarte sichtlich überfordert.

»Ich glaub, ich nehm den Zander. Nein, da sind Petersilienkartoffeln dabei, na ja, vielleicht doch den Zwiebelrostbraten? Oder was ist denn ein Beuschl?«

»Kalbslunge in dicker Soße.«

»O Gott, nein, keine Innereien. Vielleicht den Alt-Wiener-Suppentopf. Nein, der hat viel zu viel Cholesterin.«

»Meine Güte, sind Sie immer so heikel? Dafür, dass Sie gar keinen Hunger haben, machen Sie aber ein schönes Tamtam ums Essen.«

Ein sichtlich genervter Kellner stand mit gezücktem Block vor ihnen und wartete auf die Bestellung.

»Also, der Herr nimmt das faschierte Kalbsbutterschnitzel und ich das Salonbeuschl. Dazu ein Ottakringer und ein Viertel Zweigelt.«

Bernhardt war sprachlos.

»Na, ich weiß, was gut für Sie ist, vertrauns' mir halt. Wir haben ja schließlich nicht stundenlang Zeit, um auf Ihre Entscheidung zu warten.«

Einen kurzen Moment lang glaubte Anna, ihr Gegenüber würde jetzt aufstehen und gehen. Sie legte ihre Hand auf seinen Arm und hielt ihn fest.

»Bin ich zu weit gegangen? Es tut mir leid. Aber ich halt dieses Rumgezicke beim Essen nicht aus.«

Der Berliner entspannte sich wieder ein wenig und sah Anna direkt in die Augen.

»Und was halten Sie noch alles nicht aus?«

»Wenn ich damit anfange, dann wird das eine lange Nacht, und wir haben beide ein bisserl was zu tun morgen, oder?«

»Morgen ist morgen, und heute ist heute. Oder wartet zu Hause jemand auf Sie?«

Anna trank einen großen Schluck von ihrem Zweigelt. »Herr Kollege, Sie gehen zu weit. Ich wüsste nicht, was Sie das angeht. Ihr Bier wird warm.«

»Na, jetzt sind Sie es aber, die zickig ist. Ich versuche nur, Sie ein wenig besser kennenzulernen.«

»So funktioniert das aber nicht. Da müssen Sie sich schon ein bisschen mehr Zeit nehmen.«

»Die hab ich nicht. Morgen um zehn geht mein Flieger nach Berlin.«

»Tja, dann werden Sie die wichtigen Dinge wohl nie erfahren. Lassen Sie uns lieber wieder über unseren Fall sprechen. Erzählen Sie mir noch mal von diesem Agenten. Und über die junge Freundin, wie heißt sie noch gleich?«

»Miriam Schröder.«

Thomas Bernhardt wurde mit einem Schlag wieder professionell. Als hätte ihm jemand einen Schleier über das Gesicht gezogen, sprach er konzentriert und ernst über seine erste Begegnung mit Miriam Schröder und Philip-Peter Weber. Als er zu der Stelle kam, an der er und seine Kollegin den Toten gefunden hatten und zusammengeschlagen worden waren, wurde er einsilbiger und richtete seinen Blick ins Bierglas.

»Und Ihre Kollegin, hat die eigentlich auch einen Namen? Hat's die schwer erwischt?«

»Cornelia Karsunke. Sie musste für eine Nacht ins Krankenhaus. Es geht ihr schon besser.«

»Und jetzt wartet sie sehnsüchtig, dass Sie aus Wien zurückkommen?«

»Wenn das die Retourkutsche für vorhin ist, dann kann ich nur sagen: Das geht Sie nichts an.«

»Man wird ja noch fragen dürfen.«

»Darf man. Aber man kriegt halt nicht immer eine Antwort.«

Es blieb nicht bei einem Bier und auch nicht bei einem Zweigelt, die beiden redeten sich die Köpfe heiß und wechselten in absurder Weise zwischen Beruflichem und Privatem hin und her. Als Anna gegen Mitternacht ziemlich angetrunken im Taxi saß, war sie etwas verwirrt, und das nicht in Bezug auf den Fall Pucher.

16

Anna Habel drosch auf ihren Wecker ein, doch das Piepen dauerte an. Scheiße, Handy, dachte die wache Hälfte ihres Gehirns. Mühsam rollte sich Anna aus dem Bett. Eine plötzliche Welle von Übelkeit ergriff sie. Wie unvernünftig, sich mit diesem Berliner Idioten so die Kante zu geben. Auf der Suche nach dem Mobiltelefon warf sie einen Blick auf die Küchenuhr: halb sechs, das bedeutete nichts Gutes. Ihre Klamotten hatte sie gestern Stück für Stück auf dem Weg ins Bett verteilt, und in der schwarzen Hose piepte und leuchtete es. »Habel.«

»Einen schönen guten Morgen, Frau Kollegin. Ich hoffe, Sie haben gut geruht?«

»Spar dir das Gesülze, Kolonja. Was ist passiert?«

»Ach, Frau Kollegin erlauben sich, mich wieder zu duzen? Also, dein schönes Fräulein wird wohl heute nicht im Kommissariat erscheinen, das liegt nämlich im Wilhelminenspital. Selbstmordversuch.«

»Scheiße, scheiße, scheiße! Das gibt's doch nicht. Wird sie überleben? Wann ist das passiert?«

»Ich weiß nicht genau, wann, ich habe die Meldung gerade von den Johannitern bekommen. Die haben sie gegen vier Uhr früh mit aufgeschnittenen Pulsadern abgeholt. Und dreimal darfst du raten, wo!«

»Ich weiß es schon. In der Wohnung von Kupfer? Wo war der?«

»Der war auch da. Allerdings war er wohl stockbesoffen für ein paar Stunden auf dem Sofa eingeschlafen, als die Dame sich klammheimlich aus dem Staub machen wollte. Aber es ist ihr nicht gelungen, er hat sie noch rechtzeitig gefunden, sie wird davonkommen.«

Anna war überrascht, dass Kolonja zu einem professionellen Umgangston übergegangen war und nicht in jedem Halbsatz durchklingen ließ, dass eigentlich sie daran schuld sei.

»Wo bist du jetzt? Ich komme.«

»Nein, das macht keinen Sinn. Die lassen uns eh nicht zu ihr. Voll sediert und abgeschirmt. Leg dich noch mal hin. Wir treffen uns um acht.«

»Okay. Und – Kolonja?«

»Hm?«

»Danke, dass du gleich Bescheid gesagt hast.«

»Geht klar. Bis später.«

An Schlaf war nicht mehr zu denken, sie unterdrückte den Impuls, Bernhardt aus seinen Hotelträumen zu reißen, und kochte sich erst mal eine große Tasse Kaffee.

Irgendwie wurde alles immer verworrener. Sie war sich so sicher gewesen, dass Leyla nichts mit Puchers Tod zu tun hatte. Aber warum dann dieser Selbstmordversuch? War sie wirklich so verzweifelt? Auf einem alten Einkaufszettel begann sie alles, was ihr einfiel, aufzuzeichnen. Pucher war ein großer Kreis in der Mitte: Eifersucht – Drogen – Neider – Islamisten – Manuskript. Und dann gab es da noch diese seltsame Polittheorie von Bernhardt, irgendwas mit der

Treuhand und einer ganz großen Nummer, doch was ein österreichischer Autor damit zu tun haben sollte, war ihr nicht ganz klar.

»Mum?!«

»Mein Gott, hast du mich erschreckt. Wieso schläfst du denn nicht?«

»Frage zurück. Zuerst kommst du mitten in der Nacht heim und verstreust laut fluchend dein Zeug in der ganzen Wohnung, und dann telefonierst du mitten in der Nacht in voller Lautstärke. Kannst du dich eigentlich noch erinnern an unsere Fluchsparbüchse von damals? Für jedes Unwort einen Schilling? Da hättest du heute ordentlich was einge-zahlt.«

»Tut mir leid. Hab gerade ein wenig viel um die Ohren. Willst einen Tee oder gehst wieder ins Bett?«

»Kaffee, bitte.«

Anna hob die Augen und betrachtete ihren Sohn. Wann ist das alles passiert, diese Verwandlung vom kakaotrinken-den Dreikäsehoch zu diesem jungen Mann, der hier in T-Shirt und Boxershorts mit deutlichem Bartschatten um die Wangen einen Kaffee bestellte?

»Suchst du den Mörder von diesem toten Schriftsteller?«

Florian betrachtete interessiert den Zettel mit den vielen runden Kreisen.

»Das geht dich nichts an. Ich wollte sagen, das darfst du gar nicht wissen.«

Anna riss ihm den Zettel etwas zu hastig aus der Hand und zerknüllte ihn.

»Hey, *keep cool*. Ich hab gar nichts gesehen. Aber ist doch ein spannender Fall, oder?«

»Na ja, wie man's nimmt. Manchmal könnte ich auf ein wenig Spannung verzichten.«

Plötzlich durchflutete Anna ein regelrechtes Glücksgefühl. Quasi mitten in der Nacht sitzt sie mit ihrem fast erwachsenen Sohn am Küchentisch. Er ist nicht abweisend, sie nicht schon wieder auf dem Sprung, und es ist einfach gut, hier zu sitzen und ein wenig zu reden. Jetzt nur nicht alles zerstören und von der Schule anfangen, dachte Anna, und laut sagte sie: »Was weißt du denn über diesen Pucher?«

»Na ja, was man halt so weiß. Vatersöhnchen. Schnösel. Ich mein, der wohnte doch im Ersten Bezirk, oder?«

»Na ja, das allein sagt noch nichts darüber aus, ob du ein guter oder ein schlechter Mensch bist. Die aus Ottakring behaupten auch, die Währinger seien Schnösel. Habt ihr in der Schule über den Fall geredet?«

»Na ja, unsere Deutschlehrerin, die Schuster, hat eine rührselige Rede gehalten über den großen Verlust für die Literatur und die Menschheit. Und die Valerie hat das Buch dabeigehabt und ein paar Stellen vorgelesen.«

»Irgendwas davon behalten?«

»Nur die Stelle, die wir nachher in der Pause gelesen haben.« Florian grinste und wurde ein wenig rot.

»Verstehe.«

So erwachsen sollte er nun doch noch nicht sein.

»Jetzt tu nicht so schockiert. Ich bin nicht mehr im *Fünf-Freunde*-Alter. Und die Jugendromane, die du mir von deiner Buchhändlerin manchmal mitbringst, sind teilweise viel ärger. Mit dreizehn schwanger, mit vierzehn Bulimie, mit fünfzehn schwul und das ganze Programm.«

»Da muss ich wohl ein ernstes Wörtchen mit ihr reden.«

»Nein, lass mal. Ist doch gut, Bücher übers wahre Leben zu lesen.«

»Tja, mein Lieber, magst nicht noch ein wenig nachmützeln? Ich mach mich dann mal auf den Weg, vielleicht kann ich noch ein wenig Papierkram erledigen, bevor dieser Wahnsinn wieder losgeht.«

»Sehn wir uns heut Abend?«

»Glaub ich nicht. Wird wohl spät werden.«

Anna schob Florian einen Zehn-Euro-Schein über den Tisch.

»Kauf dir eine Pizza, okay?«

»Erinnern Sie sich an letzte Nacht?«

»Teilweise.«

»Welche Teile?«

»Leyla war bei mir.«

»Ab wann?«

»Wir sind direkt vom Begräbnis in meine Wohnung gefahren. Ich hab Leyla eine Beruhigungstablette gegeben, und sie hat bis zum Abend geschlafen.«

»Und dann?«

»Dann hab ich gekocht, und wir haben gegessen.«

»Und getrunken.«

»Ich habe getrunken. Leyla trinkt nicht.«

»Wie war die Stimmung?«

»Na ja, lustig war ma ned.«

»War sie depressiv?«

»Ja, seit Tagen.«

»Gab es Streit?«

»Warum sollte es?«

»Warum haben Sie nicht professionelle Hilfe geholt?«

»Ich habe die Situation wohl unterschätzt.«

»Wann ist sie schlafen gegangen?«

»Wir haben um Mitternacht noch Nachrichten geschaut.«

»Und dann?«

»Dann ist sie ins Bett gegangen.«

»Wo?«

»Na, in meins. Gästezimmer hab ich keins.«

»Und Sie?«

»Ich bin aufgeblieben.«

»Und haben weitergetrunken?«

»Verboten?«

»Nein, nicht verboten. Aber ein wenig fahrlässig, oder?«

»Aber das war doch nicht abzusehen! Dass sie so etwas tut!«

»Haben Sie ein Verhältnis mit ihr?«

»Pfff. Sie war die Freundin meines besten Freundes.«

»Da wären Sie nicht der Erste.«

»Ja, genau. Und deswegen hab ich ihn umgebracht. Das ist doch total lächerlich.«

»Na gut, zurück zur letzten Nacht. Wann haben Sie sie gefunden?«

»Ich weiß nicht, ich bin aufgewacht, weil mir kalt war. Ich wollte mir aus dem Schlafzimmer eine Decke holen. Und da lag sie. Sie sah so friedlich aus. Aber alles war voller Blut.«

»Wie spät war es da ungefähr?«

»Keine Ahnung, jedenfalls noch dunkel. Vielleicht vier Uhr oder so.«

»Was haben Sie dann gemacht?«

»Ich wollte sie wecken, aber sie war ganz kühl und krei-debleich. Auch die Lippen und alles. Ich habe geglaubt, sie sei tot!«

»Haben Sie sie angefasst?«

»Wie meinen Sie das?«

»Na, so wie ich es gesagt hab. Haben Sie sie angefasst?«

»Ja, das sagte ich doch. Ich wollte sie wecken. Ich hab sie geschüttelt. Und sie hat sich nicht bewegt. Da hab ich sie in die Arme genommen. Es war schrecklich.«

»So, mein lieber Herr Kupfer, jetzt hol ich Ihnen einen Kaffee, und dann vergessen wir mal die Tragödie um Leyla, und Sie erzählen mir alles, was Sie wissen über Ihren Freund Pucher und dessen beide Freundinnen. Oder über Puchers politische Ambitionen. Sie waren doch so eng miteinander, er hat Sie doch sicher in seine Pläne eingeweiht.«

»Xaver war ein Einzelgänger. Er sprach immer erst über seine Projekte, wenn sie fertig waren. Niemals hätte er un-ausgegorene Ideen preisgegeben.«

»Egal, ich will alles wissen, und ich habe keine Lust auf Spielchen. Ich kann Sie problemlos in Untersuchungshaft befördern. Und das würde Ihnen nicht gefallen. Obwohl, da könnten Sie sicher gute Ideen für Ihren nächsten Roman sammeln.«

Nachdem sie Kupfer anscheinend ziemlich eingeschüchtert hatte, fiel ihm doch das eine oder andere zu Xaver Pucher ein. Anna zeichnete das Gespräch auf Band auf und machte sich eifrig Notizen. Zum ersten Mal in diesem Fall hatte sie das Gefühl, auf so etwas wie eine Spur gestoßen zu sein.

Zwei Stunden später waren beide völlig erschöpft. Anna entließ Kupfer und ließ sich von Frau Schellander die Telefonnummer des Wilhelminenspitals raussuchen. Nur mit Mühe schaffte sie es, den zuständigen Arzt ans Telefon zu bekommen. Nein, die Patientin sei nicht vernehmungsfähig, ja, sie würde den Selbstmordversuch zumindest körperlich unbeschadet überleben, nein, es mache keinen Sinn, dass sie ins Krankenhaus komme, niemand dürfe zu der Patientin. Nein, auch morgen nicht, und wenn die Entgiftung abgeschlossen sei, würde Frau Namur ohnehin verlegt, wahrscheinlich auf die Baumgartner Höhe, aber jetzt habe er leider wirklich keine Zeit mehr, schließlich sei er im Dienst. »Ich auch«, murmelte Anna und starrte eine Weile auf den tutenden Telefonhörer.

Diese Spur musste jetzt also erst einmal auf Eis gelegt werden, aber eigentlich war sich Anna noch immer sicher, dass Leyla nichts mit dem Tod von Xaver Pucher zu tun hatte. Warum sie davon so überzeugt war, wusste sie auch nicht, eher ein Bauchgefühl, doch irgendwie hoffte sie, dass sie recht hatte. Sie hätte sich gerne mit Thomas Bernhardt darüber ausgetauscht, doch der hatte heute Morgen starrköpfig darauf bestanden, nicht mit ihr, sondern mit einem Taxi zum Flughafen rauszufahren.

17

Thomas Bernhardt blickte aus dem Flugzeug auf Berlin. In einer langsamen Zoombewegung trat die Stadt aus dem Dunst, unter dem sie lag, hervor. Schon sah er die Adern der Straßen und Bahnlinien; am Ende ihres Sinkfluges schien die Maschine beinahe die Häuser in der Einflugschneise zu streifen. Nach der Landung auf der Piste des Flughafens Tegel setzte unvermittelt Walzermusik ein.

Bernhardt verzog das Gesicht, ihm war übel, er hatte Schmerzen, und was wahrscheinlich das Schlimmste war: Er hatte in Wien nichts wirklich Neues erfahren. Warum war er in seinem Zustand überhaupt dort hingeflogen? Weil er die Atmosphäre spüren wollte, weil er sozusagen schmecken wollte, wie dieser Pucher gelebt hatte, und weil er, gestand er sich ein, diese Kommissarin Habel von Angesicht zu Angesicht hatte sehen wollen. Irgendwie hatte ihm bei den Telefonaten ihre Stimme gefallen, ihr Wiener Akzent, ihre offensive Art. Als sie dann am Flughafen Schwechat vor ihm gestanden hatte, war er nicht überrascht gewesen. Ja, so hatte er sie sich ungefähr vorgestellt: klein, kompakt, halblanges braunes Haar, das in einer langen Welle über ihre linke Wange fiel, was ihr einen pfiffigen und leicht verwegenen Ausdruck gab.

Wie in Trance war er durch Wien gelaufen und wie ein

gehorsamer Hund seiner Herrin Habel gefolgt, die ihn manchmal besorgt angeschaut hatte. Der Wiener Zentralfriedhof, die Trauerfeier, der seltsame Schriftsteller Kupfer, der mit Pucher befreundet gewesen war, die dunkle Schönheit Leyla, die wie ein Phantom aufgetaucht und wieder verschwunden war, die Ortsbesichtigung in Puchers Wohnung in der Bäckerstraße, das »faschierte Kalbsbutterschnitzel mit Erdäpfel-Vogerl-Salat« im Gasthaus Pfudl, die halbe Stunde an der Bar im Hotel Triest, all das hatte sich zu einem kopfschmerzgesättigten Erlebnis verwoben.

Nachts hatte er kaum geschlafen, die Haupt- und Nebenfiguren des »Falls Pucher« waren auf und ab paradiert, hatten sich in überraschenden Konstellationen immer wieder neu gruppiert. Das kannte er schon: dass sein Unterbewusstsein eine Art Theaterstück aufführte. Den Seinen gibt's der Herr im Schlaf, hatte er früher gern gesagt. Diesmal war er am nächsten Morgen nur zerschlagen aufgewacht. Und doch: Dieser Immobilienhai, dieser Meyer-Kötterheinrich, warum war der ihm immer wieder erschienen, warum hatten sie dem bisher nicht richtig auf den Zahn gefühlt?

Am Ausgang in Tegel stand Cornelia Karsunke. Sie hatte den Kopf schief gelegt und schaute ihn besorgt an.

»Du siehst schlimm aus.«

»Ja, das Kompliment kann ich nur zurückgeben. Ich denke, du wolltest mit deinen Kindern in den Zoo?«

»Ach, das ging nicht, sie sind beide erkältet und haben Fieber. Meine Mutter ist bei ihnen. Ich bin ganz froh – da habe ich mal einen Tag für mich, auch nicht schlecht. Und was hast du noch so vor heute? Freudenreich will dich auf keinen Fall im Büro sehen. Er hat immer wieder gesagt, er hätte dich nicht fahren lassen dürfen.«

»Ich wollte noch zu Meyer-Kötterheinrich ...«

»Das lässt du mal. Cellarius bleibt am Ball, der checkt noch mal alles ab: Kokain, Islamistenverein, das Eifersuchtsszenario. Und dann nimmst du dir am Montag diesen aalglatten Geschäftsmann vor. Der rennt dir schon nicht davon.«

»Ja, vielleicht hast du recht. Was machst du denn heute?«

»Ich hätte da eine Idee.«

Sie waren in Cornelias kleinem klapprigen Auto raus aufs Land gefahren. An einem kleinen See, der von einem dichten Wald umgeben war, setzten sie sich auf einen Baumstamm. Vogelschwärme zogen mit lautem Flügelschlagen über die stille Wasseroberfläche. Sie sprachen kaum und starrten auf den dunklen Wasserspiegel. Hinter ihnen im Wald war ab und zu ein Knacken zu hören. Irgendwann legte Cornelia ihren Kopf auf Thomas Bernhardts Schulter. »Ist doch der ideale Ort, um uns endgültig fertigzumachen.«

»Du brauchst keine Angst zu haben, die machen uns nicht fertig. Der Typ, der uns umgenietet hat, wollte sich nur den Weg freischlagen. Ernst wird's erst, wenn wir ihnen zu nahe kommen.«

»Ihnen?«

»Oder ihm. Ich weiß es nicht, aber mein Gefühl sagt mir: Es ist eine Geldgeschichte, und dieser blöde M.K. hängt so was von drin ...«

»Denk mal an was anderes!«

Sie schwiegen wieder. Ein Raubvogel flog langsam und majestätisch über den See. Cornelia wandte Thomas Bernhardt ihr Gesicht zu, legte ihre Hand auf seine Wange, schaute ihm direkt in die Augen, näherte langsam ihren Mund dem seinen und küsste ihn mit halboffenen Lippen.

»So, das musste mal sein. Und ein bisschen feucht musste er auch sein. Überrascht?«

»Irgendwie schon.«

»Merkst du denn nicht, wenn eine Frau dich gut findet?«

»Nee, nie, und die Frauen merken auch nie, wenn ich sie toll finde.«

Schweigen. Sie wandte sich ein bisschen von ihm ab. »Ganz schön kitschig hier.«

Sie schwiegen wieder. Cornelia ging zum See und ließ ein paar Steine über die Wasseroberfläche hüpfen. Langsam breiteten sich zitternde Kreise auf dem dunklen Wasser aus. Nach einiger Zeit kam sie zurück, blieb ein paar Schritte vor Bernhardt stehen und sah ihn mit einem unsicheren Lächeln an.

»Du guckst, als hätte ich dir ein Messer an die Kehle gehalten. War wohl doch ein Fehler.«

Thomas Bernhardt stand auf und nahm sie in den Arm. Er roch ihre warme Haut und küsste sie auf den Hals.

»Nein, du irrst dich. Es war schön. Es hat mich getröstet. Ich bin jetzt müde, aber auf angenehmere Art als zuvor.«

Es war schon fast Abend, als sie vor Bernhardts Haus ankamen. Sie umarmten sich. Cornelia schaute ihn mit einem Lächeln an.

»Einmal auf den Mund, das reicht für heute, oder?«

»Könnte ich öfter vertragen. Kommst du noch ein bisschen mit hoch?«

»Nee. Lass mal, du musst schlafen, alleine, und dich ausruhen. Und vielleicht ruft ja noch Miss Marple aus Wien an, wer weiß?«

»Ach, die ist ganz in Ordnung.«

»Süßet Wiener Meechen, wa?«

»Wieso berlinerst du denn jetzt?«

»Weil wir Meechens ausm Neuköllner Rollbergviertel eben ooch nich ohne sind.«

»Weiß ich längst.«

»Na, dann ist doch gut.«

Und jetzt dämpfte sie ihre Stimme und sprach so sanft mit ihm wie mit ihren Kindern.

»Leg dich gleich hin, schlaf gut.« Sie zögerte. »Und pass auf dich auf.«

Er schaute ihrem Auto nach, bis sie links in die Grunewaldstraße abbog. Als er langsam die Treppen zu seiner Wohnung hochstieg, atmete er angewidert den muffigen Küchen-Keller-Kriegsgeruch ein.

Kaum hatte er seine Wohnung betreten, klingelte das Telefon. In der Tat: Miss Marple.

»Ja, wo warns' denn den ganzen Tag?«

Thomas Bernhardt seufzte leise. Wenn sie doch nicht immer so hyperaktiv wäre.

»Unterwegs.«

»Aha. Na ja, ich wollte Ihnen nur ein paar Mitteilungen... oder, halt, wir haben uns ja geduzt...«

»Stimmt, nach deinem dritten Zweigelt und nach meinem vierten Ottakringer.«

»Also, Thomas…«

Er streckte sich auf seiner Matratze aus und schaute aus dem Fenster in den Himmel. Hinter der Kastanie schob sich ein hell leuchtender Vollmond in die Höhe. Bald würde er über dem Baum stehen und in seiner ganzen Pracht erstrahlen.

»Hier ist ein toller Vollmond.«

»Ja, schön, hier auch. Aber jetzt mal zur Sache. Erstens, Leyla hat einen Selbstmordversuch begangen. Nein, sag jetzt noch nichts. Das dauert noch, bis wir die vernehmen können. Aber sie wird's auf jeden Fall überleben. Zweitens, der Meyer-Kötterheinrich, da hattest du recht, den müssen wir uns jetzt mal richtig vornehmen. Ich hab nämlich heute den Kupfer herzitiert. Der behauptete zwar, Pucher habe ihm nie was erzählt, aber als seinem sensiblen Schriftstellerseelchen die U-Haft drohte, ist ihm doch das eine oder andere eingefallen. Zum Beispiel, dass Meyer-Kötterheinrich oder M.K., wie du ihn nennst, vor einiger Zeit in Wien war.«

»Hm, ja und?«

»Das ist noch nicht alles. Jetzt pass auf: In seiner Begleitung war Miriam Schröder, die Freundin unseres hoffnungsvollen und leider verschiedenen Autors Xaver.«

Bernhardt war todmüde, doch er spürte, wie sein Jagdinstinkt leise wachgekitzelt wurde.

»Und stell dir vor: Xaver Pucher war zu dem Zeitpunkt nicht in der Stadt, er war auf Lesereise. Derweil die beiden in der *Broadway Bar* wie zwei frisch Verliebte rumgeknutscht hätten. Was sagst du dazu?«

Schlafen, Bernhardt wollte schlafen. Er war so müde, dass

er den Mond doppelt sah, seine Zunge war schwer wie nach drei Litern Bier.

»Was soll ich sagen? Ich hätte ihr einen besseren Geschmack zugetraut. Dieser schmierige Kerl ist doch mindestens fünfzig.«

»Dich kann man ja nur schwer aus der Ruhe bringen. Aber pass auf, es geht noch weiter. Der Kupfer, das glaubst jetzt nicht, der ist ihm nachgegangen. Der Typ hat ihn interessiert, er sagt, als Figur für seinen nächsten Roman. Und wo ist M. K. nun hingegangen, na?«

»Keine Ahnung. In den Prater, in den Puff, ins Café Bräunerhof?«

»Sehr einfallsreich. Er ist zu einem Unternehmen gegangen, das unserer KPÖ gehört. Unsere lieben Kommunisten, das weißt du vielleicht, sind sehr reich. Wahrscheinlich auch durch Geldwäsche für eure untergegangenen proletarischen Internationalisten von der SED. Lässt sich natürlich nicht nachweisen.«

»Stehst du auf den Kupfer?«

»Ach, jetzt hör aber auf, das ist doch völlig uninteressant. M. K. ist eine höchst verdächtige Figur.«

»Da stimme ich dir zu.«

»Na, immerhin. Ich hab heute schon mal mit deiner Mitarbeiterin, Salimba oder so ähnlich …«

»Sulimma …«

»… gesprochen. Und die hat dir ein Dossier zusammengestellt. Das musst du dir mal vorstellen: M. K. war in der DDR bei der KWV tätig, bei der Kommunalen Wohnungsverwaltung, wie du vielleicht weißt. Nach dem Zusammenbruch des Arbeiter- und Bauernparadieses privatisiert er diese ganzen Plattenbauten, wird zum Großinvestor in der Baubranche, bringt's zum Vorstandsvorsitzenden dieser Dingsbums-, na du weißt schon, Bank, sitzt jetzt in zig Aufsichtsräten und startet gerade eine politische Karriere mit Hilfe von, Achtung: Xaver Pucher. Also, da musst du dem doch schleunigst mal auf die Bude rücken.«

»Ja, Chefin, mach ich.«

»Ach, jetzt hör doch auf. Das ist doch wirklich eine heiße Spur, da krieg ich einfach ordentlich Adrenalin in die Adern. Ich versteh ja, du bist müde. Also, jetzt schlaf mal gut, Thomas, und morgen geht's dann los.«

Bernhardt drehte sich auf die Seite. Der Mond war weitergewandert und tauchte die Kastanie und die Brandmauer des gegenüberliegenden Hauses in ein silbernes Licht. Anna Habels Wiener Akzent klang in ihm nach. Wenn sie nur nicht immer so aufgeregt wäre. Aber andererseits gefiel ihm das auch, irgendwie hatte sie noch was Mädchenhaftes, und ihr Hintern... und »Thomas« hat sie gesagt und... Er wollte den Kopf schütteln, aber da war er schon eingeschlafen.

18

Anna kam am Schwedenplatz aus der U-Bahn und ging direkt zum Eissalon. Stracciatella, Topfen, Schokolade. Bereits nach der ersten Kugel hatte sie eigentlich genug, und das schlechte Gewissen meldete sich. Diese verdammten fünf Kilo, die sie immer zu viel auf die Waage brachte. Sie hatte es auch in diesem Sommer nicht geschafft, ihre Kleidergröße wieder auf eine echte 38 zu bringen. Die Straßenbahn fuhr in die Station ein und war bereits jetzt übervoll. Endstation Prater Hauptallee, ein attraktives Ausflugsziel, das am Wochenende massenhaft Wiener sowie Touristen anzog – Kleinfamilien in Windjacken und Nordic Walker in ballonseidenen Trainingsanzügen –, doch an diesem Sonntag war das Publikum um einiges bunter als sonst, denn heute war das alljährliche Volksstimmefest, ausgerichtet von der KPÖ, der Kommunistischen Partei Österreichs.

Anna war lange nicht da gewesen. Als Studentin hatte sie sich hier an legendären Gruppenbesäufnissen am Cubalibre-Stand beteiligt, in Erinnerung war ihr allerdings lediglich das Gemeinschaftspinkeln, mehr oder weniger verborgen hinter dürren Bäumen im Morgengrauen, und der schreckliche Kater am Tag danach.

Wie eine Zeitreise kam Anna der kurze Fußweg ins Festgetümmel vor, alle sahen so aus wie vor zwanzig Jahren, nur sie allein war plötzlich doppelt so alt. Fast hätte sie kehrtgemacht. Was für eine bescheuerte Idee, nichts würde sie hier erfahren. Am Cuba-libre-Stand blickte sie sich nach ihrer Verabredung um. Boris Jezek war schon da, und erleichtert stellte Anna fest: Auch er war zwanzig Jahre älter. Und zehn Kilo schwerer, mindestens.

»Hallo, Anna, gut schaust aus. Das find ich echt super, dass wir uns sehen.«

»Ja, find ich auch echt nett, dass du dir Zeit genommen hast. Wie lang ist es her?«

»Na ja, ein paar Jahre. Du lässt dich ja nirgends mehr blicken. Keine Demo, keine Anti-Blau-Schwarz-Kundgebungen, ja nicht mal am Ersten Mai sieht man dich noch.«

Anna war klar gewesen, dass diese Vorwürfe kommen würden, aber warum gleich zur Begrüßung? Sie erwiderte etwas von Sachzwängen und schwieriger Position und ärgerte sich maßlos über ihr Gestammel und das schlechte Gewissen, das sie sofort befiel.

»Na, ist ja auch egal. Lass uns ein Stück gehen.«

Boris hakte sich vertraulich unter.

Fast alles war wie früher, nur dass es Anna nicht mehr so schillernd vorkam. Und auf den zweiten Blick waren die meisten Leute wohl doch zwanzig Jahre älter als damals, sie versuchten lediglich so auszusehen, als wären sie junge Studenten an der Schwelle zur Revolution.

»Jetzt erzähl mal, du wolltest doch nicht einfach nur sentimental mit mir übers Volksstimmefest gehen und alten Zeiten nachtrauern? Was willst du denn wissen?«

»Lass uns irgendwo was essen und versuchen, ein ruhiges Plätzchen zu finden.«

»Essen leicht, ruhiges Plätzchen schwierig. Was hältst du von Chili, und wir setzen uns damit da hinten unter die Bäume?«

»Klingt gut, warte hier, ich lad dich ein.«

Nachdem sie einem komplizierten Erst-Bon-bezahlen-dann-Essen-holen-System gefolgt war, balancierte Anna endlich zwei heiße Plastikschüsseln mit rotem Chili vor sich her und blickte sich suchend nach Boris um. Der stand ein paar Meter abseits und unterhielt sich mit zwei Männern in ihrem Alter. Als er Anna sah, winkte er sie mit ausladenden Armbewegungen herbei, und schließlich stand sie etwas verlegen mit ihren zwei dampfenden Schüsseln vor der Gruppe.

»Mensch, ich glaub's nicht. Die Genossin Habel. Ist lange her. Schaust aber immer noch aus wie damals.«

Anna kramte verzweifelt in ihrem Gehirn nach dem Namen des Typen. Das Einzige, an das sie sich erinnern konnte, war eine ziemlich gute Nacht, irgendwann während des großen Studentenstreiks, auf einer ziemlich unappetitlichen Matratze irgendwo in der Mariahilfer Straße. Der Nacht folgte ein verlegener Kaffee in einer noch unappetitlicheren Küche, und obwohl Anna damals hoffte, es würden noch weitere Nächte folgen, verlor man sich sofort aus den Augen. Eigentlich ein Wunder, in einem Kaff wie Wien. Roland! Jetzt fiel es ihr ein.

»Danke für die Blumen. Ein bisschen älter sind wir wohl alle geworden. Was machst du, wie geht's dir?«

»Ach, man lebt. Ich arbeite als Graphiker. Mach alles Mögliche: Zeitungen, Bücher, Werbezettel. Irgendwann vor ein paar Jahren hatte ich dich mal auf dem Bildschirm, bist ja fast berühmt geworden.«

»Na, berühmt ist wohl ein wenig übertrieben. Hin und wieder muss ich halt herhalten, besonders dann, wenn es über einen Fall nichts zu sagen gibt und die Oberen keine Lust haben, das Nichts-Sagen vor der versammelten Journalistenmeute zu übernehmen.«

»Und der Pucher? Bist du da dran?«

»Ja...«

Anna blieb abwartend.

»Ist doch eine spannende Geschichte, oder? Und du hast trotzdem noch Zeit, hier am Volksstimmefest mit Boris abzuhängen?«

»Apropos abhängen, wir wollten uns da nach hinten setzen und ein wenig quatschen, kommst du mit?«

»Nein, ich hab gleich eine Verabredung. *Bandiera rossa* – eine junge Genossin aus Italien.«

Er machte eine obszöne Handbewegung und grinste Anna herausfordernd an. Die fühlte sich plötzlich noch mal zehn Jahre älter und fünf Kilo schwerer und verabschiedete sich kühl.

»Jetzt schau nicht gleich so beleidigt. Hier, ich geb dir mal meine Karte. Wennst was brauchst, ruf mich an. Jederzeit. Tag und Nacht.«

»Ich glaub nicht, dass ich einen Graphiker für meine Polizeiberichte brauche, aber wer weiß, vielleicht.«

Als sie sich schließlich ein wenig abseits des Festgetümmels unter einem großen Baum niederließen, war das Chili kalt, doch Anna war der Appetit ohnehin vergangen. Boris machte sich vergnügt über die zweite Portion her.

»Was willst denn jetzt wirklich von mir wissen? Hat das was mit dem Pucher zu tun?«

»Na ja, irgendwie gibt es eine Verbindung zwischen einem Typen in Berlin und Pucher. Und dieser Typ in Berlin hat was mit der Treuhand zu tun und die Treuhand mit der KPÖ. Und jetzt frag ich mich, ob es auch eine Verbindung zwischen der KPÖ und Pucher direkt gibt.«

»Und das glaubst du hier herausfinden zu können?«

»Na ja, hier sind sie doch alle versammelt. Da werd ich doch irgendjemanden finden, der mir sagen kann, ob der Pucher irgendetwas mit der KPÖ zu tun hatte!«

Boris blickte sich nervös um, legte seine Hand auf Annas Knie und sah ihr eindringlich ins Gesicht.

»Du, pass bloß auf. Mit den KP-Bonzen ist nach wie vor nicht zu spaßen.«

»Bonzen? Ich seh hier nur einen Haufen alt gewordener Spontis. Wir leben doch nicht mehr in der Zeit der stalinistischen Schauprozesse. Hast du Angst, nach Sibirien abgeschoben zu werden?«

Anna versuchte ihr Knie unauffällig unter Boris' Hand wegzuziehen. Sie fühlte sich jäh erinnert an ihre kurze Zeit als aktives Mitglied einer trotzkistischen Gruppierung. Damals war »Stalins langer Schatten« ständig präsent, die älteren Genossen taten immer ganz konspirativ, und die eigentlichen Feinde waren eher die Kommunisten als die Kapitalisten. Anna wusste zwar von der Verfolgung und Ermordung Leo Trotzkis durch einen russischen Agenten, was das alles aber mit der politischen Landschaft im Wien der neunziger Jahre zu tun haben sollte, war ihr ein Rätsel.

»Du, unterschätz das mal nicht. Du hast ja keine Ahnung, wer da alles wie mit drinhängt und um wie viel Geld es da geht.«

»Sag's mir!«

»So genau weiß ich das auch nicht. Ich weiß zumindest nicht viel mehr, als in der Presse steht, und da geht es um unfassbare 250 Millionen Euro. Aber was Pucher damit zu tun haben könnte, da musst du jemanden fragen, der ein bisschen mehr von den internen Strukturen weiß.«

»Erzähl mir doch einfach mal das, was du weißt. Diese ganze KPÖ-Treuhand-Millionen-Story. Und ob und wie Pucher etwas damit zu tun hat, das lass mal meine Sorge sein.«

»Okay, also das Ganze beginnt eigentlich nach dem Krieg. Die KPÖ hatte zwar in Österreich nie einen großen politischen Einfluss, war aber stets sehr sowjettreu und hatte insofern eine immens wichtige Rolle beim wirtschaftlichen Aufschwung der fünfziger Jahre.«

»Wie, so eine Pimperl-Partei spielte eine wichtige Rolle?«

»Ja, hör zu. Sie gründeten eine Firma, die nannte sich Novum. Die machte mit Import-Export ein wahres Vermögen. Das Ganze wurde aber nicht offiziell von der KPÖ abgewickelt, sondern über sogenannte Treuhänder. Das waren parteitreue Strohmänner und -frauen, die riesige Beträge hin- und hergeschoben haben. Österreich hatte ja von den Alliierten ein Handelsembargo mit der Sowjetunion auferlegt bekommen, was aber hier in Österreich niemanden daran hinderte, mit den gesamten Ländern des Warschauer Pakts regen Handel zu treiben. Und das lief alles über die Firma Novum, die der KPÖ gehörte.«

»Und die österreichische Regierung wusste davon?«

»Na, was glaubst du?! Der verstaatlichte Konzern Voest lieferte Stahl in die Sowjetunion, allerdings niemals direkt, sie haben die Sachen immer nur der Novum verkauft, und die hat es in die Sowjetunion weiterverkauft. Bei jedem Deal hat die KPÖ kassiert, natürlich niemals direkt, doch für die Handelsbeziehungen waren die richtigen politischen Kontakte in die DDR und die Sowjetunion von großer Bedeutung.«

»Und das ist nie aufgeflogen?«

»Niemand hätte was davon gehabt, wenn das aufgeflogen wäre. Die österreichische Regierung hätte wichtige Absatzmärkte verloren, die verstaatlichte Industrie Riesenaufträge und die KPÖ das Geld für ihre Vermittlung. Du musst dir mal vorstellen: Diese Partei, die du als Pimperl-Partei bezeichnest, hatte bis vor wenigen Jahren eine eigene Tageszeitung, eine Druckerei mit über zweihundert Angestellten, ein eigenes Tankstellennetz und Firmen in ganz Osteuropa. Wie viel Geld da wirklich im Spiel war, weiß niemand so genau, irgendwann in den sechziger Jahren gab es mal so eine Steuerprüfungsgeschichte, und die KPÖ musste sich zu diversen Unternehmen bekennen und sage und schreibe 800 Millionen Schilling Steuern nachzahlen! Das sind gut 60 Millionen Euro! Kannst du dir vorstellen, wie viel man verdienen muss, um so viel versteuern zu müssen?«

»Nein. Unvorstellbar. Und diese Treuhänder? Hat sich da nie einer quergestellt? Das gibt es doch nicht, dass die alle brave, linientreue Parteisoldaten waren?«

»Die meisten waren es aber. Und es gab, soviel ich weiß, auch nur einen Einzigen, der das von ihm verwaltete Geld schließlich als sein eigenes einforderte. Noch in den neunziger Jahren wusste niemand außer dem Finanzchef der KPÖ, wie viele Firmen überhaupt der Partei gehörten, geschweige denn, wie viel Geld sie verdienten.«

»Das gibt's doch nicht. Die Oberbosse mussten das doch wissen, und die sind ja immer noch mit dabei, die kann man ja mal befragen.«

»Du bist wirklich naiv, warst du ja immer. Hier geht's um richtig viel Geld. Es gab mal einen legendären Parteitag, da wollte die damalige Parteivorsitzende eine Aufstellung sämtlicher Firmen, die zum KPÖ-Geflecht gehören.«

»Und? Wie viele waren es?«

»Der Finanzchef hat es nicht beantwortet. Er bezeichnete die Frage als parteischädigend. Und darauf folgte keinerlei Diskussion. Ich könnte mir auch durchaus vorstellen, dass der eine oder andere Parteigenosse verschwunden ist, wenn er nicht mehr hundertprozentig auf Linie war.«

»Jetzt komm mir nicht wieder mit deiner Sibiriengeschichte. Das war vielleicht nach dem Krieg so, aber doch nicht in den letzten zwanzig Jahren.«

»Du hast ja keine Ahnung. Du glaubst nach wie vor, das waren alles immer nur Sandkastenspiele ... Aber glaub mir, immer, wenn es um so viel Geld geht, wird das Ganze ernst. – Schau mal, wir kriegen Besuch.«

»Hallo, kennen wir uns nicht von früher?«

Ein unscheinbar wirkender Mittvierziger trat auf Anna und Boris zu, flankiert von zwei stattlichen jungen Männern. Boris sprang behende auf die Füße und half Anna hoch.

»Wahrscheinlich von der Uni. Oder von irgendwelchen Politveranstaltungen. Ist aber schon eine Weile her. Hi, ich bin Anna. Anna Habel.«

»Ich weiß, wer du bist.«

»Aber ich weiß leider nicht, wer du bist.«

»Entschuldige bitte meine Unhöflichkeit. Wolfgang Dorner.«

»Ah, der große Vorsitzende persönlich.«

Boris baute sich plötzlich vor dem Trio auf, als müsste er Anna beschützen. Die fand die ganze Situation einfach nur grotesk. Wahrscheinlich suchte der Typ nur einen Baum, wo er mal pinkeln konnte. Vorsichtshalber steckte sie jedoch die Notizen, die sie in der letzten halben Stunde gemacht hatte, möglichst unauffällig in ihre Umhängetasche.

»Na ja, so groß ist der Vorsitzende der KPÖ wohl nicht mehr, ich habe nur gehört, du fragst hier nach dem toten Autor und seinen Verbindungen zu meiner Partei.«

»Erstens hab ich niemanden gefragt. Und zweitens ist das doch wohl ein öffentlicher Raum hier, und man kann sich unterhalten mit wem auch immer über was auch immer.«

»Na ja, schließlich bist du ja nicht irgendwer, sondern Kripobeamtin. Und mich stört es schon ein wenig, wenn du unser Fest mit irgendwelchen Gerüchten störst. Du bist nicht als Privatperson hier, das weißt du so gut wie ich. Auch wenn du es dir hier mit deinen trotzkistischen Ex-Lovern unter den Bäumen gemütlich machst, du bist dennoch Gast auf meinem Fest.«

Anna merkte, wie sie wütend wurde.

»Du glaubst doch nicht im Ernst, dass ich mich von dir hier am helllichten Nachmittag mitten im Prater einschüchtern lasse?«

Sie verfluchte dieses vertrauliche Du, dass sich so ergeben hatte, nur weil man vielleicht vor fünfzehn Jahren mal bei einem gemeinsamen Aktionskomitee gegen irgendetwas zusammen in der Kneipe gewesen war.

»Nein, ich will nur nicht, dass du hier auf diesem wunderschönen Fest die KPÖ mit irgendwelchen ungeklärten Mordfällen in Verbindung bringst.«

»Mein lieber Herr Dorner, das habe ich bis jetzt nicht gemacht, doch wenn du da so empfindlich reagierst, dann machen wir doch einen Termin auf dem Präsidium, und du erzählst mir alles über Herrn Pucher und sein Verhältnis zu eurer Partei. Hier ist schon mal meine Karte, meine Mitarbeiter werden dich in den nächsten Tagen kontaktieren. Ich wünsch dir noch ein schönes Fest. Rotfront!«

Anna schnappte ihre Tasche, hakte sich bei Boris unter und marschierte in Richtung Festwiese.

»Ich brauch dringend was zu trinken.«

Boris schüttelte den Kopf.

»Das war nicht gerade geschickt, dir den zum Feind zu machen.«

»Schön, langsam glaub ich auch an diese Pucher-Treuhand-KPÖ-Verbindung. Ich weiß nur nicht, wie der da mit drinhängt. Ich seh unseren kleinen aalglatten Dandy so gar nicht in diesen altstalinistischen Kreisen.«

»Was du hier siehst, ist ja nur eine Seite der Partei. Die sogenannte Basis. Alte Hackler und junge Spunde, die an eine Politik links der Sozialdemokratie glauben und meinen, hier eine Heimat zu finden. Dann gibt es aber noch die andere Seite, die, wo's ums Geld geht und um die Macht.«

Als Boris nun vorschlug, ein paar Mojitos zu trinken und das Gespräch an einem anderen Ort zu einem späteren Zeitpunkt weiterzuführen, hatte Anna nichts dagegen.

19

Am Montagmorgen fühlte sich Anna fast wie damals. Nur dass ihr früher die Ausschweifungen bei weitem nicht so viel ausgemacht hatten. Sie hatte Kopfschmerzen vom billigen Rum, und ihr langsam chronischer Schnupfen war durch die Septembernachtkühle noch mal schlimmer geworden.

Sie machte sich einen großen Milchkaffee und setzte sich noch im Nachthemd vor den Computer. Sie gab in diverse Suchmaschinen den Begriff »Novum« ein. Die Beiträge, die darauf scheinbar wahllos ausgespuckt wurden, deckten sich mehr oder weniger mit dem, was Boris ihr gestern erzählt hatte. Doch alles, was Anna überflog, kam ihr vor, als sei es aus einem kruden Agententhriller kopiert und ins Netz gestellt worden. Anna rief im Büro an und teilte Susanne Schellander mit, dass sie erst gegen Mittag kommen würde, sie habe noch einige Recherchetermine. Dann versenkte sie sich wieder in ihre Lektüre.

Die große Blase des KPÖ-Vermögens war jäh geplatzt, als es den größten Handelspartner, die DDR, nicht mehr gab. Nachdem sich die Deutsche Treuhand einen Teil des SED-Vermögens einverleibt hatte – ein großer Rest schwirrte unerkannt durch die internationalen Finanzmärkte –, stieß man rasch auf das Geld der KPÖ. Und in einem jahrelangen

Prozess, bei dem die geschätzten 1,3 Milliarden Schilling eingefroren wurden, versuchte die Deutsche Treuhand, also eigentlich die Bundesrepublik Deutschland, zu beweisen, dass es sich bei solchen Beträgen niemals um das Vermögen dieser »Pimperl-Partei« handeln könne und es demnach SED-Eigentum war, also nun dem deutschen Staat gehörte.

Immer wieder tauchte ein skurriler Name auf: Die *Rote Fini*, eine gewisse Rudolfine Steindlinger, war anscheinend eine Schlüsselfigur in der Causa Novum. Eine inzwischen betagte Dame, die seit den sechziger Jahren eine bedeutende Rolle innerhalb des Novum-KPÖ-Konglomerats gespielt hatte. Sie dürfte in dem Spiel den richtigen Riecher gehabt haben, vermutete Anna, denn am Ende waren zwischen 120 und 140 Millionen Schilling verschwunden. Und mit ihnen die Rote Fini. Die lebte auf einem wunderschönen Anwesen in Israel und tauchte immer wieder in Verbindung mit Charity-Projekten auf. Und Israel lieferte bekanntlich niemanden an Deutschland aus.

Nun gab Anna die Kombination »Rote Fini« und »Xaver Pucher« in die Suchmaschine ein und erzielte prompt einige Treffer. Darunter eine Gästeliste: Vor einem Jahr etwa waren sie beide zu einer Wohltätigkeitsveranstaltung in Monaco eingeladen worden, es gab auch ein Foto, auf dem die nett aussehende Rudolfine Steindlinger den Arm um den ebenfalls nett aussehenden Xaver Pucher gelegt hatte und beide keck in die Kamera blickten.

Anna war etwas verunsichert. Irgendwie hatte sie das Gefühl, auf eine unglaubliche Geschichte gestoßen zu sein. Aber ob und was das alles mit Puchers Tod zu tun haben sollte, konnte sie nicht abschätzen.

Bevor sie jetzt Bernhardt in Berlin anrief, musste sie erst noch ein wenig nachdenken, und Anna schwankte zwischen Badewanne und Joggingschuhen. Ein Blick in den Spiegel ließ sie zu den Joggingschuhen greifen. Sie ahnte zwar, dass es aufgrund ihrer körperlichen Verfassung eher ein Spaziergang werden würde, freute sich aber dennoch auf ein wenig Bewegung im Freien.

Noch bevor sie die Weimarer Straße erreicht hatte, ging ihr die Luft aus, und aus dem Laufen wurde ein mehr oder weniger schneller Schritt. Vor einem Jahr hatte sie den Fünf-Kilometer-Frauenlauf ziemlich locker geschafft, sie musste mehr für ihre Kondition tun. Dachte es und trabte brav noch mal los.

Als sie im Türkenschanzpark ankam, war ihr T-Shirt bereits nass geschwitzt, doch irgendwie fühlte sie sich schon besser. Na also, geht doch. Bald fiel sie in ihr gewohntes Lauftempo. In ihrem Kopf arbeitete es ziemlich chaotisch, doch spätestens in einer Stunde, nach dem Duschen, würde sie die Bilder in ein Schema bringen und vielleicht ein paar Zusammenhänge erkennen können. Zwei Runden später beschloss Anna, dass sie genug nachgedacht hatte, eine Entscheidung, die durch den leichten Anstieg, mit dem die nächste Runde beginnen würde, stark beeinflusst wurde. Also lief sie an der Jugendstil-WC-Anlage vorbei raus aus dem Park und überquerte die Hasenauerstraße. Von nun an ging's bergab, und die Dusche rückte in das Zentrum ihrer Gedanken.

Diesen Kick beim Laufen, von dem immer alle erzählten, hatte sie noch nie erlebt. Sie lief eigentlich nur, weil sie das Gefühl hatte, irgendetwas tun zu müssen, damit ihr Körper nicht völlig aus dem Leim ging. Den Adrenalinschub spürte sie immer erst unter der Dusche oder danach, wenn sie mit dem wohlverdienten Müsli auf dem Sofa saß. Als sie völlig verschwitzt den Wohnungsschlüssel aus der kleinen Reißverschlusstasche fummelte, hörte sie schon das Telefon durchdringend klingeln.

Beim zweiten Klingelton hörte es plötzlich auf, und als sie die Tür aufschloss, stand ihr Florian in Boxershorts und T-Shirt gegenüber und hielt ihr den Hörer hin.

»Für dich. Ein Piefke. Thomas oder so.«

Anna machte heftige Handzeichen, schüttelte wild den Kopf und versuchte Florian klarzumachen, dass sie nicht da sei.

»Zu spät. Ich hab ihm gesagt, du kommst gerade zur Tür herein.«

»Scheiße. – Habel.«

»Ich freue mich auch, dich zu hören.«

»Hör mal, ich bin noch völlig außer Atem. Kann ich dich in einer Viertelstunde zurückrufen?«

»Liegt das an dem netten jungen Mann am Telefon? Schöne Stimme. Ein wenig jung vielleicht, aber wer's mag...«

»Das ist mein Sohn. Er ist sechzehn.«

»Den hast du mir bis jetzt verschwiegen. Was verschweigst du mir denn noch?«

»Die Frage kann ich nur zurückgeben. Ich komm grad vom Joggen. Ich ruf dich gleich zurück. Woher hast du eigentlich diese Nummer?«

»Ich bin bei der Kripo. Spezialisiert auf das Aufspüren privater Telefonnummern. Also, dann dusch mal und ruf mich an. Ich bin im Büro.«

Dann also kein Strukturieren, kein Aufzeichnen von Gedanken und Hypothesen. Anna wusste, wenn sie nicht in genau fünfzehn Minuten die Berliner Nummer wählte, dann würde ihr Telefon erbarmungslos klingeln.

Florian war inzwischen wieder in seinem Bett verschwunden, Anna konnte nur den dunklen Haarschopf sehen.

»Was machst du hier?«

»Ich bin krank?«

»Ein bisschen plötzlich, oder?«

»Ich hab Kopfweh und Schnupfen, und heute haben wir eh nur fade Stunden.«

»Mein lieber Sohn. Du bist noch nicht volljährig, das heißt, du brauchst nach wie vor ein Entschuldigungsschreiben, wenn du fehlst. Du könntest wenigstens Bescheid sagen.«

»Ja, du hast geschlafen, und dann warst du weg.«

»Na gut, dann bleib aber im Bett. Und der Computer bleibt aus.«

Florian gab nur noch ein unverständliches Murmeln von sich und zog sich die Decke noch ein Stück weiter über die Ohren.

Gerade als Anna ihre Haare frottierte, läutete im Schlafzimmer ihr Handy. Mein Gott, hier ging's zu wie im Callcenter.

Unbekannter Teilnehmer.

»Habel.«

»Hi. Hier ist Kupfer.«

»Guten Morgen. Irgendetwas Neues?«

»Sie ist aufgewacht.«

»Schön. Und? Was sagt sie?«

»Sie spricht nicht mit mir. Eigentlich spricht sie mit niemandem. Nicht mit mir, nicht mit den Ärzten, nicht mit den Pflegern. Sie wurde gestern noch auf die Baumgartner Höhe gebracht. Da liegt sie jetzt einfach nur und starrt an die Decke.«

»Wo sind Sie jetzt?«

»Irgendwo da oben. Ich lauf ein bisschen im Park rum. Hab's nicht mehr ausgehalten, stillzusitzen.«

»Bleiben Sie, wo Sie sind. Wir treffen uns in einer Stunde beim Empfang am Eingang.«

»In Ordnung. Aber mit Ihnen wird sie auch nicht reden.«

»Das lassen Sie mal meine Sorge sein. Ich hab noch eine Frage!«

»Ja?«

»Hatte Pucher irgendetwas mit der KPÖ zu tun?«

»Mit der KPÖ?! Das ist so ziemlich das Abgefahrenste, das ich je über ihn gehört habe. Xaver war ein Liberaler durch und durch. So etwas wie die KPÖ, nein, nicht einmal im Traum hätte er die gewählt.«

»Na gut, wir reden später darüber.«

Während sie in ihrem Schrank nach frischer Unterwäsche und einer halbwegs passenden Jeans wühlte, läutete ihr Privatanschluss.

»Ja, ja, ich wollte gerade anrufen.«

»Ich weiß, in Wien gehen die Uhren anders. In Berlin sind jetzt nämlich seit unserem letzten Telefonat dreißig Minuten vergangen. In Wien wohl erst fünfzehn.«

»Ja, mein Lieber. Ich hab gerade mit Kupfer telefoniert, weil Leyla aus dem Tiefschlaf erwacht ist und er voller Sorge hier angerufen hat. Ich hätte ihm natürlich sagen müssen, dass ich nicht mit ihm reden kann, weil in Berlin ein zwanghafter Kommissar mit der Stoppuhr in der Hand auf einen punktgenauen Rückruf wartet.«

»Sei doch nicht schon wieder so bissig.«

»Ich bin nur bissig, wenn ich blöd angemacht werde. Du tust so, als wär ich hier völlig bescheuert und würde es nicht einmal schaffen, das Telefon in die Hand zu nehmen und eine Berliner Nummer zu wählen.«

»Entschuldigung! *Entschuldigung!*«

So wie Bernhardt das sagte, konnte Anna das nicht wirklich ernst nehmen, doch irgendwie fehlten ihr Zeit und Nerven, das Hickhack noch weiterzutreiben.

»Hör mal, ich muss jetzt ins Spital und schauen, ob ich irgendetwas aus unserer lebensmüden Schönheit herauskriege. Ich ruf dich aus dem Auto noch mal an und erzähl dir eine unglaubliche Geschichte. Sie handelt von viel Geld, der Kommunistischen Partei, der Treuhand und einer Tante, die ›Rote Fini‹ genannt wird. Was das alles mit Pucher zu tun hat, ist mir noch nicht ganz klar, aber irgendwie hing der mit drin. Bis gleich.«

Anna schnappte sich aus dem Kühlschrank einen Joghurt und überlegte kurz, die Espressomaschine anzuwerfen – wenn sie nicht in fünf Minuten im Auto saß und diesen zwanghaften Berliner anrief, dann Gnade ihr Gott – egal: Ohne Kaffee in die psychiatrische Anstalt, das war einfach unmöglich. Während die kleine Espressomaschine auf dem Herd vor sich hin brizzelte, suchte sie Schlüssel, Geldbeutel und Handy und legte alles auf den Küchentisch. Und der Dienstausweis? Scheiße, wo war der?

»Florian! Hast du meinen Dienstausweis irgendwo gesehen?«

Anna stürmte, ohne anzuklopfen, noch einmal in sein Zimmer.

»Klar, den hab ich mir geliehen, um mir Drogen zu beschaffen.«

»Sehr witzig, ich mein's ernst!«

Aus Florians Zimmer schlug ihr der typische Geruch eines schlechtgelüfteten, unaufgeräumten Jugendzimmers entgegen. Dreckige Socken, Unterwäsche, halbleere Gläser und angetrocknete Cornflakesschüsseln standen überall herum, der Schreibtisch glich einer wilden Installation aus Laptop, Büchern, Heftmappen und Papier. Mittendrin lag Florian auf seinem Bett – er sah schon deutlich gesünder aus als vor einer Viertelstunde –, den iPod auf dem Bauch, immerhin hatte er einen Stöpsel aus dem Ohr genommen.

»Wenn du heute nicht dieses Chaos hier beseitigst, dann...«

»Dann was? Hier ist dein Dienstausweis nicht. Der ist nämlich in *deinem* Chaos.«

»Wo? Hast du ihn gesehen?«

»Liegt auf der Waschmaschine. Hab ich neben dem Schmutzwäscheeimer gefunden.«

Damit erklärte er das Gespräch für beendet und stöpselte sein zweites Ohr wieder zu.

Anna knallte Florians Tür ein wenig zu, holte sich ihren Ausweis, der tatsächlich etwas ramponiert auf der Waschmaschine lag, und füllte sich ihren Kaffee in einen Thermosbecher. Im Auto schaltete sie die Freisprechanlage ein. Die Berliner Nummer wählte sie inzwischen auswendig.

»Wieder sind in Wien fünf Minuten vergangen, während wir hier fast schon ans Mittagessen denken.«

»Hör mir mal lieber zu.«

»Aye, aye, Sir.«

Anna versuchte nun, so strukturiert wie möglich diese ganze KPÖ-Geschichte wiederzugeben, was gar nicht so leicht war. Und je länger sie darüber sprach, desto unwahrscheinlicher kam ihr die Story vor. Und dass Pucher etwas damit zu tun haben sollte, fand sie inzwischen völlig absurd. Umso erstaunlicher, dass Bernhardt ihren Redefluss kaum unterbrach, nur hie und da ein paar Verständnisfragen stellte.

»Und? Was sagst du dazu? Ist doch eine unglaubliche Geschichte, oder? Hey, du Trampel, bist völlig angschütt? Hast keinen Blinker oder was?«

»Alles klar bei dir?«

»Ja, ja, geht schon. Lauter Sonntagsfahrer unterwegs. Dabei ist doch Montag.«

»Ich finde, die Geschichte klingt so absurd, dass sie wahr sein könnte. Ich habe auch keine Ahnung, was unser Autor damit zu tun hatte, aber die Verbindung KPÖ-Treuhand-Meyer-Kötterheinrich-Pucher gibt es doch auf jeden Fall. Das ist eine Tatsache, daran gibt's nichts zu rütteln. Wir werden M. K. noch mal auf den Zahn fühlen, aber ganz vorsichtig, eine Ermittlung gegen den sieht mein Boss nicht gerne.«

»Das wird dich hoffentlich nicht hindern?!«

»Nein, natürlich nicht. Aber man muss es ja auch nicht mit der Brechstange machen. Wo bist du jetzt eigentlich?«

»Vor der größten psychiatrischen Klinik Mitteleuropas,

glaub ich. Ein riesiger Park, alte Bäume, lauter kleine Pavillons. Sieht echt schön aus hier. Aber ich würde lieber nicht reingehen, das kannst du mir glauben.«

»Ach, das schaffst du schon. Das ist nicht mehr so schlimm wie bei *Einer flog über das Kuckucksnest.*«

Thomas Bernhardts Stimme war plötzlich ganz weich und leise, er hörte sich fast mitfühlend an. Nur mit Widerwillen beendete Anna das Gespräch und öffnete die Autotür. Kühle feuchte Luft schlug ihr entgegen.

Das Tor stand offen, und sie betrat das Gelände. Niemand nahm Notiz von ihr, keiner wollte einen Dienstausweis sehen, Anna studierte die abgeblätterte Hinweistafel. *Sie befinden sich hier.* Beruhigend, so ein großer roter Punkt, der einem anzeigte, wo genau man sich befand. Wenn es denn immer so einfach wäre, dachte sie und versuchte sich den Weg zu Pavillon sechzehn einzuprägen: nach rechts, den Hügel hoch, dann wieder rechts hinter einem großen Haus, das auf dem Plan mit *Jugendstil-Theater* beschriftet war.

Von Kupfer war weit und breit keine Spur und, ehrlich gesagt, hatte sie im Moment auch nicht das Bedürfnis, mit ihm durch das Gelände zu spazieren. Eine alte Frau in Pyjama und Bademantel lächelte sie zahnlos an, als sie einen breiten Kiesweg den Hügel hochging.

»Schönen Mantel haben Sie da, kalt ist's heut, gell.«

Eigentlich ein ganz normaler Satz, doch auf dem Terrain der psychiatrischen Anstalt von einer Frau im Pyjama ausgesprochen, wirkte er irgendwie unheimlich.

»Ja, stimmt. Kalt ist es. Ist das hier richtig zum Pavillon sechzehn?«

»Ja, ja, immer da hinauf und dann rechts.«

Auf dem weitläufigen Gelände herrschte lebhaftes Treiben. Lastwagen mit Bettwäsche, ein kleiner Rasentraktor, Gärtner. Als sie sich dem großen Haus näherte, querten zwei ältere Männer ihren Weg. Einer hatte sich über seine weiße Pflegeruniform eine gehäkelte Wolljacke in Pastellfarben gezogen, der andere trug Straßenkleidung. Sie sahen sich frappierend ähnlich, beide trugen ihre langen weißen Haare hinten zusammengebunden.

»Eingang auf der anderen Seite«, murmelte ihr der Weißgekleidete zu, und Anna bedankte sich schüchtern.

Im Inneren war der Pavillon stilvoll renoviert. Anna trat durch die Automatiktür vor einen Glaskasten, auf dem in großen Buchstaben *Aufnahme* stand.

Eine korpulente Dame, natürlich ebenfalls weißgekleidet, sah sie über ihre Brille hinweg freundlich an.

»Guten Tag. Kann ich Ihnen weiterhelfen?«

»Grüß Gott. Ja, mein Name ist Anna Habel, Kripo, Mordkommission. Ich möchte gerne mit Frau Leyla Namur sprechen.«

»Moment. Da muss ich erst den zuständigen Arzt verständigen. Wenn Sie kurz hier Platz nehmen.«

Anna setzte sich auf die an die Wand geschraubten Schalensitze und hatte bereits mehr als genug von diesem Ort. Alles, was mit psychischen Krankheiten zu tun hatte, machte sie total nervös, während normale Krankenhäuser für sie überhaupt kein Problem darstellten. Neben ihr saß ein türkischer Vater mit seinem halbwüchsigen Sohn, und vor ihr auf dem Gang lief ein älterer Herr hin und her und erzählte laut vor sich hin. Anna verstand nur Namen von

Politikern, allerdings solche, die vor zwanzig Jahren eine Rolle gespielt hatten und längst in Pension oder tot waren.

»Grüß Gott. Mein Name ist Andreas Kurz. Ich bin der Leiter der Abteilung. Es geht um eine Patientin?«

Anna sprang auf, wobei ihr die Tasche runterfiel, so dass ihr Handy, eine Packung Taschentücher und das kleine Notizbuch auf dem Boden landeten. Fast wäre sie mit dem Innenpolitikexperten zusammengestoßen, der – ohne sein Murmeln zu unterbrechen – verblüffend behende in die Knie gegangen war, um Annas Sachen einzusammeln.

»Danke schön, wie ungeschickt. Entschuldigung.«

Sie wäre am liebsten im Boden versunken, die knallharte Polizistin nahm ihr hier wohl keiner mehr ab.

»Mein Name ist Anna Habel, ich würde gerne ein paar Worte mit Ihrer Patientin Leyla Namur sprechen.«

»Das ist zur Zeit leider nicht möglich. Aber wenn ich Sie in mein Büro bitten dürfte, dann können wir über alles reden.«

Galant hielt er Anna die Tür auf und brachte sie zu einem Aufzug. Als sie im dritten Stock ankamen, war von der Psychiatrie nichts mehr zu spüren. Kurz geleitete sie in ein geschmackvoll eingerichtetes Büro und bedeutete ihr, auf dem Ledersofa Platz zu nehmen.

»Darf ich fragen, seit wann bei einem Selbstmordversuch die Mordkommission kommt?«

»Sie dürfen. Seit der Selbstmordversuch die Exfreundin eines Mordopfers betrifft.«

»Aha. Interessant. Und wird ihr etwas zur Last gelegt?«

»Das wissen wir noch nicht. Nachdem sie sich leider der Befragung durch einen Selbstmordversuch entzogen hat.«

»Na, na, Frau Kommissar. Das ist aber ein wenig hart ausgedrückt. Ich glaube nicht, dass eine einfache Befragung jemanden in den Selbstmord treibt.«

»Warum dann? Erklären Sie mir, was passiert ist.«

»Tja, warum sie das getan hat, wissen wir noch nicht. Die Patientin zeichnet sich nicht gerade durch Redseligkeit aus. Ich kann Ihnen nur erzählen, was sie getan hat.«

»Ich bitte darum.«

»Also, Frau Namur hat in der Nacht von Freitag auf Samstag zwischen fünfzehn und zwanzig Lexotanil genommen. Kurz bevor die zu wirken begannen, versuchte sie sich mit einer Rasierklinge die Pulsadern aufzuschneiden. Da sie innerhalb weniger Stunden gefunden wurde, stellten weder die Vergiftung noch die Verletzung eine ernsthafte Lebensgefahr dar.«

»Wollte sie sterben?«

»Ich glaube nicht, dass es nur ein Hilferuf war. Die Dosis der Tabletten hätte ein Pferd umgehauen. Aber da die junge Dame keinen Alkohol trinkt und sich in einer guten körperlichen Konstitution befindet, hat ihr Körper das verkraftet. Die Schnitte in den Pulsadern waren wirklich ein wenig dilettantisch, allerdings erschienen sie mir zu tief, um nur Show zu sein.«

»Wie geht es ihr jetzt?«

»Sie war apathisch, als wir sie gestern vom Wilhelminenspital übernommen haben. Sie haben das übliche Programm durchgezogen, Entgiftung, Versorgung der Wunden. Mit dem dortigen Psychiater hat sie allerdings kein Wort gesprochen, darum haben die Kollegen entschieden, sie bei uns einzuweisen.«

»Und hat sie inzwischen gesprochen?«

»Nichts, was Sie interessieren könnte.«

»Sie irren. Mich interessiert jeder Furz, den sie lässt. Wissen Sie denn überhaupt, in welchem Mordfall ich ermittle?«

»Sollte mich das denn interessieren?«

»Ich glaube schon. Oder wollen Sie morgen die gesamte Journaille vor Ihrem beschaulichen Pavillon vorfinden? Ein kleines Foto von der schönen Leyla in weißer Bettwäsche wäre ein gefundenes Fressen für die Paparazzi.«

»Geht es um den Mord an Xaver Pucher?«

»Sehr richtig. Setzen Sie sich ruhig wieder. Haben Sie jetzt verstanden, warum ich mit ihr reden muss?!«

»Sie wird Ihnen nichts sagen. Weil sie nichts weiß. Sie steht unter erhöhtem psychischen Stress, sie verkraftet seinen Tod nicht, wahrscheinlich wollte sie durch einen Selbstmord ihrem Liebsten nachfolgen.«

»Oder sie hielt ihr schlechtes Gewissen nicht mehr aus.«

»Ja, aber ein schlechtes Gewissen kann sie aus vielerlei Gründen haben.«

»Wie meinen Sie das?«

»Wenn eine geliebte Person stirbt, haben viele Angehörige ein schlechtes Gewissen. Man macht sich Vorwürfe, sich nicht genug gekümmert zu haben, sie nicht beschützt zu haben. Vielleicht hat sie ihn betrogen und kommt damit nicht zurecht?«

»Haben Sie einen Grund, das anzunehmen?«

»Wie gesagt, sie spricht nicht mit uns. Aber ich habe das Gefühl, dass der Herr, der ihr seit heute Morgen nicht von der Seite weicht, eine bedeutende Rolle in ihrem Leben einnimmt.«

Anna musste an Bernhardts »Er schläft mit ihr« denken und schüttelte unwillkürlich den Kopf. Der Arzt sah sie abwartend an.

»Finden Sie das so absurd?«

»Nein, ich musste nur an den Satz eines Kollegen denken, der die beiden ganz kurz gesehen hat und sofort wusste, dass sie etwas miteinander haben.«

»Ich habe nicht gesagt, dass sie etwas miteinander haben, ich habe lediglich festgestellt, dass er eine wichtige Rolle in ihrem Leben einnimmt. Das kann auch die eines Beschützers, eines Freundes sein.«

»Oder eines Menschen, mit dem sie ein Geheimnis teilt. Wo ist er übrigens? Er hat mich vor zwei Stunden von hier aus angerufen.«

»Das hier ist ein offenes Gelände, jeder kann kommen und gehen, wie es ihm beliebt.«

»Jetzt seien Sie doch nicht so spitzfindig. Wissen Sie zufällig, wo er steckt?«

»Ich habe ihm nahegelegt, die Patientin in Ruhe zu lassen. Seine Anwesenheit regte sie auf.«

»Und wie hat er reagiert?«

»Beherrscht. Es war ihm sichtlich nicht recht, aber er ist ohne Widerrede gegangen. Ich glaube, es liegt ihm viel an ihr. Und er macht sich große Vorwürfe.«

»Vielen Dank, Herr Doktor, dass Sie so viel Ihrer Zeit für mich geopfert haben. Aber ich muss jetzt mit Frau Namur sprechen.«

»Erstens geht das leider nicht. Und zweitens würde sie ohnehin nicht mit Ihnen reden.«

»Lassen Sie es mich versuchen.«

»Ich kann das aus ärztlicher Sicht nicht verantworten. Sie ist in einem äußerst labilen Zustand.«

»Mein lieber Herr Dr. Kurz. Wenn ich morgen mit einem richterlichen Beschluss und einem Haftbefehl wiederkomme, wird das ihren Zustand sicher nicht stabilisieren. Also machen Sie nicht so ein Theater!«

»Sie sind nicht gerade sehr diplomatisch, Frau Habel.«

»Lassen Sie uns offen miteinander reden. Ich glaube nicht, dass sie Pucher umgebracht hat und deswegen diesen Selbstmordversuch unternommen hat. Aber es könnte sein, dass sie etwas weiß, was sie belastet, etwas, das sie beobachtet hat, etwas, was Pucher ihr erzählt hat.«

»Das mag ja alles sein, aber sie wird Ihnen in ihrem momentanen Zustand nichts davon erzählen. Aber wissen Sie was«, er erhob sich seufzend, »überzeugen Sie sich selbst.«

Sie fuhren mit dem Lift in eines der unteren Stockwerke. Als Dr. Kurz sie über den Gang führte, hatte Anna sofort wieder das beklemmende Gefühl von vorhin. Dr. Kurz klopfte an eine der grünen Türen, und ohne eine Antwort abzuwarten, öffnete er und trat ein.

Ein freundliches helles Zimmer mit zwei Betten, einem kleinen Badezimmer und einem Tisch mit zwei Stühlen. Das eine Bett war leer, im anderen sah man nur einen schwarzen Haarschopf unter der Decke hervorlugen. Anna blieb zwei Schritte hinter dem Arzt, der behutsam eine Hand auf die Bettdecke legte.

»Frau Namur? Hier ist Besuch für Sie. Eine Dame von der Polizei. Sie hat nur ein paar ganz kurze Fragen.«

Der Körper unter der Decke bewegte sich nicht. Er schien nicht einmal zu atmen.

Dr. Kurz zuckte mit den Achseln und warf Anna einen Blick zu. Die holte tief Luft und trat an das Bett.

»Frau Namur. Schauen Sie mich an! Ich bin die Polizistin, die Sie hat gehen lassen, am Tag des Begräbnisses. Ich will Ihnen nichts tun. Sie müssen nur kurz mit mir sprechen.«

Ein leises Stöhnen drang durch die Decke. Anna ging um das Bett und hockte sich vor das Gesicht der jungen Frau. Riesige Augen starrten sie an.

»Mensch, jetzt machen Sie nicht so ein Theater! Ich will Sie doch nicht festnehmen. Ich brauche nur eine Aussage, sonst garantiere ich für nichts. Nicht alle meine Kollegen sind so rücksichtsvoll wie ich. Die lassen Sie gerne hier abholen.«

»Frau Habel. Das reicht jetzt wirklich. Sie können der Patientin nicht drohen. Ich muss Sie ersuchen, die Station zu verlassen. Und außerdem: Sie macht kein Theater. Sie kann nicht anders. Sie ist krank.«

»Gut, dann komm ich mit einer Vorladung wieder. Sie können die Dame ja nicht den Rest ihres Lebens hier verstecken.«

»Auch ein Haftbefehl wird Ihnen nichts nützen. Sie ist in keiner Weise transportfähig. Und wenn Sie hier den großen Zampano spielen, dann kann ich das auch. Wenn die Patientin das wünscht, können wir sie für ein paar Wochen hierbehalten und keiner, ob mit oder ohne Vorladung, kommt in ihre Nähe.«

»Jetzt hören Sie mal: Sie sind ein guter, verantwortungsbewusster Arzt, aber ich tu auch nur meinen Job. Und das heißt, ich muss mit dieser Frau sprechen.«

»Dann mache ich Ihnen jetzt einen Vorschlag. Sie lassen Leyla heute in Ruhe und kommen in drei Tagen wieder. Wir versuchen sie so weit hinzukriegen, dass sie mit Ihnen spricht. Aber erwarten Sie nicht zu viel.«

»Gut. So machen wir das. Falls die Dame sich herablässt, eher zu reden, scheuen Sie sich nicht, mich anzurufen. Hier haben Sie meine Karte.«

»Frau Habel. Haben Sie ein Problem mit der Psychiatrie? Oder warum verwenden Sie diesen abfälligen Ton?«

Anna reichte ihm wortlos die Hand und murmelte ihren Abschiedsgruß erst, als sie schon fast auf dem Flur war. Auf dem Weg Richtung Hauptausgang spürte sie die klugen Augen des Psychiaters noch lange in ihrem Rücken.

Beim Ausgang des Geländes sah sie das altmodische kreisrunde Zeichen einer Trafik, und automatisch trat sie ein.

»Ein Packerl Marlboro light.«

Als der dicke Mann hinter dem Tresen ihr das Päckchen hinschob und »vier Euro« murmelte, glaubte sie, sich verhört zu haben. Vier Euro? War das möglich? Als sie damals das Rauchen aufgegeben hatte, kostete ein Päckchen noch dreißig Schilling. Wer konnte sich das leisten? Sie verlangte noch ein Päckchen Streichhölzer und riss dann im Gehen die Zellophanverpackung auf. Der Geruch des frischen Tabaks machte sie fast schwindelig. Sie setzte sich auf eine Bank und tat einen tiefen ersten Zug. Dann drückte sie auf die Wahlwiederholungstaste ihres Handys. Es klingelte nur zweimal, als Bernhardt sich meldete.

»Schon fertig?«

»Ja.«

»Und?«

»Ach, ich hab mir gerade Zigaretten gekauft. Die ersten seit sieben Jahren. Ich sitze hier in der Psych, und es ist kalt und nieselt, und ich rauche.«

»Hey. Was ist mit dir? Haben sie dich gleich dabehalten?«

»Nein, nein. Es ist nur … ich finde es schrecklich hier.«

»Was denn? Ist es doch wie bei *Einer flog über das Kuckucksnest*? Gibt es Zwangsjacken, Elektroschocks, Gummizellen?«

»Nein. Im Gegenteil. Ich glaube, es ist gut hier. Ja. Sicher sogar. Die kümmern sich um ihre Patienten. Die Zimmer sind schön. Das Gelände ist großartig. Das Personal freundlich und mitfühlend.«

»Warum bist du dann so fertig?«

»Ach. Vergiss es. Schlechte Erinnerungen.«

»Magst du erzählen?«

»Ich weiß nicht. Erst erzähl ich dir von Leyla. Das geht ganz schnell. Die erzählt nämlich gar nichts.«

Anna fasste ihr Gespräch mit Dr. Kurz zusammen. Je mehr sie darüber nachdachte, desto mehr bereute sie es, dass sie die junge Frau nach dem Begräbnis nicht sofort verhört hatte. Vielleicht hätte sie etwas erfahren oder sogar den Suizidversuch verhindern können.

»Die hätte nichts gesagt, auch nicht vor drei Tagen. Und wenn sie sich wirklich umbringen möchte, dann schafft sie das auch. Wenn nicht jetzt, dann beim nächsten Mal.«

Mit dieser trockenen Feststellung riss Bernhardt sie aus ihren Grübeleien.

»Kannst du Gedanken lesen?«

»Wusstest du das nicht? Nur meistens klappt das über eine Distanz von mehreren hundert Kilometern nicht so einwandfrei. Aber du bist so leicht zu durchschauen.«

»Na gut. Dann fahr ich mal ins Büro und schau, wie weit die Spurensicherung gekommen ist. Moment mal, bleib dran.«

Ein junger Mann mit strähnigen langen Haaren hatte sich dicht vor Anna aufgepflanzt und deutete heftig gestikulierend auf ihre Zigarette. Anna fischte mit der freien Hand das Päckchen aus der Manteltasche und hielt es ihm hin. Ohne zu zögern, nahm er sich fünf Stück heraus, drehte auf dem Absatz um und schlurfte wortlos davon.

»Hey! Bitte. Danke. Gern geschehen. Auch ein Junkie könnte ein bisschen Manieren haben.«

Anna war erbost aufgesprungen, doch der Junge zuckte nicht mal mit den Schultern.

Als Anna durch die Pforte aus dem Krankenhausgelände trat, fühlte sie eine große Erleichterung, und fast beschwingt lief sie zu ihrem Auto. Das Zirpen in ihrer Manteltasche nahm sie erst wahr, als sie im Wageninneren war. Das Handy! Sie hatte es einfach eingesteckt, und der Berliner war immer noch dran.

»Thomas? Entschuldige. Ich hab dich ganz vergessen. Einfach in die Tasche gesteckt.«

»Das wollen wir mal nicht überinterpretieren.«

»Also, ich fahr jetzt ins Büro und melde mich, wenn's was Neues gibt. Und vice versa. Spätestens morgen früh gibt es das nächste Update.«

20

Schon wieder regnete es. Kaum hatte er das Auto auf die Martin-Luther-Straße gelenkt, hatte es angefangen zu tröpfeln, und wenig später schüttete es wie aus Kübeln. An der Urania schaltete er den Scheibenwischer auf die höchste Stufe und konnte dennoch kaum die Fahrbahn erkennen. Der kurze Weg zwischen Parkplatz und Gebäudeeingang reichte aus, um völlig durchnässt zu werden.

Cellarius und Katia Sulimma waren schon bei der Arbeit. »Nass geworden? Du solltest dir so 'n Ganzkörper-Präservativ aus Gummi zulegen, das man unten und oben richtig zubinden kann.«

Katia sah wieder mal aus wie aus dem Ei gepellt. Heute knallroter Lippenstift und ein anderes Parfüm.

»Ich denke, Frauen wechseln ihr Parfüm nur ganz selten?«

»Ja und?«

»Du hast heute ein anderes als letzte Woche.«

»Hey, nicht schlecht. Merkt noch nicht mal mein Freund.«

»Der ist ja auch kein Kriminaler.«

»Stimmt. Übrigens, du siehst nicht gut aus.«

Bernhardt schüttelte sich wie ein nasser Hund.

»Mensch, Thomas, warum gehst du denn nicht noch ein

paar Tage in den Krankenstand? Lebendig wird er sowieso nicht mehr, unser toter Dichter.«

Cellarius stand auf und gab Bernhardt einen leichten Klaps auf die Schulter.

»Weil er sich hier am wohlsten fühlt und weil er nicht aufgeben will.«

Bernhardt spürte die Anerkennung und Sympathie, die Cellarius ihm entgegenbrachte. Das tat ihm gut, aber die zwanglose Eleganz, die Cellarius ausstrahlte, machte ihn auch befangen. Wieder einmal fragte er sich, wie Cellarius es schaffte, immer frisch, wach und gutgelaunt seinen Dienst zu tun. Er hingegen fühlte sich müde und ausgebrannt.

Katia wedelte ihm mit einem Schnellhefter vorm Gesicht herum und strahlte ihn an.

»So trübe musst du nun auch wieder nicht in die Welt schauen. Hier, die Unterlagen zu diesem Meyer-Kötterheinrich.«

Sie reichte Thomas Bernhardt die Papiere. Cellarius erzählte ihm in groben Zügen, was drinstand, und sagte, dass er tatsächlich noch einmal einen Termin für sie beide bei M. K. bekommen habe. Der habe bei seiner Anfrage gelacht und gesagt, *high noon* sei doch immer eine gute Zeit.

Auf der Autofahrt in die Friedrichstraße sprachen sie davon, wie leicht Karrieren nach der Wende möglich gewesen waren. Als Bernhardt Cellarius fragte, warum er nicht das Spiel von Risiko und Chance mitgemacht habe, antwortete der, er habe einfach auf der richtigen Seite sein wollen, deshalb habe er dem Druck seines Immobilien-Schwiegervaters nicht nachgegeben. Thomas Bernhardt schwieg nach diesem Bekenntnis, starrte auf die Frontscheibe des Autos und auf die Scheibenwischer, die den gleichmäßig fallenden Regen nach links und rechts verteilten. Sagt er die ganze Wahrheit?, fragte er sich und wusste keine Antwort.

Die Friedrichstraße kam Bernhardt wie eine Kulisse vor, in der Statisten fleißig Großstadtleben simulierten. Ende der achtziger Jahre war hier noch alles tot gewesen, erinnerte er sich. Stillstehende Zeit. Sein Gefühl damals: Hier wird sich nie etwas ändern.

Zwei Jahre später gähnten die ersten Baugruben. Wie in einem Ameisenstaat, dessen Organisationsprinzipien für alle Nichtbeteiligten rätselhaft waren, bewegten sich die Arbeiter durch die wassergefüllten Krater. Es waren Portugiesen, Polen, Russen. Wie in einem Zeitraffer konnte man die Betonquader wachsen sehen.

Cellarius zeigte auf einen wuchtigen Kubus, dessen Fassade mit leuchtenden Lichtquadraten besetzt war.

»Sieht nicht schlecht aus, oder? Aber ob das Geld abwirft? Die Luxusgeschäfte da drin werden angeblich gar nicht von Prada oder Donna Karan betrieben, sondern vom Bauherrn selbst. Um den Schein der Prosperität zu wahren, steckt der weiter Geld rein, statt welches rauszuziehen. Kannst du mir erklären, wie das funktioniert?«

»Keine Ahnung. Musst du doch besser wissen als ich, mit deinem Immobilien-Schwiegervater. Jedenfalls sieht's besser aus als früher, und es riecht auch besser.«

Sie parkten das Auto und betraten ein Bürogebäude, gingen durch die Halle, deren schwarz-weißer Marmorboden sich zu einem komplizierten geometrischen Muster fügte. Das hatte was: Großzügigkeit und Luxus, die beeindrucken und auch einschüchtern sollten. Doch schon im Fahrstuhl verflüchtigte sich der imposante Eindruck. Es war eben doch nur ein normales Bürohaus, bei dessen Bau damals, Anfang der neunziger Jahre, zwar nicht auf den Pfennig, aber doch auf die Mark geachtet worden war.

Die Blondinen in Meyer-Kötterheinrichs Vorzimmer sahen aus, als seien sie alle aus einer Mischung von Marilyn Monroe und Scarlett Johansson geklont worden. Ein bisschen hochnäsig und schnippisch wurden Bernhardt und Cellarius von der Oberblondine empfangen. Frauen dieses Kalibers sind gute Menschenkenner, sagte sich Bernhardt. Wie Hunde deine Angst riechen, so riechen sie deine soziale Bedeutungslosigkeit. Sind eben Instinkttiere. Bei M. K. und Konsorten fangen sie an zu schnurren, uns beide dagegen sehen sie gar nicht richtig. *No money, no honey.*

Während Thomas Bernhardt noch nach seiner richtigen Kampfhaltung suchte und seine Gehemmtheit zu überwinden suchte, war Cellarius ganz locker und vermittelte mit seiner Körpersprache den Eindruck, dass er hier durchaus als Juniorpartner tätig sein könnte. Als die Oberblondine die Tür zum Büro von Meyer-Kötterheinrich öffnete, dankte Cellarius mit freundlichem Kopfnicken und betrat als Erster den Raum, der nach den Regeln einer Innenarchitektur der Macht gestaltet war: Bis zum Schreibtisch, der vor einem großen Fenster stand und den kein Stückchen Papier verunzierte, war es ein langer Anmarschweg. Das Licht fiel von hinten auf Meyer-Kötterheinrich, dessen Gesicht dadurch dunkel und unergründlich wirkte. Während Bernhardt und Cellarius auf ihn zugingen, erhob sich M. K. in aller Ruhe, blieb wie ein Feldherr hinter seiner Verschanzung stehen und ging erst, als seine Besucher wie zwei Bittsteller vor ihm standen, mit ausgestreckter Hand um seinen Schreibtisch herum. Er dirigierte sie zu einer Couch, wo sie kurz darauf wie zwei Schüler bei einer Prüfung nebeneinander Platz nahmen. M.K. setzte sich derweil in einen ausladenden Sessel und wies mit nachlässiger Geste in eine andere Ecke des Raums, wo ein Arnold-Schwarzenegger-Typ an einem Tisch saß und unbewegt zu ihnen herüberstarrte. M.K. grinste.

»Das ist mein Beschützer in allen Lebenslagen.«

Thomas Bernhardts Magen zog sich zusammen, sein Herz schlug schneller. Sein internes Warnsystem schlug an, und er wusste: Dieser Typ war ihm schon mal nahe gekommen – womöglich nicht zum letzten Mal. Doch er riss sich zusammen und zwang sich, sich auf sein Gegenüber zu konzentrieren.

M.K. war für seine paarundfünfzig Jahre in guter Verfassung, kaum Bauchansatz, das graumelierte Haar kurzgeschnitten, scharfes Profil, von der Sonne dezent gebräuntes Gesicht. Allerdings war er vom Wohlstand doch etwas angegriffen: zu wenig Schlaf, zu viel Alkohol. Sein Gesicht hatte etwas Grobschlächtiges, Habgieriges, das nach Jahren des Erfolgs jedoch gedämpft und abgemildert wirkte.

»Meine Herren. Sie wollen etwas zu Xaver Pucher wissen. Ein trauriger und furchtbarer Tod. Es tut mir leid um Xaver, ein hochbegabter junger Mann, und ich hoffe sehr, Sie werden seinen Mörder finden. Ich setze 50 000 Euro Belohnung aus für Hinweise auf den Täter.«

Das war die Sprache der Macht und des Geldes, die Thomas Bernhardt schon immer zum Widerspruch gereizt hatte. Auch jetzt spürte er, wie eine heiße Welle des Abscheus ihn durchlief. Keine gute Voraussetzung für eine Befragung.

»Passen Sie auf, Herr Meyer-Kötterheinrich...«

Kein guter Anfang, sagte er sich und bemühte sich, verbindlicher zu klingen.

»... sehen Sie, seit einigen Monaten haben Sie und Pucher versucht, eine politische Plattform aufzubauen, Sie als der erfolgreiche Mensch der Tat und Pucher als das sozialphilosophische Gewissen. Ich sage nur: *Die Zehn Gebote.*«

M.K. fixierte ihn.

»Ja und?«

Thomas Bernhardt hielt dem Blick stand.

»Wo sollte das hinführen?«

»Wir wollten dem Gemeinwohl dienen.«

Schweigen. Ein leises Rascheln am Tisch des Bodyguards.

»Und das geht am besten, wenn man eine Partei zum Vehikel macht?«

»Warum nicht? Aber jetzt sagen Sie, was Sie von mir wollen. Meine politischen Aktivitäten verstehen Sie am besten, wenn Sie meine und Puchers Texte lesen.« M.K. schaute Bernhardt an wie ein Insekt, das aus Versehen in sein Büro gelangt war und nun ohne großes Aufheben wieder daraus entfernt werden musste. Selbstverständlich keine Gewalt, gutes, ernsthaftes Zureden würde reichen. M.K. atmete mehrmals ruhig aus und ein, schaute Bernhardt scharf an und ließ dann die selbstsichere Sprache der Macht erklingen, sonor und streng.

»Herr... wie war Ihr Name noch mal...?«

Bernhardt ärgerte sich und nannte seinen Namen.

»... also, Herr Bernhardt. Ich nehme mir jetzt mal die

Zeit und erkläre Ihnen, worum es mir geht. Ich habe in dieser Stadt einiges erreicht, vor allem für die Stadt, weniger für mich. Sehen Sie, es ging und geht mir doch nicht darum, Geld zu machen, jedenfalls nicht in erster Linie. Ich habe genug, um angenehm leben zu können und um schöne Frauen, sagen wir einmal: zu überzeugen, dass es sich lohnt, mit mir zusammen zu sein. Wissen Sie, was mir wirklich wichtig ist? Durch die Straßen gehen zu können und zu wissen: Das Haus habe ich gebaut und jenes Quartier, und das wird ein paar Jahrzehnte oder vielleicht sogar ein paar Jahrhunderte stehen bleiben. Letztlich sehe ich mich als Künstler, der seine Werke schafft, und gleichzeitig als Kunstliebhaber, der, wie Sie vielleicht gelesen haben, demnächst ein Museum für die Moderne eröffnen wird. Und ob Sie's nun glauben oder nicht: Das ist das Wichtigste für mich.«

Nun schaltete sich Cellarius ins Gespräch ein, verbindlich und mit sanfter Stimme.

»Keine Frage, Ihre Bauten schmücken Berlin, und Ihr Selbstverständnis als Liebhaber der schönen Künste, als Sammler und Mäzen überzeugt mich...«

Thomas Bernhardt schaute seinen Partner missmutig an: Was sollte das denn?

»... aber Sie sind nun einmal auch Bauunternehmer...«

Das wurde ja immer besser. Thomas Bernhardt öffnete den Mund, um etwas zu sagen, klappte ihn dann aber wieder zu und schaute verbittert auf ein Kunstwerk an der Wand: Schöner wohnen mit A. R. Penck.

»... und als solcher beschäftigen Sie Tausende von Arbeitern, und ich frage mich –«

M. K. schaute Cellarius an. War er belustigt, war er verärgert? Ließ er sich, weil er momentan nichts Besseres vorhatte, auf ein Spiel ein?

»Lieber Herr, wie war Ihr Name...«

Cellarius, ganz Höflichkeit und wohlerzogener Musterschüler, nannte mit einem leichten Kopfnicken seinen Namen.

»... also, Herr Cellarius, was das mit dem Mord an Pucher zu tun haben soll, ist mir schleierhaft, und ich frage mich, ob Sie diesen Fall mit Ihrer Vorgehensweise jemals aufklären werden, aber ein kleines Kolleg halte ich Ihnen gerne, bevor Sie beide wieder Ihres Weges gehen müssen und dann anderen Leuten hoffentlich die richtigen Fragen stellen. Sehen Sie, mit den Arbeitern habe ich gar nichts zu tun, die mieten wir von Unternehmen, die sie wiederum von anderen Unternehmen mieten, die wiederum... Sie verstehen? Ich gehe natürlich davon aus, dass bei diesen Geschäften alles mit rechten Dingen zugeht. Niedrige Löhne? Da müssen Sie diese Unternehmen fragen. Aber ich will meine Meinung überhaupt nicht verschweigen. Wir leisten auf unsere Art Entwicklungshilfe, und zwar sehr effektive Entwicklungshilfe, im Gegensatz zu unserem Staat. Was meinen Sie denn, was die Leute, die aus der Tiefe des Ostens oder aus irgendwelchen abgelegenen Dörfern in Portugal zu uns kommen, mit ihrem hier verdienten Geld machen? Das tragen die nach Hause und legen es dort an. Und unsere deutschen Bauarbeiter? Die bekommen Arbeitslosengeld und Hartz IV. Das klingt jetzt vielleicht zynisch in Ihren Ohren, wenn ich sage: Mir würde es nicht reichen, aber vielen Leuten reicht das – und nach Mallorca kommt man damit doch allemal.«

»Jetzt passen Sie mal auf ...« Bernhardt spürte, wie der von ihm und vor allem von anderen gefürchtete Jähzorn in ihm hochstieg.

Mit einer Handbewegung brachte M. K. seinen aufsässigen Besucher zum Schweigen.

»Passen Sie noch einen Moment auf, dann begreifen Sie's vielleicht. Irgendwann ist's hier mit dem Bauboom zu Ende, das sieht ein Blinder mit dem Krückstock. Dann boomen die Dienstleistungen. Was meinen Sie, was wir dann noch viel mehr als heute brauchen: Hausmeister, Klempner, Verkäufer, Kellner, Zimmermädchen, all die netten jungen Leute, die Ihnen auf den Empfängen ein Tablett mit Getränken entgegenstrecken undsoweiterundsoweiter ... Das verlangt natürlich ein Umdenken, und ob der Berliner und die Berlinerin das schaffen werden? Ich bezweifle das, ehrlich gesagt. Haben Sie schon mal die Begrüßung bei der Telekom-Auskunft gehört: ›Mein Name ist Edith Pachulke, was kann ich für Sie tun?‹ Das zieht einem doch die Schuhe aus, mit welchem inneren Widerstand, mit welchem Abscheu diese Sätze ausgesprochen werden. Also, da bleibt viel zu tun.«

»Wir können also davon ausgehen, dass Sie demnächst das Kunstwerk ›freundlicher Dienstleister‹ schaffen werden?« Thomas Bernhardt schaute seinen Widerpart angriffslustig an.

»Davon können Sie ausgehen.«

»Sie waren ja schon mal Dienstleistungsanbieter auf dem Gebiet der sexuellen Notdurft.«

»Ach, kommen Sie, warum sagen Sie das mit einem missbilligenden Unterton? Ich habe mir ein kleines Gastronomie-... Imperium ist schon zu viel gesagt, aufgebaut, und dazu gehörte auch das *Sex Country*. Die Mädchen wurden gut bezahlt, alle kamen freiwillig und gingen nach ein paar Wochen wieder, weil unsere Kunden neue Gesichter sehen wollten.«

»Gesichter?«

»Ja, kann man so sagen. Aber was hat das alles mit dem armen Pucher zu tun?«

Cellarius hob die Hand wie ein braver Schüler. »Vielleicht hatte Pucher Sie in der Tasche? Jedenfalls wollte er ein Buch veröffentlichen, einen Schlüsselroman, hört man.«

»Und da komme ich vor?«

»Warum denn nicht? Und warum sollte Pucher Ihnen nicht das Buch verkaufen wollen? Eine noble Form der Erpressung, finden Sie nicht?«

Mit Meyer-Kötterheinrich ging eine leichte Veränderung vor sich. Thomas Bernhardt merkte es sofort. Das Klima änderte sich. Kam nicht ein leiser Windzug aus der Ecke des Beschützers? Wieso straffte sich M. K. fast unmerklich? Hatte Cellarius in seiner netten Art den wunden Punkt getroffen?

»Ach, Unsinn, bei mir läuft alles legal.«

Bernhardts Kampfgeist erwachte wieder.

»Versuchen wir's noch mal anders. Sie bringen Pucher um, oder besser: lassen ihn umbringen, um ungestört mit dessen Freundin Miriam Schröder zusammen sein zu können. Da gibt's doch schöne Bilder aus Wien.«

Er spürte die Missbilligung von Cellarius: Das war doch viel zu direkt, so kriegst du ihn nicht! Wahrscheinlich hat er recht, dachte Bernhardt, als er die seltsame Wandlung sah, die mit M. K. vor sich ging. Seine Körperspannung ließ nach, er schaute auf Bernhardt wie auf ein unangenehmes, gleichwohl Interesse erweckendes Insekt.

»Jetzt lassen Sie den Wind aus dieser Richtung wehen. Da lach ich doch nur. Kompletter Blödsinn. Wissen Sie: In unseren Kreisen ist Eifersucht eine unbekannte Krankheit. Vielleicht deshalb, weil wir uns alles leisten können. Auch wenn Sie's nicht glauben: Wenn ich mich anstrenge, kann ich jede Frau haben. Ich liebe die Abwechslung. Und Miriam auch. Und dann war's halt mal eben ein Wochenende in Wien.«

»Und Pucher hat das genauso gesehen?«

Ein kurzes Zögern.

»Davon gehe ich aus.«

In diesem Augenblick öffnete sich leise eine Tür hinter einem grünen Feigenbaum. Ein kleiner Mann mit kahlem Kopf und vogelhaftem Gesicht wand sich um die Pflanze, ging in gebeugter Haltung auf M. K. zu und blieb nach wenigen Tippelschrittchen abrupt stehen, als sei er gegen eine Betonwand gelaufen.

»Ach, du hast Besuch, dann geh ich wieder.«

Und wie eine chinesische Hofschranze machte das Männlein ein paar Schritte rückwärts und verbeugte sich mehrmals.

»Komm, bleib hier, Bechstein. Bevor die Herren von der Kripo, die mir gerade wegen der Sache mit Pucher ihren Besuch abstatten, auf verschlungenen Recherchepfaden herausbekommen, dass es dich gibt und daraus wieder Verdächtigungen ziehen, stelle ich dich lieber vor. Friedrich Bechstein, früher ein wichtiger Mann bei der KWV, jetzt ein wichtiger Mann bei Meyer-Kötterheinrich GmbH & Co. Meine Herren, KWV, Sie wissen: Kommunale Wohnungsverwaltung in der DDR, hat Wohnungen verwaltet und verteilt. Bechstein betreut die von uns übernommenen Wohnungen in Marzahn, Hellersdorf, Lichtenberg. Der richtige Mann am richtigen Ort. Und glauben Sie mir, das Volkseigentum haben wir auf legalem Wege von der Treuhand erworben und gehen seriös damit um. Unsere neuen Farbanstriche an der Platte, wie wir sie liebevoll nennen, können sich sehen lassen. Stimmt's, Bechstein?«

Bechstein grinste und wirkte auf einmal gar nicht mehr subaltern. Auf seine Art auch ein Meister, dachte Bernhardt. Es wächst eben zusammen, was zusammengehört. Er erhob sich, schüttelte erst M. K. und dann Bechstein die Hand.

»Vielen Dank für Ihre Geduld, Herr Meyer-Kötterheinrich.«

»War mir nicht unbedingt ein Vergnügen, aber jedenfalls gern geschehen. Also, adieu, Herr... ach, mein Namensgedächtnis ist verheerend. Bleib du mal hier, Bechstein, es gibt ein paar Dinge zu besprechen.«

Bechstein setzte sich vorsichtig auf die Kante der Couch, faltete die Hände und lauschte mit geneigtem Kopf seinem Herrn. Sein brauner Anzug, das gelbe Hemd und der blasse Blümchenschlips strahlten den unnachahmlichen Chic der DDR-Modeproduktion aus, obwohl wahrscheinlich alles bei Woolworth gekauft war.

Beim Hinausgehen wurde Bernhardt von dem Kältestrom getroffen, den Meyer-Kötterheinrichs Beschützer in der Ecke abstrahlte. Als sie endlich im gleichmäßig fallenden Regen auf der Friedrichstraße standen, atmeten Bernhardt und Cellarius tief durch und schauten sich an. Bernhardt schüttelte den Kopf.

»Ekelhaft und gefährlich.«

Cellarius stimmte ihm zu. Dann setzten sie sich ins Auto und fuhren in Richtung ihres nächsten Ziels, zum Prenzlauer Berg, zu Miriam Schröder.

21

Als sie in der Hufelandstraße aus dem Auto stiegen, kam ihnen Frau Pulczinsky auf dem Bürgersteig entgegen. Das Einkaufswägelchen holperte hinter ihr her, und zur Begrüßung hob sie ihren Stock und schwang ihn über ihrem Kopf. Von der durchsichtigen Plastikhaube, die sie auf ihr spärliches graues Haar gesetzt hatte, perlten die Regentropfen ab und liefen in den Kragen aus Kaninchenfell, der ihrem grauschwarzen Stoffmantel einen gewissen räudigen Charme verlieh.

Er spürte einen leichten Widerwillen gegen die fröhlich krächzende Alte. Das ging ihm oft so, wenn sich ein Fall langsam klärte. Gewisse Nebenfiguren konnte er dann einfach nur noch schwer ertragen.

Schnaufend blieb Frau Pulczinsky vor ihnen stehen und schaute Bernhardt, den sie als Chef in Erinnerung hatte, mit ihren wässrigen Augen scharf an.

»Na, wat jibt et Neuet, Herr Kommissar?«

»Nichts Besonderes, Frau Pulczinsky. Wie geht's Ihnen denn?«

»Jut, wat anderet jibt's bei mir ooch jar nich.«

»Und wie geht's Ihrer Freundin Miriam?«

»Ach, det arme Meechen, det heult und heult. Irjendwat beunruhicht se.«

»Na ja, wenn der Geliebte ermordet worden ist …«

»Ja, det wird et sin. Obwohl, obwohl … Manchma wirkt-se, als hättse Angst.«

»Wovor denn?«

»Um ihr Leben, wa?«

»Wieso sollte sie denn Angst um ihr Leben haben?«

»Na ja, da is doch ’n Ajent, wat keen Spion is, wie mir meene *B.Z.* erklärt hat, ermordet worden. Aus’m Umfeld von dem Schriftsteller is der, und det Umfeld is nun eben ooch jefährdet, sacht die *B.Z.* Und Miriam is doch Umfeld, oda?«

»Na ja, sagen wir eher Zentrum.«

»Det wär ja noch schlimma.«

»Was hat sie Ihnen denn erzählt?«

»Nüscht, eben nüscht. Se zittert nur so vor sich hin. Arbeeten kann se nich mehr, sitzt nur uff ihrm schönen Sofa un zittert.«

Thomas Bernhardt schaute etwas ratlos auf die Alte, deren Kopf vor Eifer leise wackelte.

»Na, Frau Pulczinsky, dann mal vielen Dank für Ihre Auskünfte.«

Er drückte ihre kleine knochige Hand und gab ihr erneut seine Karte. Frau Pulczinsky versicherte ihm, dass sie ihn sofort anrufen würde, falls ihr irgendetwas Verdächtiges auffiele. Das glaubte er ihr aufs Wort.

Als sie die Treppe zu Miriam Schröders Wohnung hinaufgingen, schüttelte Bernhardt den Kopf.

»Was für eine Figur, diese Frau Pulczinsky.«

Cellarius lächelte.

»Stimmt, eigentlich müsste sie unter Artenschutz gestellt werden. Echte Berliner gibt's doch in Berlin gar nicht mehr.«

»Stimmt nicht ganz. Weißt du, wo's welche gibt?«

»Neukölln, Wedding?«

»Da gibt's nur noch kleine Populationen, die stark unter Druck stehen und sich in den langsam aussterbenden Eckkneipen kaum noch erholen können. Neue Gruppen haben die Plätze besetzt...«

»... mit Migrationshintergrund.«

»Genau, türkisch-arabisch-schwäbisch. Aber es gibt noch Rückzugsräume für den *homo berlinensis*. Die plebejische Variante des gebürtigen Berliners hält sich noch ganz gut in Reinickendorf, Spandau und in der Ostausprägung in Lichtenberg. Die kleinbürgerlich-bürgerliche Variante sitzt in Lichterfelde, Tempelhof und in Pankow. Und nicht zu vergessen die großbürgerliche Variante, die sehr resistent ist und in Dahlem und Grunewald prächtig gedeiht.«

Der Dahlem-Bewohner Cellarius lächelte etwas gequält. Aber Bernhardt wollte mit seinen stadtsoziologischen Betrachtungen noch nicht aufhören.

»Und weißt du, wo der autochthone Berliner in freier Wildbahn zu beobachten ist? Als Busfahrer bei der BVG, bei der Stadtreinigung, bei der Feuerwehr, bei der Bewag und Gasag – und bei der Polizei, kurzum: im öffentlichen Dienst.«

»Und als Handwerker, oder?«

»Stimmt, aber die kommen inzwischen meistens aus dem Umland. Das sind Brandenburger. Die ähneln dem Berliner, sind aber dann doch anders gestrickt.«

Miriam Schröder stand in der Tür zu ihrer Wohnung und schaute mit gerunzelter Stirn auf die beiden Ankömmlinge. Sie wirkte in der Tat angespannt, zwei scharfe Falten hatten sich in ihre Mundwinkel gegraben, und dunkle Schatten lagen unter ihren leicht verschleierten Augen.

»Ich habe Sie unten auf der Straße mit Frau Pulczinsky gesehen, was wollen Sie denn noch? Ich habe Ihnen doch alles gesagt.«

»Dürfen wir reinkommen?«

Sie zuckte mit den Achseln.

»Wenn's sein muss.«

Das Zimmer, das auf Thomas Bernhardt bei seinem ersten Besuch gewirkt hatte, als sei es von Licht durchflutet, machte diesmal einen abgedunkelten Eindruck. Als hätte sich Mehltau auf alles gelegt. Die Vorhänge waren halb zugezogen, auf dem Boden waren Kleidungsstücke verstreut. Es roch, als sei lange nicht gelüftet worden. Die Kleiderpuppe sah aus, als ließe sie die Schultern hängen.

Miriam Schröder sah ihre beiden Besucher nicht an. Sie starrte auf einen imaginären Punkt an der Wand. »Ich komme nicht drüber weg. Ich bin so traurig.«

Sie schlug die Hände vors Gesicht und begann zu schluchzen. Bei Thomas Bernhardt schlug die Misstrauensglocke leise an. War das echt? Oder schauspielerte sie? Seine Laune sank. Er witterte Falschspiel.

»Zum Glück gibt's ja noch Big Daddy Meyer-Kötterheinrich.«

Sie nahm die Hände vom Gesicht und schaute ihn an. Viele Tränen hatte sie nicht geweint, fand Thomas Bernhardt. Ihr Gesicht war trocken.

»Das ist ja so geschmacklos, so fies, Sie Scheiß…« Sie zögerte. »Sie Scheißpolizist.«

Jetzt hatte sie einen Fehler begangen. Cellarius war das sofort klar. Einen Polizisten als Polizisten zu beschimpfen, Cellarius hatte das irgendwann einmal begriffen, ist immer gefährlich. Denn ein Polizist will, zumindest in seinem tiefsten Inneren, kein Polizist sein, kein Verfolger, kein Bulle. Vielmehr versteht er sich als einer, der sein Leben lang fürs Gesetz eintritt und sich deshalb mit den schmutzigen und abstoßenden Seiten der menschlichen Existenz auseinandersetzen muss. Cellarius meinte, ein kurzes Aufblitzen in Thomas Bernhardts Augen zu sehen.

Und tatsächlich, jetzt nahm Bernhardt Miriam Schröder unter Beschuss: Was war denn mit diesem Widerling Meyer-Kötterheinrich?

Ja, sie war mit ihm zusammen.

Ja, es war schön. Weil er eben ein erfahrener Mann war.

Im Imperial in Wien, das konnte ihr Pucher eben nicht bieten.

Sie hatte nur Pucher geliebt, nein, sie hatte beide geliebt. Aber Pucher mehr.

Sie war nicht eifersüchtig. Vielleicht ein bisschen. Diese andere Frau, diese Leyla, war doch unwichtig.

Klar, wenn Pucher jetzt den großen Erfolg gehabt hätte, und er hätte Leyla … Warum sollte sie denn Pucher umbringen oder umbringen lassen? Das war doch gegen ihre Interessen.

›Interessen‹ war falsch, sie wollten eben ein richtig glamouröses Paar werden. Nein, Meyer-Kötterheinrich war für so etwas doch zu alt. Wenn der auch in der Politik noch erfolgreich geworden wäre, dann wäre das vielleicht gegangen.

Sie hatte Meyer-Kötterheinrich nichts von Puchers Buch erzählt. Doch, ein bisschen. Dass er drin vorkam.

Sie wusste doch gar nichts Genaues. Okay, die Verknüpfung von Wirtschaft und Politik, das war eben das Thema.

Ja, Geldströme, davon hatte Xaver immer erzählt. Meyer-Kötterheinrich als Chef der Geldströme.

Warum hätte sie das nicht weitererzählen sollen? Meyer-Kötterheinrich hatte sie dazu gedrängt.

Ja, er wollte das Buch vorher lesen. Aber Xaver sagte: Kommt nicht in Frage.

Xaver war ein Spieler.

Meyer-Kötterheinrich hatte ihn bedroht. Er solle ihm das Buch geben, sonst erlebe er sein blaues Wunder. Er entscheide, ob das veröffentlicht werde. Aber Xaver lachte nur.

Aber ihr gegenüber hatte Xaver gesagt, er sei beunruhigt. Und er fragte sich auch, ob sie ihn verraten würde. Und sie hatte Angst, Angst, Angst. Und sie wusste nicht, wie sie sich entscheiden sollte: für Xaver oder für Meyer-Kötterheinrich. Alle hatten Angst, alles war wie von Angst durchtränkt. Das habe sie Bernhardt doch alles erzählt.

Und plötzlich fing Miriam Schröder wirklich an zu heulen. Die Tränen stürzten ihr in kleinen Sturzbächen aus den Augen, zitternd setzte sie sich in eine Ecke des Zimmers und rollte sich zusammen.

Cellarius schaute auf Thomas Bernhardt, dessen Furor langsam erlosch. Ein Schleier von Müdigkeit und Überdruss lag auf seinem Gesicht.

»Das haben Sie uns eben nicht gesagt. Sie waren Vertraute und Verräterin in einem. Sie haben Pucher ausgehorcht und alles, was Sie erfahren haben, an Meyer-Kötterheinrich weitergeleitet. Die zwei waren Todfeinde, und Sie haben dieses Feuer der Feindschaft immer weiter angefacht, in die lodernde Flamme sozusagen immer weiter Öl gegossen. Egal, ob direkt oder indirekt, Sie tragen die Verantwortung für zwei Morde, für zwei ausgelöschte Menschenleben.«

Sie krümmte sich in ihrer Ecke, heulte und stieß unartikulierte Laute aus.

Cellarius ging zu ihr und wollte sie beruhigen, aber sie stieß ihn zurück.

»Ich will nicht mehr, ich will nicht mehr!«

Sie griff in ihre Hosentasche und schleuderte einen Schlüssel in den Raum.

»Nehmt ihn doch, nehmt ihn doch. Dann kriegt M. K. ihn eben nicht. Dann kriegt ihr ihn. Ihr Idioten, ihr begreift doch nichts.«

»Begreifen wir denn wirklich nichts?«

Cellarius hielt sich den Schlüssel dicht vor die Augen. Thomas Bernhardt schwieg verbissen und steuerte das Auto durch die aufspritzenden Regenpfützen über den Alexanderplatz.

Es schien, als knirschte Thomas Bernhardt mit den Zähnen. Er schwieg. Cellarius schaute ihn an und beschloss, auch zu schweigen. Wahrscheinlich sah Bernhardt wie er selbst vor seinem inneren Auge noch einmal den Ablauf der Szenen, die sich immer mehr beschleunigt und schließlich überstürzt hatten: Am Ende war der totale Zusammenbruch der zuvor so selbstsicheren Miriam Schröder zu sehen gewesen.

»Was meinst du: Hat sie uns was vorgespielt?«

Cellarius schaute verblüfft zur Seite.

»Du kannst ja doch reden. Nein, ich bin ziemlich sicher, dass das echt war. Wenn sie uns tatsächlich was vorgespielt haben sollte, war das verdammt gut, dann ist sie wirklich eine große Schauspielerin.«

»Und warum sollte sie das nicht sein? Warum sollte sie nicht mit Philip-Peter Weber unter einer Decke gesteckt haben, um den großen Schriftsteller Pucher auszutricksen? Den *big deal*, den er machen wollte, haben in Wirklichkeit die beiden eingefädelt. Sie haben ihn, ohne dass er's merkte, zum Werkzeug gemacht. Und dann gab's Streit zwischen Miriam und Philip-Peter, und Philip-Peter musste dran glauben. Oder, zweite Variante, warum sollte sie nicht die Komplizin von diesem Meyer-Kötterheinrich sein?«

»Ja, klar: könnte, sollte, vielleicht stimmt's, vielleicht auch nicht. Was ist mit dem Schlüssel?«

»Hat sie uns zugespielt, um uns auf eine falsche Fährte zu locken.«

»Ach, komm, du liest zu viel Kriminalromane.«

»Na gut, dann ruf an und bestell die Spurensicherung zum Hauptbahnhof. Dann schauen wir uns gemeinsam an, was im Schließfach liegt.«

»Was? Wieso denn das? Woher weißt du das?«

»Weil ich vor einiger Zeit meinen Koffer dort eingeschlossen habe, und der Schlüssel sah ziemlich genau so aus.«

»Ziemlich genau so. Ich will ja nicht an deinem visuellen

Gedächtnis zweifeln, aber Schlüssel sehen oft zum Verwechseln ähnlich aus.«

»Wir probieren's einfach.«

In dem neuen gläsernen Hauptbahnhof, der wie ein gestrandetes Raumschiff wirkte, saßen sie in einem Café und warteten. Bernhardt schwieg wie ein trotziges Kind, Cellarius kultivierte die Rolle eines bedeutungsvoll sinnierenden Gentlemans. Wer sie genau beobachtet hätte, wäre vielleicht zu dem Schluss gekommen, dass sich zwischen diesen beiden Männern ein heftiger Streit anbahnte. In Wirklichkeit aber herrschte zwischen ihnen ein großes unausgesprochenes Einverständnis. Sie hatten nie darüber gesprochen, aber in solchen Momenten fand so etwas wie eine nonverbale Debatte zwischen ihnen statt. Sie konnten die Gedanken des anderen lesen, sie glichen die Erwägungen und Argumente miteinander ab, sie zelebrierten jeder für sich und doch gemeinsam mit dem anderen Rede und Gegenrede, prüften die kleinsten Details, stimmten einer Schlussfolgerung zu und verwarfen eine andere: ein Gedankenspiel ganz eigener Art.

Als der Kollege von der Spurensicherung endlich kam, saßen sie schweigend mit gesenkten Köpfen da und schienen eingedöst. Doch ein Name hatte bei beiden Kontur gewonnen, und sie konnten ihn wie ein Menetekel an der Wand sehen: Meyer-Kötterheinrich.

»Uffjewacht, Kollejen!«

Na so was, schon wieder ein Berliner, dachte Thomas Bernhardt. Und selbst dieser kleine Gedankenblitz seines Kollegen kam bei Cellarius an. Die beiden sahen sich an, verstanden sich und lächelten kaum merkbar.

Der fröhliche Kollege, der in einem weißen Overall steckte und ein silbernes Metallköfferchen in der Hand hielt,
hieß ... Fröhlich, und mit seinem Immer-feste-druff-Witz
holte er seine beiden Kollegen in die Realität zurück.

»Woll'n wa nur hoffen, det keene Leiche im Schließfach
iss, wa?«

»Und wenn doch?«

»Denn kratzn wir se raus, Mann, ick könnt euch Dinga
erzähln.«

»Muss heute wirklich nicht sein. Sonst immer gerne.«

Es war ganz einfach, das Schließfach zu finden. Bevor er
den Schlüssel drehte, schaute Fröhlich grimmig auf einen
mürrisch blickenden Bahnangestellten.

»Kolleje, det Fach iss seit Tagen abjeloofen. Stört euch
aba nich, wa? Hättet ihr öffn müssn.«

Der »Kolleje« schwieg verstockt. Fröhlich öffnete unter
Abrakadabra-Gemurmel mit großer Geste das Fach, in dem
einsam und verlockend ein DIN-A4-Ordner lag. Bernhardt
und Cellarius atmeten tief durch und streckten ihre Hände
reflexartig nach dem Ordner aus. Doch Fröhlich stoppte sie
im letzten Moment.

»Nee, Männa, so jeht et doch nich. Erst icke, dann ihr.
Weshalb habt'n ihr mir sonst jeholt?«

Nachdem Fröhlich das Seine getan hatte, streiften Bernhardt und Cellarius die Chirurgenhandschuhe über und
entzifferten zuerst einen kleinen weißen Zettel, der in einer
Ecke des Fachs lag: »Nach Ablauf der Lagerungsfrist ein-
liegenden Ordner bitte an folgende Adresse senden: Xaver
Pucher, Bäckerstraße 7, 1010 Wien. Kosten werden zurück-

erstattet.« Bernhardt und Cellarius blickten sich an, dann blätterten sie die wenigen Seiten, die in dem Ordner abgeheftet waren, durch. Sie wimmelten von großen und kleinen Buchstaben, Zahlenreihen und hieroglyphenartigen Bildchen. Bernhardt runzelte die Stirn.

»Was soll das?«

»Offensichtlich hat er den Text mit Hilfe eines Computerprogramms verschlüsselt. Die sind inzwischen verdammt gut. Das kann dauern, bis unsere Spezialisten das dechiffriert haben.«

Noch immer waren sie auf einen Ton und eine Sichtweise gestimmt, und so sprach der eine aus, was der andere ebenfalls meinte.

»Entweder hat das Pucher bei einem früheren Berlinbesuch wirklich hier deponiert. Oder jemand legt eine falsche Spur, verdammt noch mal.«

Im Präsidium stürmte schon auf dem Korridor ihr Chef Freudenreich auf sie zu. Bernhardt und Cellarius setzten ihre stoische Miene auf, was Freudenreich nicht freundlicher stimmte.

»Darf ich erfahren, was ihr den ganzen Tag macht und wie weit ihr seid? Die *B.Z.* sitzt mir im Nacken, die wollen den Meyer-Kötterheinrich in die Pfanne hauen. Und da gibt's natürlich Anrufe, könnt ihr euch ja denken: Das Investitionsklima würde belastet, Bankbürgschaften etc. etc.«

»Ja und?«

»Entweder ihr habt gegen den was in der Hand, oder ihr habt nichts in der Hand, dann müsst ihr das auch laut und deutlich sagen, dass ihr nichts habt.«

Bernhardt schwieg, Cellarius gab den Verbindlichen – ihre bewährte Arbeitsteilung.

»Wir sammeln Indizien, beobachten, bewerten und wägen ab, und gegenüber Herrn Meyer-Kötterheinrich, der sicher seine Verdienste um diese Stadt hat und dessen Geschäfte wir keineswegs gefährden wollen, gibt es Anlass, misstrauisch zu sein, nicht nur ihm gegenüber, aber halt auch. Morgen wissen wir hoffentlich mehr.«

Und er erzählte von dem Ordner, von Miriam Schröders Zusammenbruch und vergaß auch nicht zu erwähnen, dass man auf die Mithilfe aus Wien in Gestalt der sehr kompetenten Anna Habel setze. Freudenreich schnaufte.

»Ja, was ist denn eigentlich mit der? Wieso höre ich da nichts?«

»Ich rede heute noch mit ihr. Ich gehe mal davon aus, dass sie mir etwas erzählen wird, was ich dann dir erzählen werde.«

Freudenreich wandte sich ab und begab sich auf den Rückzug.

»Leute, morgen müsst ihr mir was in die Hand geben, sonst gibt's Zunder, für uns alle.«

Als sie in ihr Büro kamen, erhob sich Katia Sulimma gerade von der Schreibtischkante und stöckelte durch den Raum.

»Für mich ist Feierabend, Männer. Thomas, vergiss nicht, Miss Marple in Wien anzurufen. Und übrigens: Cornelia will dich auch sprechen. Also macht's gut, ihr zwei.«

Und sie schwebte, eingehüllt in eine kleine Parfümwolke, aus dem Zimmer.

22

Nachdem auch Cellarius gegangen war, der noch einmal bei der Spurensicherung und auch bei den Computerspezialisten vorbeischauen wollte, ließ sich Thomas Bernhardt in seinen Sessel fallen und streckte die Füße auf seinem Schreibtisch aus. Er mochte diese Tageszeit, wenn das laute Gesumme in dem riesigen Haus langsam abebbte und Ruhe einkehrte: die schlechte Luft, das Rauschen der Heizung, die Ausdünstungen der menschlichen Körper, der Geruch aus den Aktenschränken, der langsam sich auflösende Parfümduft von Katia, versetzt mit einem kaum wahrnehmbaren Anklang von Schweiß – all das mischte sich zu einem wunderlichen Odeur. Kognitive Konsonanz, sagte er sich. Wenn ich das alles hier nicht gut finden könnte, würde ich verrückt. Er schloss die Augen. Dunkles Rauschen. Und dann das Klingeln des Telefons.

»Hab ich dich endlich.«

Komisch, dachte Thomas Bernhardt, er freute sich, wenn er sie hörte, und gleichzeitig fand er sie anstrengend in ihrer nervösen Aktivität, mit der sie ihn ansteckte und kribbelig machte. Er sah sie vor sich, wie sie Papiere ordnete, während sie eine SMS ihres Sohnes las, einen Pappbecher mit Kaffee jonglierte und dann auch noch telefonierte.

»Mögen wir denn gar nicht reden?«

»Doch, doch, ich war nur gerade ein bisschen abgeschlafft.«

Er erzählte ihr von seinem Tag.

»Da bin ich ja mal gespannt, was unser Schriftsteller-Burschi uns hinterlassen hat. Umso mehr, weil der Text auf der Festplatte von Puchers Computer wahrscheinlich nicht mehr zu rekonstruieren ist. Der Computer-Kurti hat nur ein paar Fragmente wieder sichtbar machen können, aber da ist nichts Aussagekräftiges dabei, zumindest nichts, was die Geschäftsbeziehungen zwischen euren gewesenen und unseren immer noch ganz munteren Kommunisten beschreiben würde.«

Sie hatte ihre Recherche weitergetrieben und war auf ein ungeheuer verschachteltes Wirtschaftskonsortium gestoßen, das auf kaum nachweisbare Art mit dem österreichischen Ableger der Partei der großen internationalen proletarischen Solidarität verbunden war.

»Da werden Gelder hin- und hergeschoben, unsere scheintote Presse ist dem sogar ein bisschen nachgegangen, aber ohne Erfolg. Angeblich sind sie am Bankgeheimnis gescheitert, beziehungsweise an der grundsätzlichen Undurchschaubarkeit kapitalistischer Finanz-Transaktionen. Alles sei mehr oder weniger virtuell, ist hier die Meinung. Nur komisch, dass das virtuelle Geld sich irgendwann wieder in wirkliches Geld verwandelt ...«

»Du meinst, so wie Wasser zu Wein wird? Ja, Wunder gibt es immer wieder.«

»Weißt du eigentlich, wer die besten Kapitalisten sind? Die Katholiken und die Kommunisten, der Vatikan und der

Kreml. Ab einem bestimmten Punkt haben die überhaupt keine Hemmungen mehr. Was ich nicht verstehe: Warum fragt sich bei euch eigentlich niemand, wo die ganzen SED-Gelder hingeflossen sind?«

»Ist doch klar, in die Volkswirtschaft.«

»Was soll das denn heißen?«

»Das soll heißen, es ist investiert, reinvestiert, gewaschen und gebügelt worden, vielleicht sogar von euren Alpen-Kommunisten.«

»Und regt dich das nicht auf?«

»Warum soll mich das aufregen? Es ist halt so.«

»Ach, komm, Thomas, bist du so indifferent?«

»Warst du nicht Trotzkistin?«

»Nur Umfeld, aber was soll die Anspielung?«

»Dann weißt du doch, dass man zur Rettung der Welt alles tun darf.«

»Ja, du alter Maoist, das hast du mir ja voller Begeisterung im Pfudl nach dem dritten Bier erzählt: ›Dem Volke dienen‹, das war doch euer Motto. Und ein paar Arbeitslager mussten dann für die Umerziehung der bourgeoisen Elemente auch sein. Bei uns galten andere Maßstäbe.«

Schweigen. Dann befanden sie beide, dass ihr Verhalten gerade sehr kindisch gewesen sei.

»Und was machst du heute Abend?«

»Keine Ahnung, mich vorn Fernseher knallen und Bier trinken.«

Anna erzählte ihm, dass sie sich mit einem alten Freund zum Essen treffe, worauf sie sich sehr freue. Thomas Bernhardt spürte, wie eine kleine dunkle Wolke des Unwillens in ihm aufzog.

»Alter Freund?«

»Jawohl, alter Freund. Und vergiss nicht, mich morgen sofort anzurufen, wenn ihr den Pucher-Text entschlüsselt habt. Ich muss los, mach's dir auch schön, tschüs.«

Der Missklang zum Schluss hatte ihn verstimmt. Er griff zum Telefonhörer und wählte Cornelias Nummer. Als abgehoben wurde, hörte er im Hintergrund die hohen, zwitschernden Stimmen der zwei kleinen Mädchen, und nach einem kurzen Schweigen meldete sich Cornelia.

Wie so oft war er von der leisen, wie in einem Traum befangenen Stimme verzaubert. Es sei schwierig, aber in etwa einer Stunde könne sie schon ins Rixx-Eck kommen.

Dort saßen sie dann im Alkoholgeruch und im Fettdunst, ohne viel zu reden. Sie schauten sich lange an, als ob eine wichtige Entscheidung zu fällen sei. Eine Glocke aus Müdigkeit schien sich um sie geschlossen zu haben.

Irgendwann legte Cornelia die Arme um seinen Hals und presste ihre Stirn gegen seine. So verharrten sie eine Weile, ohne zu sprechen. Später fuhr er sie nach Hause. Vor ihrer Tür schaute sie ihn an.

»Irgendwann. Aber nicht jetzt. Siehst du doch auch so. Oder?«

Er antwortete nicht. Auf der Fahrt in seine Wohnung wäre er beinahe im Auto eingeschlafen. Als er sich aber auf seine Matratze legte, spürte er plötzlich, dass er ein warmes, pulsierendes Herz hatte.

23

Anna fuhr gedankenverloren mit dem Zeigefinger über den Rand ihres Rotweinglases, bis es quietschte.

»Viel zu viele Spuren, und eine ist seltsamer als die andere.«

Harald stoppte Annas Hand, indem er sie festhielt. Sie zog sie zurück und legte beide Hände in den Schoß.

Florian hatte sie am Nachmittag im Büro angerufen, um ihr nach einer plötzlichen Spontanheilung mitzuteilen, dass er bei Sebastian schlafen werde. Anna hatte nicht die Kraft gehabt, dagegen Einspruch zu erheben, im Gegenteil: Der freie Abend kam ihr gerade recht. Sie hatte genug davon, die Abende allein oder mit ihrem pubertierenden Sohn in der unaufgeräumten Wohnung zu verbringen.

Harald hatte gleich zugesagt. Nun saßen sie im Gasthaus Nells, Anna hatte sich einen Tafelspitz genehmigt und war bei ihrem zweiten Glas Rotwein angekommen. Absichtlich hatte sie nicht über ihre Arbeit gesprochen, lediglich Harald zugehört, der sie über die neuesten Entwicklungen in seiner komplizierten Beziehungskiste informierte. Harald kannte sie schon ewig, sie wusste gar nicht mehr genau, woher, er wohnte ebenfalls in Währing, im Sommer trafen sie sich fast jeden Samstag am Kutschkermarkt, obwohl Anna es sich eigentlich gar nicht leisten konnte, dort einzukaufen. Sie liebte es nun mal, über den Markt zu schlendern, da ein paar Kartoffeln, dort ein kleines Bioschnitzerl zu nehmen und dann noch in Maggies Genussgalerie auf einen kleinen Aperitif zu gehen – ein bisschen war das wie im Dorf, nur bestand der Stammtisch nicht aus Bauern, Jägern, Lehrern und Bürgermeistern, sondern aus Ärzten, Juristen, Architekten und Investmentbankern. Anna und Harald waren da eher die Exoten: die Chefinspektorin bei der Mordkommission, die naturgemäß nie über ihren Beruf sprach, und Harald, der Zahnarzt, der von allen hofiert wurde: Schließlich wurden sie alle nicht jünger, und einen wie Harald konnte man als Freund immer gebrauchen.

Anna begann wieder, den Rand des Glases mit dem Zeigefinger zu traktieren. Harald stockte mitten im Satz.

»Jetzt sag schon, wo steckt ihr denn in dem Fall?«

»Du weißt genau, dass ich nicht darüber sprechen darf.«

»Du sprichst doch nicht, du assoziierst frei, und ich hör gar nicht zu.«

»Na ja, die vielen Spuren machen mich nervös. Das Einzige, das ich intuitiv ausschließe, sind Drogen und Mord aus Eifersucht. Aber das sehen meine Kollegen ganz anders, und ich hab nicht mehr als meine Intuition.«

»Und dieser Berliner Kommissar?«

»Was soll mit dem sein?!«

In Annas Stimme war ein scharfer Unterton zu hören.

»Warum denn so empfindlich? Stehst auf den oder was?«

»Ich steh auf überhaupt niemanden, und wenn ich mir dein Beziehungsleben so anschau, dann werd ich mich hüten, jemals wieder auf irgendjemanden zu stehen. Nein, das ist es nicht. Er macht mich nervös, mit seiner deutschen Art, mit seiner korrekten Sprache, mit seiner Gelassenheit. Neben dem fühl ich mich immer ein wenig wie der Provinztrampel, der nicht mal richtig Deutsch kann.«

»Tja, das alte Problem zwischen Ösis und Piefkes. Warum soll es dir anders gehen?«

»Weil es absolut lächerlich ist. Die in Berlin wissen auch nicht mehr als wir, nur bei denen wirkt immer alles so strukturiert, und jetzt haben sie auch noch einen zweiten Mord.«

»Moment mal, sei doch froh, dass die den haben und nicht du.«

»Ja, hast eh recht. Ich weiß auch nicht. Ich fühl mich unwichtig und unterlegen, und das kann ich nicht ausstehen.«

»Lass dich nicht unterkriegen von so einem rechthaberischen Germanen, der kocht auch nur mit Wasser. Apropos Wasser. Wie wär's mit einem Fluchtachterl?«

Und obwohl Anna wusste, dass es gegen jegliche Vernunft war, bestellten sie noch eine Runde.

Sie versuchte, nicht an den toten Pucher zu denken, Harald war ein unterhaltsamer Geschichtenerzähler, und spätestens wenn er begann, die Storys von »Reich und Schön lassen sich zuerst ihre Zähne in Ungarn reparieren, und dann kommen sie angekrochen« zu erzählen, konnte sie für kurze Zeit ihre eigene Arbeit vergessen. Als sie gegen Mitternacht schließlich aufbrachen, hatte Anna einen kleinen Schwips und bedeutend bessere Laune als am Nachmittag. Sie liefen die ausgestorbene Währingerstraße stadteinwärts, und an der Ecke Weimarerstraße verabschiedete sich Harald mit einer langen Umarmung.

»Hey, Frau Inspektor, bleib dran. Du bist die Beste.«

Anna schlenderte noch an dem kleinen Buchladen vorbei und studierte die Auslagen. Mindestens fünf Bücher sah sie, die sie auf Anhieb gekauft hätte. Nächsten Donnerstag würde sie wieder herkommen, da hatte der Laden bis 21 Uhr offen, das war selbst für sie zu schaffen. Endlich mal wieder ein anderes Buch, nicht immer nur Pucher, Pucher und Pucher.

Anna erklomm rasch die zwei Treppen zu ihrer Wohnung und kramte in ihrer Tasche nach dem Schlüssel. Schon wieder hatte Florian vergessen, das Sicherheitsschloss abzuschließen, so ein Mist!

Sie öffnete die alte Tür. Ein Schrei entfuhr ihr, sie musste den Impuls unterdrücken, gleich wieder rückwärts aus der Wohnung zu wanken: Im Vorzimmer lag alles auf dem Boden, Jacken und Mäntel waren von der Garderobe gerissen worden, der Schuhschrank ausgeräumt. In der Küche sah es nicht viel besser aus, alle Schränke standen offen, die Fliesen waren verschmiert von irgendeinem Brei. Anna versuchte sich zu erinnern, wo sie zuletzt ihre Dienstwaffe gesehen hatte – sie hatte keine Ahnung. Sie torkelte zurück ins Treppenhaus und holte dabei ihr Handy aus der Hosentasche. Beim Eintippen der Kurzwahl für Kolonja zitterte ihre Hand so heftig, dass sie sich zweimal verwählte. Doch auch als sie endlich die richtige Nummer erwischte, läutete es ins Leere. Zehnmal. Mobilbox. »Robert Kolonja. Ich bin momentan leider nicht erreichbar. Kontaktieren Sie meine Kollegin Anna Habel unter der Nummer 0130/2218909. In dringenden Fällen wenden Sie sich bitte an den allgemeinen Notruf 122.«

Anna wählte die 122 und kam sich vor wie in einem

schlechten Film. Sie versuchte am Telefon zu erklären, wer sie war, wo sie war und warum sie unter dieser Nummer anrief. Der Beamte sprach zu ihr wie zu einem verschreckten Kind.

»Sind Sie bewaffnet, Frau Habel? Sind Sie in Begleitung? Haben Sie Geräusche aus der Wohnung gehört? Gut. Sie gehen da nicht rein. Sie gehen schön wieder runter vor das Haus und warten, bis die Kollegen vor Ort sind. Frau Habel, spielen Sie jetzt nicht die Heldin, Sie haben keine Ahnung, ob noch wer da drinnen ist.«

Anna schämte sich und war gleichzeitig froh, dass der Kollege ihr so strikte Anweisungen gab. Auch wenn sie wusste, dass sie spätestens morgen Mittag das Gesprächsthema des gesamten Präsidiums sein würde, dachte sie nicht im Traum daran, ihre Wohnung zu betreten. Vielleicht lag ihre Waffe im Schlafzimmer, oder aber vielleicht lag sie da nicht mehr, sondern in der Hand eines Verrückten, der in ihrem Wohnzimmer auf sie wartete.

Es dauerte keine fünf Minuten, bis zwei Streifenwagen vor ihr auf dem Gehsteig parkten und vier Männer rausprangen.

»Welcher Stock? Welche Tür? Wohnen Sie mit jemandem zusammen?«

»Zweiter Stock, linke Tür. Mit meinem Sohn Florian, aber der schläft heute nicht zu Hause.«

»Haben Sie Waffen in der Wohnung?«

»Ich weiß es nicht genau. Ich weiß nicht, wo meine Dienstwaffe ist.«

Anna traute sich kaum, es auszusprechen, und obwohl alle hektisch waren, bemerkte sie, wie einer der jungen Kollegen verächtlich die Augenbraue nach oben zog. Die vier stürmten die Treppe hoch und Anna hinterher. Plötzlich schien ihr der Gedanke, dass diese wichtigtuerischen jungen Machos durch ihre Wohnung trampelten, unerträglich. Niemand nahm von ihr Notiz. Mit ihren schweren nassen Stiefeln stürmten sie durch die Zimmer, Anna hinterher, und als einer der Kollegen die Decke, die unordentlich auf dem Sofa lag, hochhob, fand sie es fast schon komisch.

»Hier ist niemand. Keine Gefahr im Verzug, Frau Kollegin. Wahrscheinlich ein ganz normaler Einbruch. – Und hier ist ja auch Ihre Dienstwaffe.« Er deutete auf den Couchtisch, auf dem, halb unter Zeitungen verborgen, Annas Pistole lag. »Schließen Sie alles ab, wir versiegeln die Wohnung, und morgen jagen wir einmal die Spurensicherung durch. Soll ich Sie in ein Hotel bringen?«

»Nein danke. Es geht schon. Ich muss mal eben telefonieren, vielleicht können Sie mich gleich ein paar Häuser weiter absetzen.«

Anna wählte Haralds Nummer: Der ging nach dem ersten Klingeln ran und hörte sich nicht wirklich erstaunt an.

»Hi, hast du meinen Anruf erwartet?«

»Nein, nein. Ich kann nicht schlafen. Was gibt's denn?«

»Ich brauch ein Bett heut Nacht. Kann ich kommen?«

»Klar, kein Problem.«

»Okay, ich bin in fünf Minuten da.«

Als Anna ein paar Minuten später in Haralds Wohnung trat, überfiel sie Erleichterung. Seltsamerweise fragte Harald nicht, warum sie nicht zu Hause schlafen konnte.

Schweigend brühte er Tee auf und stellte ein paar Oliven auf den Tisch.

»Diese Schweine haben meine ganze Wohnung verwüstet, alles aus den Regalen gerissen, meine Wäsche durchwühlt, nicht einmal vor meinem Schlafzimmer haben sie haltgemacht.«

»Wer *die*?«

»Das ist doch kein Zufall. Das sind garantiert nicht die rumänischen Banden, die den 18. Bezirk heimsuchen. Da wollte mir jemand einen Denkzettel verpassen. Mir eine Warnung erteilen. Und das ist ihnen auch gelungen. Ich hab ganz schön Schiss gekriegt.«

Plötzlich konnte sie die Tränen nicht mehr zurückhalten, der Gedanke, dass jemand in ihre Privatsphäre eingedrungen war, all ihre Sachen angefasst hatte, machte sie klein und verletzlich.

»Hey, ist ja gut. Das kriegen wir wieder hin. Ich helf dir beim Aufräumen, und wir können auch die Wände neu streichen. Um die bösen Geister zu vertreiben.«

Harald war um den Tisch gekommen, hatte sich vor Anna hingehockt und seine Arme um sie geschlungen. Die ließ es zu, und je länger sie so verharrten, desto richtiger fühlte es sich an. Und als Harald seine Wange an die ihre legte, war der darauffolgende Kuss plötzlich ein logischer Schritt.

»Ich hab gar kein Gästebett, weißt du? Aber meines ist groß genug, und du bekommst eine eigene Decke.«

Anna sagte nichts. Sie stand auf, zog Harald an der Hand hoch und schob ihn sanft in Richtung Schlafzimmer. Plötzlich fühlte sie sich wieder wie ein junges Mädchen, schüchtern und unsicher, doch sie wusste, sie wollte jetzt nichts lieber als ein wenig halbwegs guten Sex, und dass sie diesen mit ihrem alten Freund Harald haben würde, vereinfachte die Sache zumindest im Augenblick. Und morgen war morgen. Sie ließen sich alle Zeit der Welt, vorsichtig erkundeten sie ihre Körper – nach kurzer Zeit hatte Anna auch nicht mehr das Bedürfnis, ihren Bauch einzuziehen oder ihre Oberschenkel zu verbergen. Alles war plötzlich selbstverständlich und normal, aber eben nicht so normal, als wäre man seit Ewigkeiten zusammen. Eine ziemlich gute Mischung, fand Anna. Und Harald wohl auch, der ließ sich mit einem wohligen Grunzen auf die Kissen fallen und murmelte so etwas wie »endlich«. Darüber wollte Anna jetzt nicht nachdenken. Sie bat Harald, den Wecker auf sechs Uhr zu stellen, und fiel in einen tiefen und Gott sei Dank traumlosen Schlaf.

24

Als sie am Morgen aufwachte, fand sie sich nur mit Mühe zurecht.

Wo war sie? Und was tat sie hier? Wie ein Blitz durchfuhr sie die Erinnerung, und das Bild ihrer verwüsteten Wohnung tat sich vor ihren Augen auf.

Harald stand bereits angezogen in der Küche und deckte den Frühstückstisch: Es gab aufgebackene Brötchen, weiche Eier und frischgepressten Orangensaft. Anna wurde leicht übel.

»Sei mir nicht bös, aber ich trink nur schnell einen Kaffee, ich muss sofort los. Kann ich mal schnell unter die Dusche?«

Harald ließ sich seinen Ärger nicht anmerken.

»Klar, frisches Handtuch hab ich dir hingelegt.«

Das warme Wasser war herrlich. Umso peinlicher, was sie danach erwartete – was war sie nur für eine Idiotin. Wie kam sie da bloß wieder raus?

Harald saß scheinbar völlig entspannt am Küchentisch und las Zeitung.

»Dein toter Dichter ist immerhin schon auf Seite fünf gewandert. Also nicht mehr höchste Priorität.«

»Was höchste Priorität hat, bestimmt noch lange nicht der *Standard*.«

Anna fauchte ihn an und bereute es im nächsten Augenblick. »Entschuldigung, ich bin wohl ein wenig angespannt.«

»Das ist dir nicht zu verdenken.«

Harald sah sie mit warmen Augen von unten her an. Am liebsten hätte er sie wohl in die Arme genommen, doch er traute sich nicht.

Anna trank ihren Espresso im Stehen, drückte Harald einen flüchtigen Kuss auf die Stirn. Mit einem gemurmelten »Lass uns am Abend telefonieren« schnappte sie sich ihre Tasche und schlüpfte in die kühle Morgenluft.

Auf dem kurzen Fußweg zu ihrer Wohnung wählte sie die Nummer von Kolonja, der nach dem ersten Klingeln am Telefon war.

»Hey, ich bin auf dem Weg zu dir. Spurensicherung kommt in zehn Minuten.«

Anna war ihm dankbar, dass er nicht auf betroffen machte, sondern genauso sachlich und nüchtern blieb wie bei jedem anderen Fall.

Es war seltsam, vor der eigenen Haustür zu stehen und zu warten. Sie wusste natürlich, dass sie nicht vor der Spurensicherung einen Tatort betreten durfte, aber der Tatort war verdammt noch mal ihre eigene Wohnung. Spuren konnte sie da wohl keine hinterlassen.

Als sie die Wohnungstür aufschloss und das Siegel brach, holte sie noch einmal tief Luft und zwang sich, nicht mit den Augen der Betroffenen, sondern mit denen der Polizistin ihren Rundgang anzutreten. Das war nicht einfach. In der Küche ging es noch. Da standen lediglich die Küchenschränke offen, eine Schublade war herausgezogen und auf den Boden geworfen worden, die beträchtliche Sammlung leerer Bier- und Weinflaschen aus der gelben Tonne gekippt. Im Wohnzimmer sah es schlimmer aus. Die Polster des Sofas waren in der Mitte aufgeschlitzt. Das Bücherregal bot einen traurigen Anblick, es sah aus, als wär es mit einer großen Bewegung geleert worden, die Bücher lagen verstreut im ganzen Zimmer herum, einige Seiten waren herausgerissen, manche Schutzumschläge lagen lose auf dem Boden. Im Badezimmer verstreute Wäsche, zahnpastaverschmierte Spiegel und Waschbecken, der Raum roch intensiv nach ihrem einzigen Parfüm, das anscheinend über den Fußboden geleert worden war.

Anna überfiel ein kurzer Schwächeanfall, und sie setzte sich auf den Badewannenrand. Da hörte sie Stimmen aus dem Eingangsbereich – Kolonja und die Kollegen von der Spurensicherung. Sie atmete tief durch, straffte die Schultern und ging ihnen entgegen.

»Guten Morgen.«

»Guten Morgen.«

Der Leiter der Spurensicherung, Peter Gerlich, ein durchtrainierter Mittfünfziger, sah Anna missbilligend an.

»Sie haben doch wohl nicht hier übernachtet?!«

»Nein, ich bin vor fünf Minuten gekommen.«

»Fünf Minuten zu früh. Sie wissen, dass Sie den Tatort nicht vor uns betreten dürfen? Haben Sie etwas berührt?«

»Sie wissen auch, dass der Tatort meine Wohnung ist? Nein, in den letzten zwölf Stunden hab ich nichts berührt. Aber wundern Sie sich nicht, wenn Sie meine Fingerabdrücke finden, ich habe in den letzten fünfzehn Jahren hier gewohnt.«

»Jetzt werden Sie mal nicht gleich zickig, wir tun auch nur unsere Arbeit.«

»Nur zu. Tun Sie sie einfach und lassen Sie mich mit Ihren Belehrungen in Ruh. Schlimm genug, dass hier ein Wahnsinniger alles zerstört hat, jetzt muss ich auch noch euch ertragen.«

»Wohnt sonst noch jemand hier?«

Gerlich hatte also beschlossen, den Hickhack mit der im Dienstgrad höherstehenden Anna zu beenden.

»Mein Sohn Florian. Er ist sechzehn. Hat bei einem Freund übernachtet.«

»Wir brauchen ihn so rasch wie möglich. Wir müssen seine Fingerabdrücke nehmen.«

»Ich ruf ihn gleich an.«

Kolonja hatte sich bis jetzt dezent im Hintergrund gehalten und trat nun einen Schritt auf Anna zu.

»Hast du schon bemerkt, ob etwas fehlt?«

»Ich glaube nicht. Allerdings gibt es kaum etwas, was zu klauen sich lohnen würde.«

»Hast du Wertgegenstände zu Hause?«

»Nicht dass ich wüsste. Kein Familiensilber, keinen Schmuck, das Notebook hab ich im Büro, das Geld auf der Bank.«

»Hast du irgendwelche Aufzeichnungen zu Hause? Notizbücher, Diktiergerät?«

»Nein, mein Notizbuch hab ich immer in meiner Tasche, alles andere im Präsidium. Vielleicht hab ich mal den einen oder anderen Gedanken auf einem Schmierzettel entwickelt, aber das kann wohl kaum der Grund für dieses Chaos sein, oder?«

»Ist in der letzten Zeit irgendjemand aus der Haft entlassen worden, der noch eine Rechnung mit dir offen hat?«

»Ich glaube nicht.«

»Sonst irgendwelche Feinde?«

»Was sind schon Feinde? Natürlich hab ich ein paar Typen in meinem Leben gesammelt, die ein bisschen sauer sind auf mich.«

»Na, das ist ja wohl mehr als ein bisschen sauer. Vielleicht ein verstoßener Liebhaber?«

Anna verdrehte die Augen und atmete hörbar aus. »He, Kolonja. Was wird das denn? Ein Verhör?«

»Jetzt sei nicht gleich so. Du bist hier nun mal das Opfer. Willst du dich selbst befragen?«

»Nein, schon gut. Du hast ja recht. Aber schau dir das an. Das ist kein normaler Einbruch. Und ich wette mit dir um mehr als ein Kantinenessen, dass das mit Xaver Pucher zusammenhängt.«

»Da wett ich nicht mit, denn das seh ich genauso. Du bist jemandem zu nahe gekommen, und der hat dir nun einen Denkzettel verpasst. Warst du schon in allen Räumen?«

»Nicht im Schlafzimmer und nicht bei Florian.«

Sie blieb hinter ihrem Kollegen und wagte kaum, den Blick zu heben, als der die Tür zu ihrem kleinen Schlafzimmer öffnete. Auch hier ein Bild der Verwüstung. Die Bettdecke lag am Boden, die Matratze war in der Mitte aufgeschlitzt. Aus Annas Schrank quoll die Wäsche, ihre Slips und BHs lagen kunstvoll drapiert über Stuhllehne und Nachttisch, und sogar am Fenstergriff baumelte ein schwarzer Body – ihr einziger mit Spitzen dran. Anna wurde es übel. Sie rutschte die Wand entlang zu Boden und blieb mit

Tränen in den Augen auf ihren Fersen hocken. Kolonja zog sie hoch.

»Komm, spar dir die Dramatik. Lass uns in Florians Zimmer schauen.«

»Diese Schweine. Diese verdammten Schweine. Die haben in meinen Sachen gewühlt, die haben alles kaputtgemacht. Hier kann ich doch nicht mehr schlafen, das kann ich doch nicht mehr anziehen.«

Anna ekelte es bei dem Gedanken, wie jemand sich daran aufgeilte, in ihrer Wäsche zu wühlen und all ihre Sachen anzufassen. Kolonja zuckte hilflos mit den Achseln. »Das zahlt doch die Versicherung«, murmelte er. Anna sagte nichts.

Als sie in Florians Zimmer gingen, war das Chaos nicht geringer. Doch nach einem kurzen prüfenden Blick atmete Anna auf.

»Hier ist nichts passiert, das ist der normale Zustand von Florians Zimmer.«

»Das gibt es nicht.«

Kolonja begutachtete ungläubig die Ansammlung dreckiger T-Shirts, Socken und Boxershorts, die scheinbar wahllos im Zimmer verstreut lagen. Besonders fasziniert war er von den unterschiedlichen Stadien des Schimmelbefalls in den Teebechern und Müslischalen.

»Unglaublich.«

»Man merkt, dass du keine Kinder hast. Ich hab es aufgegeben. Ich rede mir ein, es sei normal, und irgendwann wird es ihn selber nerven.«

»Spätestens wenn er seine erste Freundin mit nach Hause bringt.«

In der Küche war die Spurensicherung bereits fertig. Wie zu erwarten fanden sie Millionen Fingerabdrücke von Anna und ungefähr gleich viele einer anderen Person, also vermutlich von Florian. Die Tür war professionell aufgebrochen worden, es fanden sich keine fremden Haare oder sonst irgendwelche verwertbaren Spuren. Der Gedanke, dass Gerlich mit seiner Truppe jetzt gleich ihre Unterwäsche durchsuchte, machte Anna noch unglücklicher, als sie ohnehin schon war.

»Komm, wir verschwinden hier. Lass uns was frühstücken gehen, ich hatte nur Kaffee.«

Der freundliche alte Kellner im Café Wilder Mann servierte ihnen zur Melange zwei Buttersemmeln und ein weiches Ei. Wider Erwarten konnte Anna sogar etwas essen.

»Und was glaubst, wer war das? Al Kaida oder Stalins langer Schatten?«

»Wenn ich das wüsst, tät ich jetzt nicht hier sitzen und Buttersemmerl essen. Aber eines haben sie geschafft: mich gründlich zu erschrecken und mir zumindest für kurze Zeit den Boden unter den Füßen wegzuziehen.«

»Wo willst denn schlafen, bis das Chaos beseitigt ist?«

»Ich werd gleich mal Andrea anrufen, das wird schon gehen.«

»Du könntest sicher auch zwei, drei Nächte ins Hotel gehen, das zahlt der Chef bestimmt.«

»Zwei, drei Tage werden nicht reichen.«

Anna schauderte es bei dem Gedanken, dass sie keine andere Wahl hatte, als irgendwann in näherer Zukunft wieder in ihrer geschändeten Wohnung zu leben.

Nach den Buttersemmerln, dem Kaffee und einer völlig krankhaften Lust auf eine Zigarette fühlte sich Anna stark genug, ins Präsidium zu fahren. Ihr könnt mich alle mal, ich lass mich von euch nicht einschüchtern, lautete nun wieder die Devise, und Anna fühlte, wie ihre Kraft langsam zurückkehrte.

Im Büro rief sie zuerst Florian an, der etwas verunsichert klang, als sie ihm vom Einbruch in ihre Wohnung erzählte. Sie beorderte ihn ins Büro wegen der Fingerabdrücke und war froh, dass sie ihm verbieten konnte, nach Hause zu fahren. Einerseits natürlich wegen der Spurensicherung, die noch nicht abgeschlossen war, aber auch, weil sie nicht wollte, dass ihr Sohn sein Zuhause in diesem Zustand sah.

Dann rief sie im Gymnasium in der Wasagasse an und erklärte im Sekretariat kurz, was passiert war und dass Florian Habel aus der 6B heute ein wenig später kommen würde.

Der Nächste auf der Liste war Reinhard, schon seit langem nur mehr der KV, also Kindesvater, genannt. Der war nicht gerade erfreut, dass er seinen pubertierenden Sohn mindestens eine Woche bei sich aufnehmen sollte.

»Wie, eingebrochen? Bei dir? Warum denn? Hast du wieder mal nicht abgeschlossen?«

Anna hütete sich, ihm zu erzählen, dass es sich vermutlich nicht um einen normalen Einbruch handelte, schließlich hatte sie keine Lust, morgen Bilder ihrer Wohnung in der auflagenstärksten Boulevardzeitung zu sehen. Es war lange her, dass sie Reinhard für seinen Qualitätsjournalismus bewunderte, inzwischen schrieb er wie eine Nutte alles für jeden, und dabei scheute er nicht davor zurück, sie als Informationsquelle anzuzapfen oder gar ihren gemeinsamen Sohn.

Der nächste Anruf galt Andrea, und das kurze Telefonat führte ihr wieder einmal vor Augen, warum sie ihre Freundin so schätzte. Keine unnötigen Fragen, keine dummen Bemerkungen, lediglich kurzer Informationsaustausch. Sie verabredeten sich für 21 Uhr im *Achteinhalb*, einem kleinen Lokal neben Andreas Dachwohnung hinter dem Naschmarkt im Vierten Bezirk.

Nachdem Anna sich kurz in ihrem Bürostuhl zurückgelehnt und tief durchgeatmet hatte, schaltete sie ihren Computer ein und rief das Formular für einen Bericht auf. Sie versuchte ihn so sachlich wie möglich auszufüllen: Zeitpunkt und Ort des Geschehens, geschädigte Personen, entwendete Gegenstände. Doch immer wieder schob sich das Bild des verwüsteten Badezimmers und der ausgestellten Unterwäsche vor ihre Augen, weshalb sie für diesen Polizeibericht dreimal länger brauchte als sonst.

Dann kamen die E-Mails dran. Anna überflog kurz die Absender und die Betreffzeilen und schob die Mails in die Ordner, die sie nach Dringlichkeitsstufen angelegt hatte. Werbung, diverse Newsletter, eine Mail von Harald, die sie wohlweislich nicht öffnete, diverse Fragen von Journalisten, die sich über diesen Weg mehr erhofften.

Plötzlich stockte ihr der Atem. Eine Mail mit dem Absender »Xaver Pucher« befand sich in ihrem Posteingang. Die Betreffzeile lautete »Letzte Nacht«. Sie öffnete die Nachricht, und da stand in kleiner Schrift ein einziger Satz: »Das war erst der Anfang!« Blind wählte Anna die Durchwahl vom Computer-Kurti.

»Du. Kannst du mal kommen?«

»Was gibt's? Du klingst ja, als hätte sich dein PC in die Luft gesprengt.«

»Nein. Schlimmer. Ich hab eine Mail von einem Toten bekommen.«

»Wow. Ich bin unterwegs.«

Anna wusste gar nicht, dass Computer-Kurti so schnell laufen konnte; gefühlte zehn Sekunden später stand er bei ihr im Büro. Anna rückte zur Seite, er ließ sich mit einem lauten Seufzen auf ihren Schreibtischstuhl fallen und starrte für einen kurzen Moment auf die Mail.

»Cool. Du hättest es gar nicht erst aufmachen sollen.«

»Tut mir leid. War ein Reflex.«

»Schon gut. Hätte wohl jeder getan. Ich muss das Ding mitnehmen.«

»Das ganze?«

»Ja, ein paar Stunden nur. Dann bekommst du es wieder. Ich gehe davon aus, dass wir es hier nicht mit einem Dilettanten zu tun haben. Wahrscheinlich hab ich keine Chance, den wahren Verfasser zu finden, aber ich muss es wenigstens versuchen.«

»Gut. Aber beeil dich. Und lösch nichts. Da ist mein komplettes Hirn drauf.«

»Ist ja alles doppelt gesichert und auf dem Server gespeichert. Und ich verspreche dir, ich werde dir das kreative Chaos, das du hier geschaffen hast, genauso zurückgeben.«

In dem Augenblick, als der Kollege mit Annas Gerät das Büro verließ, klingelte das Telefon. Auf dem Display erschien die bekannte Nummer mit der Berliner Vorwahl. Anna hob ab.

»Hey.«

»Oh. Entschuldigen Sie. Ich glaub, ich hab mich verwählt?!«

»Nein. Du bist schon richtig. Hier spricht Anna.«

»Entschuldigung. Ich hab dich nicht erkannt. Das ›Hey‹
kam mir irgendwie zu klein vor.«

»Tja, ich bin ein wenig kleiner geworden seit gestern.«

»Was ist passiert?«

Als Anna vom Einbruch in ihre Wohnung erzählte und
davon, was alles zerstört worden war, und schließlich als
dramatischen Höhepunkt die E-Mail draufpackte, war es
ganz still am anderen Ende der Leitung.

»Bist du noch da?«

»Na, das ist ja ein Ding. Und wie geht's dir jetzt?«

Das hatte sie bis jetzt niemand gefragt, zumindest keiner
aus dem Polizeiapparat.

»Na ja. Ich fühl mich ein wenig verletzt. Entblößt. Und
obdachlos.«

»Mit denen ist nicht zu spaßen.«

»Ach. Angst hab ich keine. Die wollen mich nur einschüchtern. Wer immer die sind.«

»Wo hast du denn heute Nacht geschlafen?«

Anna war beeindruckt. Das war nicht schlecht für einen
Mann. Zuerst die Frage nach ihrer psychischen Verfassung
und dann noch so eine praktische Frage, die normalerwei-
se nur Frauen einfiel. Der Mann hatte ja Einfühlungsver-
mögen.

»Letzte Nacht hab ich bei einem alten Freund geschlafen.
Mit dem ich am Abend auch unterwegs war. Der wohnt ja
gleich ums Eck. Und heute Nacht ziehe ich zu Andrea.«

»Warum nicht zum alten Freund? Das wäre doch praktisch, wenn der in der Nähe wohnt.«

»Ich habe den Unterton gehört und werde ihn ignorieren. Was gibt es denn Neues aus Berlin?«

»Na ja, wir kommen nicht so richtig voran. Mein Kollege fühlt diesem Meyer-Kötterheinrich ordentlich auf den Zahn, aber das wird von ganz oben torpediert.«

»Tja, hier wird erst mal mein Computer zerlegt, und die Ergebnisse der Spurensicherung aus meiner Wohnung werden wohl im Laufe des Tages hier eintreffen, aber ich weiß eh jetzt schon, dass sie nichts finden werden.«

»Habt ihr was Neues zu unserer arabischen Schönheit?«

»Na ja, das Protokoll der Aussage ihres Bruders ist jetzt fertig. Und obwohl ich da eigentlich nichts finde, ist mein eifriger Kollege Kolonja davon überzeugt, den Mörder zu kennen. Oder zumindest seine Nationalität. Afghanistan, Drogen, Al Kaida, die ganze Kiste. Wenn's nach ihm ginge, würden wir einfach den gesamten libanesischen Kulturverein hopsnehmen, und einer davon wird schon Puchers Mörder sein, oder alle zusammen, wie beim *Orientexpress* von Agatha Christie. Wart kurz, ich mail dir das Protokoll durch, dann kannst du es auch gleich anschauen. Halt, ich hab ja keinen Computer mehr, ich schick es dir als Fax.«

»Gut, in fünfzehn Minuten ruf ich dich an.«

»Da bin ich schon in der Besprechung, ich meld mich nachher.«

»Wirklich?«

»Wie, wirklich?«

»Na ja, meldest du dich gleich nachher oder irgendwann nachher?«

»Herr Bernhardt, ich melde mich, wann ich es für richtig halte.« Anna schnaubte und legte einfach auf.

Im Sitzungszimmer hatte sich Hofrat Hromada schon groß an der Stirnseite des langen Tisches platziert, vor ihm lag ein schmaler Schnellhefter in knalloranger Farbe. Kolonja saß ihm gegenüber, in größtmöglicher Entfernung zu seinem Chef. Kurt Heinzl saß hinter einem beeindruckenden Becher Kaffee, und der Kollege Frische von der Sucht kritzelte eifrig auf seinen Block. Anna kam zeitgleich mit Gerlich von der Spurensicherung, dem nach einer umständlichen Einleitung seitens des Hofrates auch sogleich das Wort erteilt wurde.

»Um es gleich vorwegzunehmen, wir haben noch keine verwertbaren Spuren in Frau Habels Wohnung gefunden. Es befinden sich lediglich Fingerabdrücke des Opfers ...«, er blickte vielsagend zu Anna, »... und dessen Sohn in der Wohnung. Das eine oder andere fremde Haar konnten wir sicherstellen, aber ich glaube nicht, dass wir etwas Passendes in unserer Datenbank finden werden. Die Spurensicherung gestaltet sich etwas schwierig, weil die Wohnung auch vor dem Einbruch nicht gerade in einem – na, ich sage mal – klinisch reinen Zustand war.«

Anna dachte an ihre Flaschensammlung in der Küche, an ihr seit Tagen nicht geputztes Klo, und immer wieder schob sich das Bild ihrer Unterwäsche am Fenstergriff des Schlafzimmers vor ihre Augen.

»Was wir jedoch mit Sicherheit ausschließen können, ist ein räuberisches Motiv. Es wurde nicht nur nichts entwendet, es wurde auch nicht nach Wertgegenständen gesucht.

Der oder die Täter hatten es lediglich darauf abgesehen, möglichst viele persönliche Gegenstände des Opfers zu zerstören – Bücher, Kleidung, Bett –, und dies sehr systematisch. Die Eingangstür wurde höchst professionell aufgebrochen, das war aber auch nicht schwierig, das Sicherheitsschloss sieht zwar eindrucksvoll aus, zählt aber eher zur billigen Sorte.«

»Haben Sie Feinde, Frau Habel?«

Hromada blickte Anna erwartungsvoll an.

»Wie meinen Sie das, Herr Hofrat?«

»Na ja, irgendjemand in Ihrem Bekanntenkreis, der Ihnen etwas zurückzahlen will? Ein verflossener Liebhaber vielleicht?«

»Würdens' mich das auch fragen, wenn ich ein Mann wär?«

»Jetzt werden Sie doch nicht unsachlich, Frau Kollegin. Man wird ja noch fragen dürfen. Schließlich müssen wir jede Möglichkeit in Betracht ziehen.«

»Ich bitte Sie! Und diese E-Mail? Sie werden doch einsehen, dass das alles mit unserem aktuellen Fall zu tun hat...«

»Jetzt regen Sie sich doch nicht gleich wieder so auf! Das würde ja bedeuten, dass Sie jemandem mit Ihren Ermittlungen zu nahe gekommen wären. Doch Sie scheinen ja noch weit entfernt zu sein von allem und jedem.«

»Tja, vielleicht sind wir doch wem auf die Schuhe getreten.«

Anna erzählte noch einmal ausführlich von ihrer Begegnung mit dem Parteivorsitzenden der Kommunistischen Partei Österreichs und seiner Drohung, doch ihre Kollegen hatten dafür lediglich ein müdes Lächeln übrig.

»Das glaubst doch selber net.«

Kolonja grinste.

»Die Kommunisten schaffen's ja nicht mal, a Demo zu organisieren, wie sollen die denn an Mord begehen und dann auch noch ohne Spuren in deine Wohnung einbrechen?«

»Ich weiß ja auch nicht, ob das die richtige Spur ist. Aber es ist zur Zeit die einzige, die wir haben. Wir werden den Damen und Herren von den Kommunisten auf jeden Fall noch einmal einen Besuch abstatten.«

Während der Sitzung wurden noch mal ein paar Theorien formuliert, Kolonja ritt weiter auf seiner Al-Kaida-Theorie herum, für den Kollegen Frische ging es eindeutig um Schnee, doch was vom Kokainkonsum zum Mord geführt hätte, konnte auch er nicht plausibel erklären.

Am Nachmittag fuhr Anna noch einmal auf die Baumgartner Höhe, doch Dr. Kurz war nicht im Haus und laut seiner resoluten Oberschwester auch telefonisch nicht erreichbar. Sie versuchte ihr Glück noch bei einem Assistenzarzt, doch auch der hatte anscheinend strikte Anweisungen, und Anna kam nicht einmal in die Nähe von Leylas Zimmer. Der junge Arzt verriet Anna aber immerhin, dass der Herr Primar in einer Stunde wieder auf der Station sein würde.

Eigentlich wollte sie nicht eine Minute länger auf dem Gelände der Psychiatrie verbringen, doch andererseits konnten ihr ein paar Schritte im Grünen nur guttun. Sie trat aus dem Pavillon 16 und folgte einem schmalen Weg, der sie noch weiter ins Krankenhausgelände führte. Auf einer kleinen Anhöhe stand imposant die berühmte Otto-Wagner-Kirche, und Anna war überwältigt. Wie viele Menschen sahen dieses einzigartige Jugendstilgebäude nicht, nur weil es auf dem Areal einer sogenannten Irrenanstalt stand. Sie versuchte sich eine Zeit vorzustellen, in der so etwas möglich gewesen war. Eine Riesenkirche, errichtet von einem der berühmtesten Jugendstilarchitekten auf dem Gelände einer psychiatrischen Anstalt, also definitiv nicht für die katholisch-bürgerliche Bevölkerung, sondern für die, die quasi aus der Gesellschaft rausgefallen waren, für die Geistesgestörten. Leider war die Kirche nicht öffentlich zugänglich, und Anna versuchte durch die hohen Fenster zu spähen. Auf einem Schild standen Zeiten für Führungen, und sie nahm sich vor, bald einmal als Privatperson wiederzukommen und sich die Kirche von innen anzuschauen. Sie umrundete das Gebäude und entfernte sich noch ein Stück mehr vom Pavillon 16. Das Gelände wurde weitläufiger, ein Stück weiter oben sah sie bereits den Waldrand. Keine Menschenseele war zu sehen. Als Annas Handy klingelte, fuhr sie zusammen.

»Hier spricht Dr. Kurz. Frau Habel?«

»Ja, ich bin dran. Guten Tag, Herr Doktor.«

»Sie waren auf der Station? Sind Sie noch in der Nähe?«

»Ja, ja, ich bin hier noch ein wenig spazieren gegangen, falls ich den Weg zurück finde, kann ich in zwanzig Minuten bei Ihnen sein.«

»Ja, das wäre gut. Ich warte auf Sie unten am Empfang.«

»Gibt es neue Entwicklungen?«

»Jetzt kommen Sie erst mal her, dann sehen Sie schon.«

Anna lief den Weg zurück, knapp eine Viertelstunde später stand sie vor Pavillon 16 und schöpfte erst mal Luft. Dr. Kurz kam ihr entgegen.

»Es hat sich tatsächlich etwas getan in Sachen Leyla Namur. Sie macht seit heute Morgen einen sehr stabilen Eindruck, und sie hat sowohl mit dem Pflegepersonal als auch mit mir bereits gesprochen. Also, ich könnte verantworten, dass Sie kurz mit ihr reden, sagen wir maximal fünf Minuten.«

»Fünf Minuten? Sie ist momentan der einzige Schlüssel zum Mordfall Pucher. Was soll ich sie denn in fünf Minuten fragen?«

»Das müssen Sie sich halt gut überlegen. Seien Sie froh, wenn sie überhaupt mit Ihnen spricht, sie hat dem zwar zugestimmt, aber eine Garantie, dass sie wirklich den Mund aufmacht, ist das natürlich nicht.«

»Okay. Darf ich alleine zu ihr?«

»Ja, ich warte vor der Tür. Fünf Minuten.«

Sie waren inzwischen vor dem Krankenzimmer angelangt, und Dr. Kurz klopfte an die Tür. Er öffnete und schob Anna sacht in den Raum.

Die schöne junge Frau saß aufrecht in den Kissen und starrte aus dem Fenster. Sie wandte den Kopf nicht, als Anna näher trat, also ging diese um das Bett herum und stellte sich vor das Fenster. Instinktiv hielt sie einen großen Abstand zum Bett.

»Frau Namur, mein Name ist Anna Habel. Ich untersuche den Mordfall an Ihrem Freund Xaver.«

Leyla blickte Anna aus tränenverschleierten Augen an. Mein Gott, wie schön sie ist, dachte Anna und versuchte sich zu konzentrieren. Sie hatte noch genau vier Minuten, um die richtigen Fragen zu stellen.

»Wann haben Sie Xaver das letzte Mal gesehen?«

»Am Morgen bevor er nach Berlin gefahren ist.« Ihre tiefe Stimme passte perfekt zu ihrem ebenmäßigen Teint, die langen schwarzen Haare lagen wie gemalt über ihrer linken Schulter.

»Und ist da etwas Besonderes zwischen Ihnen beiden vorgefallen?«

»Nein, nein, es war wie immer. Ich wollte nicht, dass er fährt.«

»Warum nicht?«

»Ich wollte nie, dass er fährt.«

»Weil Sie Angst hatten, er würde nicht wiederkommen?«

»Weil ich nicht ohne ihn sein kann.«

Der letzte Satz kam so leise über ihre Lippen, dass Anna ihn kaum verstand. Tränen liefen über Leylas Wangen.

»Frau Namur. Leyla. Hatten Sie Streit mit Herrn Pucher?«

»Nein, wir haben uns nie gestritten. Man konnte mit Xaver nicht streiten.«

»Wissen Sie, ob ihn jemand bedroht hat?«

»Warum sollte ihn jemand bedrohen?«

»Tja, das würde ich gerne von Ihnen wissen. Schließlich hat ihn auch jemand umgebracht.«

Anna biss sich auf die Lippen. Das war wohl nicht der geeignete Ton, um aus einer verletzten Seele etwas rauszukriegen. Und tatsächlich driftete Leylas Blick von Anna ab und schweifte aus dem Fenster.

»Leyla. Sie müssen mit mir sprechen! Sie müssen mir alles erzählen, was Sie über Xaver wissen. Seine Freunde, seine Gewohnheiten, wir müssen alles wissen.«

»Aber nicht mehr heute.« Die Tür öffnete sich schwungvoll, und Dr. Kurz betrat den Raum. Mit wenigen Schritten war er an Leylas Bett und legte seine Hand auf ihren Kopf.

»Das reicht, Frau Inspektor. Es tut mir leid, aber mehr können wir der Patientin wirklich nicht zumuten. Sie ist völlig erschöpft. Kommen Sie in ein paar Tagen wieder.«

Grußlos ging Anna an dem Arzt vorbei und verließ auf schnellstem Weg das Gelände des Krankenhauses. Und obwohl die Befragung natürlich völlig fruchtlos gewesen war, hatte sie doch das Gefühl, Xaver Pucher ein Stück weit näher gekommen zu sein.

Als Anna kurz vor neun ins *Achteinhalb* kam, war Andrea noch nicht da. Sie setzte sich an den einzigen freien Tisch und bestellte ein Glas Rotwein, Wasser und eine kleine Vorspeisenplatte. Den Kellner Fritz kannte sie schon lange, er war ein enger Freund von Andrea, denn vor seiner Karriere in der Gastronomie hatte er als Buchhändler gearbeitet. Und über die Literaturszene war er nach wie vor bestens informiert.

»Die Frau Inspektor! Na, das ist ja nett. Bussi, Frau Doktor, wie hammas denn?«

»Na ja, war schon mal besser. Zu viel Arbeit, zu viel Schnupfen, zu viel Herbst.«

»Wissts' denn schon, wer's war, der Mörder vom Pucher? Ich sag's gleich, mögen hab ich ihn nicht, niemand mochte den, glaub ich, abgesehen von seinem Spezi Kupfer, aber gleich…« Er fuhr sich mit dem Handrücken über die Kehle. »Na ja, war ja schon ein seltsamer Typ. Irgendwie nett und freundlich, und gleichzeitig wirkte er immer arrogant.«

»Hast du eine Ahnung, wie eng Kupfer und Pucher waren?«

»Na, schwul waren sie nicht. Hatten beide gerne schöne Frauen um sich.«

»Das weiß ich auch. Aber waren sie wirklich befreundet? So eine richtige Männerfreundschaft?«

»Na, was habt ihr denn für Themen? Männerfreundschaften? Die wirklich wahren Freundschaften gibt es nur unter Frauen!« Andrea war gekommen und umarmte Anna lang und fest. Nachdem sie bei Fritz ein kleines Bier bestellt hatte, ließ sie sich laut seufzend auf den freien Stuhl fallen.

»Lass mich raten, es ging um Pucher und Kupfer?«

»Wieso weißt du das?«

»Na das war jetzt nicht schwierig.«

»Wie siehst du die Beziehung zwischen den beiden?«

»Nicht ganz auf gleicher Höhe, würde ich sagen. Obwohl, sie haben sich beide nichts geschenkt. Es herrschte ständig eine gewisse Rivalität zwischen ihnen. Wurde zwar von beiden heruntergespielt, war aber immer zu spüren.«

»Ein Mord aus Neid, könnte das sein?«

»Quatsch. Der Kupfer würde doch niemanden umbringen. Der hat nur eine große Klappe, der heult wie ein kleines Kind, wenn er eins aufs Auge kriegt.«

»Schade. Wär so einfach gewesen. Aber jetzt lass uns mal über was anderes reden!«

»Okay. Für wie lange willst du denn in meiner bescheidenen Stube hausen?«

»Wir wollten doch das Thema wechseln.«

»Ja, aber ... das tu ich doch. Ich freu mich schon aufs gemeinsame Frühstücksmüsli und einträchtiges Zähneputzen.

Und dass du es gleich weißt: Ich sitz immer lang auf dem Klo. Da les ich gerade den Briefwechsel zwischen Johnson und Unseld.«

»Auf dem Klo?«

»Genau da. Es gibt keinen besseren Ort für kleinportionierte Literatur. Das heißt, wir müssen die Klozeiten gut einteilen.«

»Ich bleib doch nur ein paar Tage. Und da kann ich auch auf dem Präsidium aufs Klo gehen.«

»Nein. Spaß beiseite. Du kannst bleiben, so lange du willst, und du kannst aufs Klo gehen, sooft du willst.«

»Es hat ein natürliches Ende, denn spätestens in einer Woche muss Florian beim KV wieder ausziehen. Und den willst du sicher nicht beherbergen.«

»Tja, da hast du leider recht. So ein stinkender Pubertierender kommt mir nicht in meine Bobowohnung.«

Anna lachte, und für die nächste Stunde vergaß sie fast, warum sie eigentlich hier war. Andrea war die perfekte Ablenkung, erzählte Anekdoten von verrückten und schrulligen Verlegern und Buchhändlern, und als sie dann gegen elf mit dem Lift in Andreas Wohnung hochfuhren, hatten sie richtig gute Laune. Andrea warf ihr Bettzeug und Handtücher aufs Sofa und verschwand im Bad.

»Ich geh schon mal vor, ich muss noch zwei, drei Briefe lesen.«

Als Anna endlich im Bett war und aus dem schrägen Dachfenster den schwarzen Himmel betrachtete, fiel ihr ein, dass sie mal wieder nicht in Berlin angerufen hatte. Sie stand noch mal auf und wühlte in ihrem Kleiderhaufen nach dem Handy. Kein Anruf, keine Nachricht auf der Mobilbox.

Fast war sie enttäuscht. »Hier nichts Neues. Bin total kaputt, melde mich morgen. Gute Nacht.« Was für eine wunderbare Erfindung sms doch war. Keine zwei Minuten später kam eine verblüffend zahme Antwort: »Schlaf schön.« Anna fiel in einen traumlosen Schlaf.

25

Es dauerte eine ganze Weile, bis Thomas Bernhardt das Handy in seiner Hosentasche klingeln hörte. Er war auf dem Weg ins Büro, kämpfte sich mit dem Auto durch den dichten Vormittagsverkehr und hatte natürlich die Freisprechanlage wieder nicht in Betrieb. Rasch fuhr er in eine Lücke zwischen zwei geparkten Autos.

»Thomas, Thomas...«

Anna Habel japste, als habe sie einen Sprint hinter sich.

»... es ist der Wahnsinn, der Wahnsinn...«

Wieso sprach sie denn jetzt, als deklamierte sie auf der Bühne des niederösterreichischen Komödienstadels?

»... wie habt ihr das denn geschafft?«

Thomas Bernhardt versuchte Annas Stimme durch den Verkehrslärm zu verstehen. Er bemühte sich, nicht in sein Handy zu schreien, gab seiner Stimme einen betont ruhigen Klang.

»Was ist denn? Willst du dich erst mal ein bisschen beruhigen?«

»Beruhigen, ja geh, du bist noch nicht mal im Büro, und hier steppt der Bär. Der Text vom Pucher, das ist der blanke Waaahnsinn. Jetzt fahr sofort in dein Büro und lies das Stück, und dann meld dich bei mir. Er gibt uns Rätsel auf, aber die werden wir schon lösen.«

Thomas Bernhardt merkte, wie sich sein Puls beschleunigte. Die Kollegen hatten tatsächlich Puchers Text dechiffriert, sie hatten jetzt eine Spur, der sie folgen konnten, die sie zum Ziel führen würde, hoffentlich.

»Jetzt hör mal auf mit Wahnsinn und all dem Kram und sprich Klartext. Was schreibt er denn?«

»Das hochmütige Bürscherl gibt uns Tipps, die wir aber noch entschlüsseln müssen.«

»Versteh ich nicht.«

»Ja, deshalb fährst du jetzt in dein Büro und liest das, und dann telefonieren wir. Und dann fällt uns schon was ein.«

Thomas Bernhardt reihte sich wieder in den dichten Verkehr. Als er in die Keithstraße einbog, klingelte das Handy erneut. Die Nummer von Katia Sulimma. Toll, riefen sie ihn endlich auch an. Er antwortete nicht und aktivierte die Mailbox.

Bernhardt nahm nicht den Fahrstuhl, sondern stieg, um sich zu beweisen, dass er in Form war, die Treppen zu seinem Büro hoch. Die Kollegen, die ihm begegneten, schauten ihn besorgt an und stellten ihm kurze Fragen. Was sollte er sagen? Logisch mischten sich jetzt alle ein. Er spürte eine Klimaveränderung. Aber bevor er sich richtig darüber klarwerden konnte, was eigentlich los war, stellte sich ihm Freudenreich in den Weg. Roter Kopf, leicht hyperventilierend.

»Komm mal mit!«

Er zog Thomas Bernhardt in sein Büro. Kaum hatte er die Tür geschlossen, legte er los.

»Es reicht jetzt, Thomas, Ende der Fahnenstange, endgültig. Wie du mit dem Meyer-Kötterheinrich umspringst ... Das geht so nicht.«

»Wieso?«

»Du stellst ihn an den Pranger, brandmarkst ihn als möglichen Mörder. Ich nenne das den Amoklauf eines Altachtundsechzigers.«

»Du spinnst doch.«

»Ich spinne nicht. Hier lies mal, was in den Zeitungen steht.«

Freudenreich griff sich einen Packen Zeitungen auf seinem Schreibtisch und knallte sie wieder auf die Platte.

Thomas Bernhardt nahm das *Berliner Tageblatt*, blätterte und las ein paar Zeilen. Die Presse hatte offensichtlich ihre Sympathie für Meyer-Kötterheinrich entdeckt. Wahrscheinlich war eine Kommunikationsagentur beauftragt worden, guten Wind für den »dynamischen Unternehmer« zu machen. Ein erfolgreicher Selfmademan wurde in den Berichten vorgestellt, ein Liebhaber der Frauen und der Künste, eigenwillig und manchmal über die Stränge schlagend, aber einer armen Stadt die nötige Wirtschaftskraft verschaffend. Berlin sei arm, aber sexy, betonte der Bürgermeister gerne – und war nicht Meyer-Kötterheinrich ein Teil dieses sexy Lebensgefühls, und ausnahmsweise noch nicht mal arm? So einer konnte doch mit den Morden an einem jungen Schriftsteller und an einem erfolgreichen Literaturagenten rein gar nichts zu tun haben, suggerierten die ungewöhnlich freundlichen und einfühlsamen Zeilen des Herausgebers.

Freudenreich hatte sich noch immer nicht beruhigt.

»Ab sofort lässt du die Finger von Meyer-Kötterheinrich.

Wenn wir mit dem Kontakt aufnehmen, was vielleicht ja gar nicht mehr notwendig ist, macht das Cellarius, der hat das nötige Fingerspitzengefühl. Du bist da raus, hast du das verstanden? Kümmere dich um diesen blöden Brief von dem Schriftsteller, da kannst du zeigen, was du draufhast.«

Bernhardt schaffte es zu schweigen. Dass sie mal Freunde gewesen waren, war für ihn in diesem Moment nicht mehr nachvollziehbar. Er ging ohne Gruß aus Freudenreichs Büro und versuchte sich auf die neue Situation einzustellen.

Schon erstaunlich, diese Einigkeit in der Presse. Wenigstens die *B.Z.* hätte doch mal ein bisschen aufmischen können. Warum schwiegen die? Hielten die mit irgendwelchen Sachen hinter dem Busch? War Geld geflossen? Thomas Bernhardt wusste, dass das anders lief. Ein Kollege aus der Abteilung Kriminalität und Bandendelikte hatte ihm einmal erzählt, wie er sich hatte reinziehen lassen und wie schwierig es gewesen war, aus der Falle, in die er getappt war, wieder herauszukommen. Ein vierwöchiger Urlaub auf einer kleinen Karibikinsel war ihm einmal vermittelt worden, durchaus nicht von dem Geschäftsmann, dem er auf der Spur gewesen war, sondern von einem Strohmann. Man hätte ihm Naivität vorwerfen können, doch es war klug eingefädelt worden: Die Kosten des Hotels würde er am Ende der Reise begleichen müssen, sie seien aber angemessen für das, was einem geboten würde, hieß es. Den Flug hatte er selbst bezahlen müssen. Und war dann irgendwann auf einem winzigen Eiland gelandet, das für die Öffentlichkeit nicht zugänglich war und auf dem nur Prominente herumliefen wie Mick Jagger oder Sharon Stone, die stillschweigend davon ausgingen, dass er selbst an irgendeinem großen Rad drehte. Zum Schluss wurde ihm eine Rechnung in die Hand gedrückt mit einer schwindelerregenden Summe, die er jedoch nicht bezahlen musste und auch gar nicht hätte bezahlen können. Zähneknirschend, so erzählte er es zumindest, ließ er sich auf den Deal ein. Wenn er nicht für Jahre pleite sein wollte, blieb ihm gar nichts anderes übrig. Mit der Rechnung war er scheinbar geschützt vor dem Vorwurf der Vorteilsnahme, alles war offensichtlich mit rechten Dingen zugegangen, und doch war er von nun an allen möglichen Formen der Erpressung ausgesetzt.

Es gab Fotos und Videos, auf denen er in verfänglichen Situationen zu erkennen war – er schüttelte Hände, die er nie und schon gar nicht auf einer kleinen karibischen Insel hätte schütteln dürfen. Mit Müh und Not hatte er sich aus der prekären Situation herauswinden können, in die er aus Leichtfertigkeit gerutscht war.

Fast war Thomas Bernhardt ein bisschen beleidigt, dass Meyer-Kötterheinrich ihn nicht diesem Härtetest ausgesetzt hatte. Auf den letzten Metern zu seinem Büro versuchte er die unangenehmen Gedanken abzuschütteln. Er straffte sich und öffnete die Tür. Katia Sulimma blickte ihn vorwurfsvoll an.

»Na, auch schon wach? Bereit für einen neuen Tag, oder soll ich vorher noch Kaffee bringen?«

»Wo ist der Text?«

»Ach, du weißt schon davon?« Katia Sulimmas Stimme wurde spitzer. »Hebst du jetzt nur mehr für Miss Marple aus Wien das Telefon ab?«

»Du hättest es ruhig ein wenig öfter probieren können. Ich steh da wie der größte Depp. Wo ist denn Cellarius?«

»Der ist zu Müller von der vereinigungsbedingten Kriminalität rüber. Die haben gestern noch mal versucht, M. K. auf die Schliche zu kommen, haben aber definitiv nichts gefunden. Jetzt probieren sie's zum letzten Mal. Alle Geschäftsabläufe sind, soweit überhaupt ersichtlich, auf perfekte Weise wasserdicht, was irgendwie besonders verdächtig ist, meinen sie. Das heißt, sie kriegen ihn nicht.«

»Und Cornelia?«

»Ist mit ihren Kleinen beim Arzt, kommt aber bald.«

Triumphierend wedelte Katia Sulimma mit einem kleinen Haufen Papier vor seinem Gesicht.

»Hier, das ist der Knaller, da bist du doch scharf drauf. Der entschlüsselte Text von Pucher.«

Bernhardt nahm die Blätter entgegen und verzog sich damit in sein Büro.

Letzter Wille

Na endlich: Zu gerne wüsste ich, wer Sie sind, lieber Lesender, liebe Lesende, wie Sie diesen kleinen Text entdeckt haben und mit welchem Erkenntnisinteresse Sie ihn jetzt studieren. Ich bin tot, Sie wissen es. Und Sie spüren hoffentlich, dass Sie an einem Spiel teilnehmen, oder sollte ich sagen: Du nimmst an einem Spiel teil? Wie schade, dass ich nie mehr erfahren werde, wer auf welchem Wege in den Besitz meines »Testaments« gekommen ist. Die Verschlüsselung, die ich mit einem simplen Computerprogramm vorgenommen habe, war nur ein (zugegebenermaßen) etwas einfältiger Spaß. Aber da wir Räuber und Gendarm spielen, mit sehr hohem Einsatz, keine Frage, ist das doch eine schöne Arabeske. Denn auch in diesem Spiel bestehe ich auf Ironie und Kunstfertigkeit, wie könnte es anders sein.

Mein Einsatz war hoch: mein Leben. Mein Ziel: ein Gesamtkunstwerk zu schaffen. Nicht im Sinne D'Annunzios, der ein bisschen Krieg geführt, ein paar Frauen verführt und dann in einem Gartenlabyrinth sein Leben zu Ende gebracht hat. Wie kleinmütig, wie armselig. Nein, ich will mein Werk mit meiner Existenz beglaubigen. Was sind schon die Wörter, modrige Pilze, die dem Autor im Munde zerfallen. Und der Leser sieht von der ursprünglichen Intention des Textes sowieso nicht mehr als einen schwachen Abglanz. Dem Textkörper (ein ziemlich blödes Wort aus der hirnvergiftenden Atmosphäre irgendeines germanistischen Seminars) muss der wahre, wirkliche Körper hinzugesellt werden, der leiden kann, der sich einer tödlichen Attacke bewusst aussetzt und lustvoll untergeht. Dieses Fronterlebnis gibt es heute nicht mehr, nicht in Afghanistan, nicht im Irak, wo der volltechnisierte Soldat mit seinen Infrarot-Sichtgeräten, seinen GPS-Sendern den Menschen als Roboter schon vorwegnimmt. Verdun und Stalingrad waren die letzten Orte, wo ein großer Tod möglich war.

Wir Nachgeborenen können diesen großen Tod nur noch simulieren. Sehen Sie also meinen Tod als eine Aktion, in der alle Widersprüche und Wahrheiten unserer Gegenwart aufgehoben sind (und zwar im Hegelschen Sinne). Immer schon wollte ich Freuds Theorie vom Todestrieb auf den Grund gehen, schon lange versuche ich eine Antwort auf Büchners Frage zu finden, was in uns lügt, hurt, stiehlt und mordet. Deshalb dieses Experiment am eigenen Leibe. *Verstiegen, vermessen, narzisstisch, verblendet, eitel* – diese Worte fallen Ihnen jetzt ein. Ich widerspreche nicht. Das Einzige, was mich schmerzt, ist, dass ich keine Tragödie schaffen kann, sondern nur eine Tragikomödie, eine schreckliche Travestie des Schreckens. Aber ist das nicht die Wahrheit der Moderne?

Spüren Sie nicht selbst in dunklen Stunden Überdruss, Übermut, ennui, Lust am Risiko, Hass auf eine Gesellschaft, die nur Hässlichkeit und Hassenswertes produziert, Hang zum spektakulären Suizid? Ist es nicht auch Ihr tiefster Wunsch, aus einer ironischen und zynischen Existenz herauszukommen (wie Thomas Mann schon sagte: Ironie ist nicht das geeignete Mittel, seine Existenz zu sichern). Wobei mir klar ist, dass meine ganze Aktion zutiefst ironisch ist. Aber sie ist auch mehr: Sie ist ein Akt der Aggression, eine Attacke gegen die gesellschaftliche und politische Realität, eine ins Ästhetische gewandte Rebellion. Der Dandy und Spieler Pucher enthüllt das wahre Gesicht einer Epoche. Aber keineswegs will ich einem Einzelnen oder gar der Menschheit die Augen öffnen. Oh, nein! Meine Hauptantriebskraft ist, ich spreche es aus: der Größenwahn und die Lust am eigenen Untergang. Hiermit beende ich meine Selbstanalyse, die den Leser, sei er nun mein Mörder oder der Verfolger meines Mörders, wohl nicht sonderlich interessiert.

Nun denken Sie bitte auch nicht, ich sei ein simpler Selbstmörder. Zu meinem Spiel gehört, dass für mich eine reelle Chance des Überlebens besteht. Es hätte mir auch gefallen, meine Aufzeichnungen am Ende aus dem Schließfach im Berliner Hauptbahnhof zu holen und sie –

ein gutgefülltes Glas mit 1959er Château Margaux in der Hand – einem prasselnden Kaminfeuer anzuvertrauen. Nun ist meine Inszenierung – leider oder glücklicherweise, ich kann es nicht mehr entscheiden – einer Logik gefolgt, die meinen Tod einschließt.

Ob es wohl ein Paradies für Schriftsteller gibt? Ob ich dort wohl Zutritt hätte? Im Elysium mit Marcel Proust – das wäre schön. Aber ob er mich akzeptieren würde? Oder mit Jean Paul Bier trinken und über seinen Titan sprechen. Wie würde es mit Schriftstellerinnen aussehen? George Sand, Katherine Mansfield, Virginia Woolf wären nicht unbedingt mein Fall, eher Djuna Barnes oder Dorothy Parker. Wären auch Philosophen da? Heidegger? Mit Benn würde ich mich gut verstehen, Pilsliebhaber und Freund einer klaren Linie Kokain, zumindest in dieser Hinsicht wären wir uns nahe. »Den Ich-Zerfall, den süßen, tiefersehnten, / Den gibst Du mir: schon ist die Kehle rauh, / Schon ist der fremde Klang an unerwähnten / Gebilden meines Ichs am Unterbau.« Unter uns: Der Arzt für venerische Krankheiten war auch nicht immer in Bestform. Bevor ich vielleicht wirklich in den Schriftstellerhimmel auffahre, gebe ich noch eine Weisheit von einem der größten Verwirrspieler in Sachen eigenes Ich preis: »Wer immer es ist, den ihr sucht, ich bin es nicht.« Hat Brecht, einer der großen Diebe der Weltliteratur, natürlich wieder mal geklaut bei Rimbaud.

Nun, liebe Leser, liebe Lesende, das Spiel auf Erden geht jedenfalls erst einmal weiter. Ich setze Sie auf verschiedene Spuren, und wenn Sie die teilweise divergierenden Indizien und Sachmitteilungen richtig verstehen *und einordnen können, wird Ihnen ein Licht aufgehen. Immer daran denken: Ich bin die Lüge, die die Wahrheit spricht.*

Im Übrigen gebe ich gerne zu, dass ich durchaus rachsüchtig bin. Mein Mörder soll gefasst werden. Insofern wäre es natürlich schön, irgendein Kommissar irgendeiner Mordkommission würde das hier jetzt lesen.

Kommen wir also zu den Menschen, die mich bewegt haben und die ich bewegt habe, ob sie wollten oder nicht. Da ist zunächst einmal Miriam, der ich den Schlüssel fürs Schließfach anvertraut habe, eine Kopie des Schlüssels habe ich Philip-Peter Weber gegeben. Beide habe ich im Glauben gelassen, dass niemand sonst den Schlüssel besäße. Und ich habe fest darauf gesetzt, dass beide, zumindest solange ich lebe, nicht zum Schließfach laufen.

Zu Miriam, der Verräterin. Was hat mich an ihr interessiert? Wahrscheinlich nur ihre Schönheit. Ich umgebe mich gerne mit schönen Dingen. Sie war ein schönes belebtes Ding, das mein Leben als angenehm anzuschauendes Ornament bereicherte. Ihr Lachen gefiel mir, ihr perfekter Körper, ihre glatte, duftende Haut. Was sie von mir wollte? Erfolg, in dem sie sich sonnen konnte, und Geld. Und da sie dumm ist, ist sie dann zu Meyer-Kötterheinrich übergelaufen. Ein Weibchen, das den Oberpavian sucht.

Philip-Peter Weber hingegen ist ein anderes Kaliber, geldgeil und durchsetzungsfähig. Für mich als Schriftsteller absolut der Richtige. Seine Kampagne für mein Afghanistan-Buch war wirklich nicht durch Dezenz gekennzeichnet. Seine Beziehungen ins Ausland sind sehr gut, er hat mich in den USA, wo deutschen Schriftstellern der Ruf unendlicher Mittelmäßigkeit und Langweiligkeit wie eine Pest anhängt, wirklich gut platziert. Und für das neue Buch hat er dort mit einem der besten Agenten einen Vertrag abgeschlossen. Die Eroberung des amerikanischen Markts, das war unser gemeinsamer Traum. Das wird er jetzt allein schaffen müssen. Allerdings ist man als Toter auf Abruf misstrauisch. Ohne ihn zu informieren, habe ich deshalb von Leyla eine englische Fassung meines Romans anfertigen lassen und an eine andere amerikanische Literaturagentur geschickt. Am Computer macht man schließlich auch eine Sicherheitskopie.

Leyla, die Frau mit der goldenen Haut und dem Geruch nach Zimt – in sie bin ich immer noch verliebt, soweit das einem Narzissten möglich ist. Ihr habe ich lange Zeit vertraut. Ob das ein Fehler war? Auch sie ist mir davongelaufen. Eines Tages hat sie mich angeschaut mit ihren feucht schwimmenden dunklen Augen und hat ganz ernst gesagt: »Du lebst in einer eigenen Galaxie. Wenn man dich berührt, berührt man nur einen Schemen, einen Geist. Manchmal denke ich, du bist gar nicht von dieser Welt.« Ich habe das weggelacht, obwohl ich wusste, dass sie recht hatte, auf ihre Art. Was sie nicht wusste, ist, dass ich diesen Abstand brauche, weil mir zu viel Nähe, selbst von den schönsten Frauen, unerträglich ist.

Seltsam verwirrend, wenn man als Lebender einen Text schreibt, in dem man von seinem bereits stattgefundenen Tod ausgeht. Das Tempus stimmt irgendwie nicht. Aber das hat mir immer gefallen, wenn der Boden schwankt. Vielleicht kommt ja alles anders, der Château Margaux liegt in meinem Weinkeller. Vielleicht hätte ich Leyla doch überreden können, ihn mit mir zu trinken?

Es ist noch nicht so lange her, dass sie zu Kupfer übergelaufen ist, meinem Freund. Meinem Freund? Das ist zu viel gesagt. Ich brauche eben auch mal robustere Naturen um mich herum. Schon in der Schule habe ich mir immer größere Freunde ausgesucht, die sich für mich schlagen und mich beschützen konnten. So einer ist Kupfer, ein grober Typ, ein großes Maul, ein großer Säufer, für seine paarunddreißig Jahre schon ganz schön aufgeschwemmt. Wie er aussieht, so schreibt er auch. Rempelnd, pöbelnd, beleidigend, aber alles auf sehr unterhaltsame Art. Eine Komplementärfigur zu mir, deshalb gefiel er mir von Anfang an so gut, und deshalb sind wir als Paar im Literaturbetrieb auch so gut rübergekommen: Pat und Patachon, Dick und Doof.

Ein guter Freund, ein guter Verräter. In einer seiner boshaften Glossen standen einmal unvermittelt zwei Sätze aus einem Manuskript von mir. Ob Leyla ihn in meinen Manuskripten hat lesen lassen? Ob sie wie ein kleines Trüffelschwein ein paar Sätze aus einem längeren Text ausgegraben und dem guten Kupfer übermittelt hat? Ich habe keinen der beiden je darauf angesprochen. Auch nicht auf ein Vorkommnis, das sich in scharf umrissenen Bildern in mein Gedächtnis eingebrannt hat. Kupfer mit heruntergelassenen Hosen, der seinen unsäglich weißen teigigen Hintern rhythmisch vor und zurück bewegt, unter ihm die leise stöhnende Leyla, meine kleine, zarte

Leyla. Ich verspürte seltsamerweise keinen Zorn, eher das Gefühl, ich müsste sie beschützen. Leise, sehr leise bin ich hinausgeschlichen. Im Bräunerhof habe ich dann mehrere Stunden lang Zeitung gelesen, bis ich mich halbwegs beruhigt hatte.

Ein paar Tage später teilte Leyla mir mit, dass sie jetzt mit Kupfer zusammen sei, der sei einfach lebendiger als ich. Du meinst, er kann besser vögeln als ich, konnte ich mir dann doch nicht verkneifen anzumerken. Nein, darum gehe es wirklich nicht, und im Übrigen wolle sie mir noch sagen, dass es ihr wirklich leid tue, dass ich Kupfer und sie ertappt hätte, aber zumindest hätte ich dadurch Bescheid gewusst. In diesem Augenblick bedauerte ich es wirklich sehr, dass ich es nicht über mich bringe, eine Frau zu schlagen. Ich sagte nur, es genüge mir, wenn sie meine Manuskripte nicht weitergebe. Sie drehte sich um und ging.

Leyla ist also zu Kupfer übergelaufen, Miriam zu Meyer-Kötterheinrich. Und der ist ein besonders harter Brocken, ein Mann mit Killerinstinkt. Da er in vielen Firmen mitmischt und eine Vielzahl von Sub-Sub-Sub-firmen gegründet hat, ist seine wirtschaftliche Macht nicht zu unterschätzen. Vom Zoni hat er's zum Peepshow-Besitzer und schließlich zum global player gebracht. Das hat mich fasziniert, und als er einen klugen Kopf brauchte, der ihn bei seinem Ziel, der deutsche Berlusconi zu werden, unterstützte, konnte ich nicht nein sagen. Welch eine Komödie, unsere Zehn Gebote! Welch ein wunderbares Spiel, einen Parteiapparat zu manipulieren und in den Griff zu bekommen! Geld ist dabei

nützlich, aber Geld allein reicht nicht, man muss überzeugen, man muss kleine Trupps einschleusen, die »be-
freite« Gebiete schaffen und den Gegner entwaffnen.
Guerilla-Kampf, Vietcong-Taktik. Das hat mich fasziniert, da wollte ich dabei sein. Die Sprengkraft dieser Aktion war mir sofort klar. Eine neue Realität würde geschaffen werden, die ich dann nach einer gewissen Zeit in
Fiktionalität überführen könnte. Das alte Spiel von Realität und Fiktion wollte ich auf der ganz großen Orgel
spielen. Xaver Pucher, der große Manipulator.

Mir ist klar, dass ich mit der Zeit einem gefährlichen
Größenwahn verfallen bin. Mir fehlt die Skrupellosigkeit
von M.K., sein absoluter Durchsetzungswille, seine Fä-
higkeit, jeden opfern zu können. Zu spät habe ich erkannt, dass er mir haushoch überlegen ist. Vom ver-
meintlichen Spieler wurde ich zum Spielball. M.K. wollte
mich nicht mehr, als er meine Absichten durchschaut
hatte. Intuitiv hatte er erkannt, dass ich über sein großes
Spiel schreiben wollte, dass ich nicht auf Geld aus war,
wie ich ihm weisgemacht hatte, sondern auf ästhetischen
Gewinn. Mein Ziel, die große Menschliche Komödie unserer Zeit zu schaffen, alarmierte ihn. »Dich schalte ich
ab«, hat er mir vor kurzem kaltlächelnd mitgeteilt. Auf
meine Frage, wie er das machen wolle, reagierte er mit
Verachtung. »Du wirst nicht vor die U-Bahn gestoßen,
du wirst von der pay roll gestrichen. Deine Kolumne
im Standard ist schon storniert, denn Österreich gehört
auch zu meinem Einflussbereich. Du weißt besser als alle
anderen, in wie vielen Verlagen mein Geld steckt und
meine Leute aktiv sind. Du bist naiv, und deshalb bist

du gefährlich, aber deinen Giftzahn werde ich dir schon ziehen, natürlich mit örtlicher Betäubung.«

Das beunruhigte mich. Ich erwachte aus meinen narzisstischen Träumen und begriff: Das Manuskript muss gerettet werden. Und das ging nur, wenn es in der Öffentlichkeit bekannt war, wenn erste Textauszüge kursierten, wenn spekuliert wurde über den Inhalt, über die möglichen Skandale, die zu erwarten waren. Deshalb sollten die Jungs von den allgemeinen Sonntagszeitungen und von den sensationsgierigen Feuilletons bei Philip-Peter Weber antanzen. Von mir war doch mehr zu erwarten als die Mitteilung, dass Homer ein assyrischer Schreiber in Kilikien an der Südküste Kleinasiens gewesen sei und dass dort und nicht in Troja die Orte der Ilias lägen. Der Herausgeber, der diese Homer-Story als die Sensation des Jahres in seinem Feuilleton aufgeblasen hatte, hat nach dem Köder geschnappt. Mit seiner Anmaßung, mindestens einmal im Jahr den Weltgeist tapsen zu hören, ist er durch niemanden zu ersetzen. Er ist unser Mann!

Es gibt ein paar Orte, wo ich Kopien meines Romans versteckt habe. Irgendwann wird ein Exemplar auftauchen, dafür habe ich gesorgt. Wahrscheinlich ist es meine Eitelkeit, die mich weiterspielen lässt. Und dieses Spiel gehört eben zu meinem Werk. Nicht nur das Werk, auch der Autor muss einen Nimbus haben. Letztlich gewinnt das Werk seine volle Bedeutung erst, wenn vom Autor ein Geheimnis ausströmt. Man stelle sich vor, Kafka wäre klein, dick und glatzköpfig gewesen und hätte in Osnabrück mit einer kleinen, dicken Frau und ein paar Kindern gelebt. Sie verstehen.

Ich habe mein Spiel verloren, auf kunstvolle Weise, wie ich es wollte. Und dennoch bleibt etwas von mir, mein Roman, der eine Welt zeigt, wie sie sich nur wenige vorstellen können. Ich setze darauf, dass Miriam den Schlüssel fürs Schließfach, den ich ihr gegeben habe, nicht M. K. übergibt, sondern den Leuten, die sich mit dem Mord an meiner Person befassen.

Falls dem so ist: Liebe Unbekannte, lieber Unbekannter, die Sie das nun gelesen haben, folgen Sie den Spuren, die ich gelegt habe! Sie werden schließlich an einen Ort gelangen, wo viele Stimmen aus vielen Ländern sich vermischen, wo die Hohenpriester des Worts ihre heiligen Messen halten.

Und falls diese Zeilen doch in die Hände von M. K. gefallen sein sollten, sage ich nur: alles Schlechte.

Xaver Pucher

Schnell und zunehmend gespannt hatte Thomas Bernhardt an seinem Schreibtisch Puchers Verfügung letzter Hand, wie er den nachgelassenen Text für sich nannte, gelesen. Er konnte eine gewisse Bewunderung nicht unterdrücken. Die Mischung aus Eitelkeit, Nonchalance, Wagemut, Spiellust, Bosheit, Angst und Todesverachtung faszinierte ihn. Zugleich ärgerte es ihn, wie Pucher sie auch noch nach seinem Tode an der Nase herumführte. Die Lüge, die die Wahrheit spricht, wer hatte das gesagt? Er spürte eine grimmige Lust, Pucher auf die Spur zu kommen und damit auch dessen Mörder. Sie würden diesen verkleideten und verspiegelten Text durchforsten, bis aus ihm die Wahrheit sprach.

Nachdem er den letzten Satz gelesen hatte, klingelte wie

auf Bestellung das Telefon. Er kippte seinen Stuhl nach hinten, legte seine Füße auf den Schreibtisch und blickte aus dem Fenster. Die Blätter der Linden waren schon gelblich, eine blasse, herbstmüde Sonne schickte ein paar schwächliche Strahlen ins Zimmer. Komm, heilige Melancholie, komm nun, Berliner Winter, o komm, meine Wiener Kollegin Anna Habel. Er nahm den Hörer ab, und Anna ging ohne jede Vorrede aufs Ganze.

»Also, ich hab das jetzt ein paarmal gelesen. Letztlich ist das doch einfach zu durchschauen. Wie oft hast du's denn gelesen?«

»Einmal. Aber vielleicht sagst du mir einfach, was er uns mitteilen will.«

»Na gut, aber es wäre mir lieb, wenn du's auch noch ein paarmal lesen würdest. Vielleicht hab ich auch ein paar Fußangeln übersehen – bei dem Bürscherl weiß man nie.«

»Du bringst mich völlig aus dem Konzept. Also, wenn du den Schluss liest, ist doch klar, dass er uns auf Meyer-Kötterheinrich lenken will.«

»Ja, aber wenn er so schlau ist, wie du immer wieder betonst, dann will er uns vielleicht gerade mit diesem deutlichen, beziehungsweise überdeutlichen Hinweis eine Falle stellen.«

»Nein, da irrst du dich. Genau das kalkuliert er ein, dass wir denken, er trägt in Sachen Meyer-Kötterheinrich zu dick auf. Ich sag's dir: M. K. hat ihn auf dem Gewissen.«

»Und Leyla und Kupfer?«

»Kann ich mir nicht vorstellen.«

»Was soll das denn nun wieder heißen? Geht es denn nach deiner Vorstellungskraft? Leyla hat die englische Fassung hergestellt. Hat die schon jemand nach Amerika verkauft und wenn ja, wer? Pucher? Mit Hilfe von Leyla und/oder Kupfer?«

»Wie läuft das denn überhaupt? Du kennst dich doch im Literaturbetrieb angeblich so gut aus. Da hat er doch seinen Agenten Philip-Peter Weber übers Ohr gehauen, oder nicht?«

Kurzes Schweigen am anderen Ende der Leitung. In Wien schmollte man.

»Ja, du hast recht. Ich kümmere mich darum. Eins ist jedenfalls klar –«

Katia Sulimma riss die Tür auf und machte Bernhardt ein Zeichen: »Los, komm sofort!« Er unterbrach Anna, er müsse jetzt aufhören, ignorierte ihren Redeschwall, knallte den Hörer hin und lief zu Katia ins Vorzimmer.

»Was denn?«

»Miriam Schröder.«

Bernhardt merkte, wie sein Herzschlag sich verlangsamte und dann nach einem kurzen Stillstand stolpernd immer schneller wurde. Gleichzeitig spürte er einen Schlag im Magen. Er hatte einen Fehler gemacht, er hatte sie nicht beschützt. Bis vor wenigen Minuten war ihm nicht klar gewesen, dass sich Miriam tatsächlich in Gefahr befand. Das war das Schlimme an seinem Job: Er war immer erst dann gefragt, wenn es zu spät war. Er konnte nur aufräumen. Wenn's hochkam.

In der Hufelandstraße das übliche Bild. Absperrbänder, ein Notarztwagen, ein paar Gaffer und auch schon ein Fernsehteam. Unter einem weißen Tuch die Leiche. Der Notarzt kam ihm entgegen und zuckte die Achseln: War nichts mehr zu machen. Thomas Bernhardt bat einen Polizisten, das Tuch zurückzuschlagen. Das schöne Gesicht von Miriam Schröder war verzerrt, es schien, als hätte sich ein dunkler Schatten der Angst über ihr Antlitz gelegt. Das Blut, das ihr aus Mund, Nase und Ohren geflossen war, war schon verkrustet.

Nie würde sich Thomas Bernhardt an solch einen Anblick gewöhnen können. Und auch diesmal reagierte er wie immer in solchen Augenblicken: Er blieb ganz kalt und hätte doch weinen können. Er hatte immer noch nicht begriffen, woher diese Ambivalenz rührte. Wahrscheinlich eine Art Selbstschutz, sagte er sich. In der Wohnung das übliche Gewusel. Cellarius war in der Nähe gewesen und vor ihm angekommen.

»Sie hat sich umgebracht, sie hat sich aus dem Fenster gestürzt.«

»Mein Gott, wir hätten auf sie aufpassen müssen!«

»Auf dem Anrufbeantworter ist eine Drohung.«

»Von wem? Und woher kam der Anruf? Habt ihr die Nummer schon überprüft?«

»Das genau ist das Problem. Es ist eine computergenerierte Stimme, also keine menschliche Stimme, verstehst du?«

»Ja, klar. Aber man kann doch feststellen, wo die herkam.«

»Eben nicht. Die Stimme ist durch eine Unmenge von Systemen gelaufen, wurde immer mehr digital verfremdet und verschmutzt und dann von einem Auftragsdienst auf den Britischen Jungferninseln zum Telefon der Toten geschickt. Wer das alles veranlasst hat, finden wir nicht heraus, das kann ich dir jetzt schon sagen. Der digitale Weltraum ist unergründlich.«

In der Wohnung machten sich die Kollegen von der Spurensicherung zu schaffen. Thomas Bernhardt fragte Fröhlich, ob es irgendetwas Auffälliges gäbe. Der wackelte mit dem Kopf. Einerseits scheine es sich wirklich um Freitod zu handeln. Mehrere Zeugen hätten ausgesagt, dass Miriam Schröder minutenlang alleine auf der Fensterbank gesessen habe, die Beine nach außen, als wolle sie sich sonnen. Dann habe sie wirre Schreie ausgestoßen, die wie Flüche und Verwünschungen geklungen hätten, und sich plötzlich abgestoßen. Andererseits gebe es schon zwei seltsame Aspekte. Auf dem Anrufbeantworter sei eine Art Drohung: Wenn sie nicht sofort das Manuskript rausrücke, werde sie sich wundern.

»Und jetzt zeig ich dir noch was.«

Fröhlich zog Bernhardt in das Zimmer nebenan, wo ein schwarzes Häufchen mitten auf dem Parkettboden zu sehen war. Bernhardt begriff es gleich.

»Papier?«

»Genau. Sie hat das leider sehr gründlich und gut gemacht. So wie ich das einschätze, werden wir nichts mehr entziffern können. Vielleicht ein, zwei Wörter, mehr nicht. Tut mir leid. Aber geh mal zu der Alten nebenan, Pulsowieso, die hat irgendwas zu erzählen.«

Das Gefühl der Niedergeschlagenheit, das Bernhardt draußen gespürt hatte, wandelte sich in hell flammende und gleichzeitig eiskalte Wut, wie schon so oft im Verlauf dieses Falls. Doch diesmal würde sie nicht wieder abflauen, diesmal würde sie ihn verlässlich begleiten. Auch wenn es schwer war, er würde die Verantwortlichen für die drei Morde finden, denn egal, was die anderen sagten, ihm war klar: Miriam Schröder war ermordet worden.

Die Tür zu Frau Pulczinskys Wohnung stand offen. Die Alte saß im Flur auf einem Stuhl. Ihr Kopf wackelte, die dünnen, grauen Haare hingen ihr wirr ins Gesicht. Sie sah aus wie ein uralter Vogel, der aus seinem Nest gefallen war. Mit ihrer brüchigen Greisinnenstimme jammerte sie in einem unverständlichen Singsang vor sich hin. Eine junge Polizistin kniete vor ihr, redete beruhigend auf sie ein und streichelte ihr die Hände.

Thomas Bernhardt räusperte sich und sprach die Alte mehrmals an. Sie beruhigte sich tatsächlich, das Schluchzen und Brabbeln wurde weniger und hörte schließlich ganz auf. Die Polizistin stand auf, trat ein paar Schritte zur Seite und lehnte sich an die Wand. Bernhardt kniete vor Frau Pulczinsky nieder, nahm ihre Hände in seine und schaute in ihre alten entzündeten Augen, aus denen die Tränen liefen.

»Frau Pulczinsky, verstehen Sie mich? Den kriegen wir, der das zu verantworten hat. Der wird das bereuen.«

Ihre Reaktion überraschte und erschütterte ihn. Ihre Stimme war ruhig, ein bisschen nur zitterte sie. Und sie klang unendlich traurig, als sammelte sich in ihr die Essenz eines ganzen Lebens.

»Det bringt nischt, det bringt nischt. Meen janzet Leben lang hab ick jekämpft, ick hab mir nischt untakriejn lassn, die Bomben, der Hunga, der Mann vom Krieg kaputt un bald doot, ick weeß kaum noch sein Namen, nur dass er am Sonntag so jern jetanzt hat, un der Sohn, Unfall aufm Bau un doot, ick hab imma weitajemacht. Un dann kam doch der Westen, un et jab endlich richt'jen Kaffe, war doch jut. Ick dachte, jetzt hab ick meene Ruhe, bis se mir in die Jrube lejn. Un dann det Meechen, det Meechen war so'n Sonnenschein. Hat's ooch nich einfach jehabt, die Männer un der Beruf un allet. Aber war so jut, war so jut zu mir. Ick will nich mehr, ick will nich mehr, et is vorbei. Ick hätt's nich machen sollen.«

»Was hätten Sie nicht machen sollen, Frau Pulczinsky?«

»Ick hätte det Päckchen nich vasteckn dürfen. Aber et war ihr so wichtig. Un dann holtse et heute und zetert rum un schreit un heult, un dann machtse Feuer, un ick hole die Polizei…«

Die Polizistin nickte.

»… un et is zu spät.«

Thomas Bernhardt nahm sie in seinen Arm, strich ihr über die armseligen Haare, roch ihren trockenen Alte-Leute-Geruch, murmelte Trostworte, ließ sie irgendwann los, beauftragte die junge Polizistin, jemanden zu finden, der auf die alte Frau aufpassen könnte, und ging.

26

Zwei Stunden später saß er in seinem Zimmer und brütete vor sich hin. Katia Sulimma hatte nichts gesagt, als er wortlos an ihr vorbeigegangen war. Sie kannte das. Als später Cellarius aus der Abteilung für vereinigungsbedingte Kriminalität zurückkam, machte sie ihm ein Zeichen und legte einen Finger auf ihren roten Kirschmund. Sie warteten und sprachen nicht. Thomas Bernhardt starrte aus dem Fenster. In seinem Kopf drehten sich die Bilder des Tages, doch nach einiger Zeit verschwanden sie, und sein Gehirn wurde leer und aufnahmebereit für das, was jetzt zu tun war.

Er griff zum Hörer und wählte die Nummer von Anna Habel. Und die war ziemlich aufgebracht.

»Warum dauert das denn so lang, bis du dich meldest? Der Pucher hat uns doch praktisch eine Gebrauchsanleitung für die Jagd nach dem Mörder hinterlassen.«

»Darf ich auch mal was sagen?«

»Ich bitte darum.«

»Miriam Schröder ist tot.«

»Nein! Um Gottes willen, hört das denn nie auf? Wie ist das passiert?«

»Sie hat sich umgebracht. Einen Sprung aus dem vierten Stock überlebt man nicht. Und vorher hat sie einen Packen Papier verbrannt, dreimal darfst du raten, was das war.«

»Puchers Manuskript. Scheiße. Ist sie wirklich gesprungen?«

»Keinerlei Zeichen von Fremdeinwirkung. Zumindest hat sie keiner physisch gestoßen. Eher psychisch.«

»Schrecklich. Aber es wird doch immer klarer. Alles deutet auf diesen M. K. hin. Dem geht's doch an die Eier... Der hat eure kommunistischen Milliarden verschoben und gewaschen, auch wenn wir nicht genau wissen, auf welchem Wege. Und das steht alles in Puchers Buch. Und deshalb ist M. K. hinter dem Manuskript her.«

»Und hat er's im Zug gefunden? Wohl kaum, oder? Wenn er's nämlich gefunden hätte, wäre Philip-Peter Webers Tod nicht mehr notwendig gewesen.«

Kurzes Schweigen am anderen Ende der Leitung, ein paar Schnaufer, ein Nieser, Naseschnauben.

»Entschuldigung, ich bin immer noch erkältet. Ja, da hast du sicher recht. Manchmal denke ich, die Morde passen nicht so recht zusammen.«

»Und warum?«

»Kann ich schwer erklären. Egal, es geht jedenfalls um dieses blöde Manuskript, an das wir einfach nicht rankommen. Warum hat es die Schröder denn verbrannt?«

»Ich denke, das hat mehrere Gründe. Sie hatte ein schlechtes Gewissen gegenüber ihrem getöteten Geliebten Pucher, den sie betrogen und verraten hatte und den sie nicht noch einmal verraten wollte, weder an die Polizei noch an M. K. Deshalb gibt sie das Manuskript der alten Pulczinsky. Schiebt sozusagen alle Verantwortung von sich, eine

Art Vogel-Strauß-Politik. Nach dem Motto: Ich hab das Ding nicht mehr, also kann ich nichts falsch machen, und vor allem, ich kann nicht mehr unter Druck gesetzt werden. Trotzdem hat sie Angst, und zwar vor M. K., der weiterhin auf der Jagd nach dem Manuskript ist. Sie kriegt Drohanrufe, die Angst steigert sich zur Panik, sie holt das Manuskript zurück und verbrennt es. Aber das bringt keine Befreiung, und so springt sie ...«

» ... in den Tod. Glaubst du denn, dass es wirklich Selbstmord war?«

»Alles deutet darauf hin. Es gab einfach zu viele Augenzeugen, die sie in den Minuten vor dem Sprung aus den gegenüberliegenden Fenstern und von der Straße aus beobachtet haben. Es hat sie niemand gestoßen, das bestätigen alle.«

»Hm. Und lässt sich denn noch irgendetwas rekonstruieren aus den Brandresten?«

»Wahrscheinlich nicht. Sie hat das alles sorgfältig zerrissen und dann gründlich verbrannt, einen Teil im Klo weggespült, einen Teil aus dem Fenster geworfen, ein paar Reste waren im Zimmer verstreut. Aus dem bisschen, was wir haben, können wir wahrscheinlich keinen zusammenhängenden Sinn herstellen.«

»Verdammt, wie kommen wir endlich an das Manuskript? Die englische Version, die Leyla hergestellt hat, wo mag die sein? Bei einem amerikanischen Verlag, schreibt Pucher. Aber bei welchem? Vielleicht steckt die auch noch in Leylas Computer? Ich versuch das rauszukriegen. Auf jeden Fall, lieber Thomas, gehen wir gemeinsam auf Dienstreise.«

»Ach, und wohin?«

»Nach Frankfurt, zur Buchmesse. Pass auf, jetzt wirst du gleich mit den Ohren schlackern. Ich hab im Internet gerade das Programm der Buchmesse studiert. Und wer tritt dort auf in einem Forum des *Spiegel* und diskutiert dort mit Politikern und Publizisten über seine und Puchers *Zehn Gebote für eine vernünftige Politik,* die von Puchers Verlag herausgebracht werden? Richtig: unser Freund Meyer-Kötterheinrich. Ein Schnellschuss, könnte man sagen…«

»… wenn's nicht so makaber klänge…«

»… genau. Das Ganze steht unter dem Motto: ›In memoriam Xaver Pucher‹. Aber pass auf, es geht noch weiter. Das hoffnungsvolle Nachwuchstalent Kupfer stellt auf der Messe einen eigenen Roman vor, gewidmet, na wem?«

»Der wunderbaren Leyla?«

»Genau. ›Für Leyla, in deren Liebe ich geborgen bin‹.«

»Müssen wir da wirklich hin?«

»Wir müssen. Auf der Frankfurter Buchmesse geht's hinter all dem Trubel nur um eins: ums große Geld. Lizenzen kaufen und verkaufen, verstehst du?«

»Nee, aber du wirst's mir ja erklären.«

»Das Pucher-Manuskript, wenn es denn überhaupt noch existiert, wird auf der Buchmesse angeboten werden.«

»Woher willst du das wissen?«

»Andrea ist da hundertprozentig sicher, denn wenn ein Buch mit so viel *blood, sweat and tears* kontaminiert ist, wittern die Agenten das große Geschäft. Und da es auch in Zeiten von Mail und Computer beim Kauf und Verkauf von Lizenzen noch wie auf dem Pferdemarkt zugeht, meint sie, dass das Manuskript auftauchen wird. Also müssen wir hin.«

»Ich wusste nicht, dass du eine neue Mitarbeiterin hast. Aber wenn Andrea das sagt, dann muss das wohl so sein. Wann denn?«

»Morgen geht's los. Also sind wir ab morgen dabei.«

»Na, du gefällst mir.«

»Red mit deinem Vorgesetzten und beantrage Amtshilfe in Frankfurt oder wie das bei euch heißt. Wir schauen uns das an. Also, bis morgen, baba.«

»Stopp.«

Aber die schnelle Anna hatte aufgelegt.

Mit Freudenreich gab es ein ziemliches Hickhack. Wieso er ihn nach Frankfurt reisen lassen solle, wenn in Berlin (und in Wien!, fügte er hinzu) keine Fortschritte zu erkennen seien. Der Druck aus diversen politischen Ecken erhöhe sich beständig. Ein Investor wie Meyer-Kötterheinrich brauche ein freundliches Klima. Das Kapital sei wie ein scheues Reh auf einer sonnigen Lichtung. Wenn es im Unterholz zu laut knacke, mache es sich auf und davon, und zwar auf Nimmerwiedersehen.

Auf Thomas Bernhardts Bemerkung, dass sie sich von solchen Pressionen ja wohl nicht beeindrucken ließen, stimmte ihm Freudenreich zähneknirschend zu.

»Ja, aber es müssen Ergebnisse her. Dieser Selbstmord zum Beispiel! Die Boulevardpresse wird das wieder riesengroß aufmachen: *Modeschöpferin von der Polizei alleingelassen.* Ich seh es schon vor mir. Und Meyer-Kötterheinrich wird da mit reingezogen, ins Zwielicht gestellt. Der Gossen-Schiller hat sich mit seiner idiotischen Kolumne auf Meyer-Kötterheinrich eingeschossen. Hast du die Überschrift heute gelesen? ›Meyer-Kötterheinrich: ein Blaubart‹, und dann lässt er sich darüber aus, wie viele junge Frauen der seiner Alt-Männer-Geilheit schon geopfert habe.«

Thomas Bernhardt sah den versoffenen Gossen-Schiller vor sich, der jeden Abend in der Paris Bar drei Flaschen Weißwein trank und junge Frauen betatschte. Er schnauzte Freudenreich an: Ins Zwielicht gestellt? Da stünde M. K. schon längst drin, und er höchstpersönlich werde ihn da rausholen. Da werde sich Freudenreich noch wundern, was dann die *B. Z.* schreiben würde. Da könne er sich wirklich drauf freuen.

Wenn Thomas Bernhardt etwas wollte, war ihm schwer zu widerstehen. Freudenreich gab nach. Zwei Tage Frankfurt, mehr nicht. Abstimmung mit den Frankfurter Kollegen. Keine Eigenmächtigkeiten. Abstimmung mit Cellarius und Cornelia Karsunke, die in Berlin bleiben sollten. Schaltstelle: Katia Sulimma. Ständige Erreichbarkeit. Keine Fragen an Meyer-Kötterheinrich auf der Pressekonferenz. Et cetera et cetera.

Katia fragte ihn süffisant, ob sie ein Einzelzimmer oder ein Doppelzimmer buchen solle. Einzelzimmer, war ja klar, und doch errötete er. Tatsächlich gab's noch eins in einem Hotel hinter dem Frankfurter Hauptbahnhof. Gallusstraße? Wenn's nicht anders ging – er kannte das Viertel. Er rief Anna an, die ganz zufrieden klang.

»Mein Hofrat hat's auch genehmigt. Und ich schlafe bei meiner Freundin Inge. Als Studentin war ich mal in Nicaragua, und da hab ich sie kennengelernt.«

»Bei der Kaffeeernte geholfen und anderer Solidaritäts-kram?«

»Nein, da bin ich zu jung, aber Inge hat das alles mitge-macht. Arbeitsbrigaden und Solidarität mit den Sandinis-ten.«

»Du hast aber auch nichts ausgelassen.«

»Tja, ich wollte halt was sehen von der Welt. Die Freun-din lebt jetzt übrigens mit einem Arbeiterpriester aus Nica-ragua zusammen.«

Cellarius und Cornelia sollten in Berlin die Stellung hal-ten und noch auf die Ergebnisse der Spurensicherung war-ten. Als er die Treppe hinunterging, löste sich Cornelia aus dem Halbschatten im Flur.

Er versuchte in ihrem Gesicht zu lesen. Es sah wieder sehr tatarisch aus, die Augenpartie wirkte aufgequollen, die Nasenflügel waren rot und leicht entzündet.

»Was ist denn mit dir?«

»Nichts. Ich bin müde, die Kinder werden ihre Erkäl-tung einfach nicht los, und ich frage mich, ob ich das alles packe, noch zwanzig, dreißig Jahre in diesem Job. Wie soll das gehen?«

»Ich denke, du machst das gern? Hast du doch mal ge-sagt.«

»Du glaubst alles, was man sagt?«

Wieder Schweigen. Als er seine Hand auf ihre Hand legen wollte, zog sie sie zurück und schaute ihm in die Augen.

»Wie soll's denn weitergehen bei dir? Ich hab den Ein-druck, du schiebst alles vor dir her.«

»Ich muss den Fall abschließen, dann...«

»... dann wirst du auch nichts ändern. Ich sag dir was:

Du musst dich entscheiden. Es ist ganz einfach: Du musst dich endlich mal in deinem Leben entscheiden.«

Und plötzlich klang ihre Stimme wieder so zart, als spräche sie mit ihren Kindern. Sie lächelte und legte ihre Hand auf seine.

»Komm, lass uns jetzt gehen. Fährst du mich nach Hause?«

Vor ihrer Haustür saßen sie noch kurz zusammen in seinem Wagen. Sie schaute ihn besorgt an.

»Wenn du Zeit hast, ruf mal an. Das wäre schön. Und pass auf dich auf, pass gut auf dich auf. Versprichst du's mir?«

Er startete sein Auto nicht sofort. Durch die Regenrinnsale auf der Scheibe schaute er ihr nach. Sie drehte sich nicht um. Als das Licht im Hausflur aufflammte, sah er ihre verschwommene Silhouette, die sich leicht verzerrte und dann verschwand. Er wartete, bis das Licht erlosch.

Als er in seine Wohnung trat, kam sie ihm so leer wie selten vor.

Vor dem Einschlafen wälzte er sich lange auf seiner Matratze hin und her. Es dauerte, bis er eine gute Position zum Schlafen eingenommen hatte. Noch immer schmerzten ihn seine Knochen und erinnerten ihn daran, was ab morgen in Frankfurt getan werden musste.

27

Am Frankfurter Hauptbahnhof drängelte sich Anna Habel durch die Menschenmenge. Sie ruderte durch die hin- und herströmenden Passanten und lief auf Thomas Bernhardt zu. Er war überrascht, dass sie ein gelbes Kostüm trug. Ihren beigen Trenchcoat hatte sie über den linken Arm gelegt, über die rechte Schulter eine unförmige Tasche geworfen. Während sie in ihr Handy sprach, winkte sie ihm. Plötzlich war ihm Annas Hyperaktivität zuwider.

Sie stolperte auf ihn zu, umarmte ihn, küsste ihn auf beide Wangen und redete weiter in ihr Handy.

»Sag, dass das nicht wahr ist. Das ist ja der Wahnsinn. Kolonja, du bist ein Supertyp. Bussi, baba. Ja, gerade angekommen. Ja, bis später.«

Sie schaute Bernhardt an.

»Was ist denn dir für 'ne Laus über die Leber gelaufen? Dabei gibt es genug Grund zur Freude. Wir haben nämlich den Schlafwagenschaffner noch mal richtig unter Druck gesetzt. Der Kolonja kann das. Also, der Kerl hat einen Typen aus dem Zug rausgelassen – gegen tausend Euro. Was sagst du jetzt? Wir haben uns doch immer gefragt, wie der Täter abhauen konnte. Ja, so war's, ganz einfach.«

Thomas Bernhardt fand das gelbe Kostüm zu schrill.

»Dazu kommt: Wir haben tatsächlich eine brauchbare

DNA in Puchers Abteil gefunden. Wir haben aber bis jetzt niemanden, zu dem sie passt. Und jetzt kommt das Beste: Unser Computer-Kurti hat gemeinsam mit einem Spezialisten des FBI rausgekriegt, dass auf Puchers Computer doch noch was zu rekonstruieren war. Und zwar ein Brief an eine amerikanische Agentur: Fox, Sacks & Co. Das alles habe ich in den letzten zwei Stunden erfahren. Manchmal muss man nur wegfahren, und es kommt Bewegung in die Sache.«

Sie schwammen inzwischen in einem breiten, sich zäh dahinwälzenden Menschenstrom in Richtung Messehallen.

Bernhardt hasste große Menschenansammlungen, er konnte nicht verstehen, warum man sich dem Bad in der Menge freiwillig aussetzte.

»Weshalb gehen all diese Menschen zu einer öffentlichen Veranstaltung, auf der Bücher ausgestellt werden, die längst in allen Buchhandlungen gekauft werden können?«

»Du musst dir das wie einen Betriebsausflug vorstellen oder wie eine Art Erntedankfest. Da trifft sich die Branche, Networking und so. Und am Abend geht's weiter bei schicken Empfängen, da sehen wir uns auch mal um.«

Thomas Bernhardt wurde immer griesgrämiger. »Aber wir arbeiten auch?«

»Na klar arbeiten wir. Ist doch alles Arbeit hier. Jetzt gehen wir zu Fox und Dingsbums und fühlen denen mal auf den Zahn. Dann schauen wir genau hin, was der Kupfer macht – der sitzt ja am Stand seines Verlags und stellt seinen Roman vor – wie heißt der noch mal? Hab's vergessen, geht ein bisschen in Richtung Pucher und dessen Motto: Ich bin die Lüge, die die Wahrheit spricht.«

»Das ist Cocteau.«

»Ach, ich denk, du liest nicht?«

»Ich hab's gegoogelt.«

»Kompliment. Und heute Abend gehen wir dann zu der angesagtesten Veranstaltung der Messe. In Ziesmers riesiger Jugendstilvilla am Main tritt Meyer-Kötterheinrich an. Ja, genau, die *Zehn Gebote,* die er mit Pucher verfasst hat, stellt er vor, gemeinsam mit, Achtung: dem ehemaligen Innenminister und dem durchgegelten Talkmaster. Und Ziesmer, einst Häuserkämpfer und jetzt solider Kapitalist und Verleger in der Tradition der Aufklärung, wird das alles drucken. Sauber, oder?«

Thomas Bernhardt sog vernehmlich die Luft ein.

»Woher weißt du das denn alles?«

»Weil ich mich ein bisschen im Literaturbetrieb auskenne. Und außerdem hab ich Andrea, die treibt sich als Vertreterin überall rum und hört das Gras wachsen.«

Sie blieben beide in der brausenden Fachbesucherbrandung stehen und wurden hin- und hergeschubst. Wie eine Schafherde drängte die Masse auf den Eingang zu. Anna lachte, und da gefiel sie ihm plötzlich wieder.

»Und sag doch mal, was gibt es denn in Berlin Neues? Du kommst ja wohl nicht mit leeren Händen nach Frankfurt?«

Bernhardt zuckte mit den Schultern. Er erwarte noch einen Anruf von Cornelia, sagte er, und genau in dem Moment klingelte sein Handy. Als er am Display Cornelias Namen las, wandte er sich ab und sprach mit verhaltener Stimme. Sie teilte ihm mit, dass unter Philip-Peter Webers

Fingernägeln nun doch wider Erwarten verwertbares DNA-Material gefunden worden sei. Nach Datenabgleich sei das Material aber niemandem zuzuordnen. Und dann wolle sie ihm noch sagen, dass er auf sich aufpassen solle.

Als er die Verbindung beendete, blickte ihn Anna an und hob die Augenbrauen.

»Frau Karsunke scheint dich ja sehr zu mögen.«

»Wieso, hast du gehört, was sie gesagt hat?«

»Nein, aber ich habe mir dein Gesicht angeschaut.«

Sie stellten sich brav in die Schlange vor der Eingangsschleuse. Thomas Bernhardt hatte von seinen Kollegen bei der Frankfurter Kriminalpolizei zwei Karten bekommen, die sie als Angehörige des Fachpublikums auswiesen. Der Kollege Köhler hatte ihnen auch zwei seiner besten Leute mitgegeben, die ihnen folgen und in kritischen Momenten, wenn möglich und nötig, eingreifen sollten, Russ und Fink.

Als er das Anna erzählte, drehte sie sich einmal um die eigene Achse und versuchte, die zwei in der Menge zu identifizieren. Was ihr nicht gelang und Hochachtung abnötigte. Thomas Bernhardt erzählte ihr, dass dann abends noch zwei dazukämen, Ochs und Preuß.

In einem wackligen überfüllten Elektrobus fuhren sie zur Halle 4. Anna wusste, wo Kupfers Verlag seinen Stand hatte. Und tatsächlich fläzte sich der stiernackige Autor unter seinem Foto, das großformatig an der einen Wand des Verschlags hing, auf einem Stuhl. Seine Augen waren blutunterlaufen, sein Gesicht von einem dünnen Schweißfilm bedeckt.

»Der hat wohl gestern Abend in der Bar vom Frankfurter Hof zu viel gesoffen.«

Ein hübsches junges Mädchen hielt ihm schüchtern ein Mikrophon unter die Nase, und Kupfer dröhnte ihr etwas über Realität und Fiktion vor und dass man da doch schon im ersten Semester das Wesentliche erfahre, das solle sie mal nachholen.

Arroganter Arsch, dachte Thomas Bernhardt. Könnt ihr Typen über nichts anderes reden als über Realität und Fiktion? Als das Mädchen vom Rundfunk bedrückt seine Ausrüstung zusammenpackte, stieß ihn Anna in die Hüfte. Aus einem kleinen Kabuff, das mit einem Vorhang zugehängt war, schlüpfte Leyla zu Kupfer und umarmte und küsste ihn. Der Zwei-Zentner-Mann nahm es wie eine Huldigung entgegen. Wenige Sekunden später trafen sich Thomas Bernhardts und Simon Kupfers Blicke. Eine leichte Irritation zeigte sich in den Augen des Schriftstellers.

Kupfer, der den Eindruck eines angeschlagenen Boxers vermittelte, der aber durchaus noch zu heftiger Gegenwehr fähig ist, erkannte plötzlich Anna. Eine Art Erleichterung machte sich auf seinem Gesicht breit.

»Hey, Frau Inspektor, dürfen Sie auch auf die Messe? Und gefällt es Ihnen? Sehen wir uns heute Abend?«

»Das kommt ganz darauf an, was Sie heute vorhaben. Wir zumindest gehen zu Ziesmers Empfang. Ich glaube, das könnte ganz spannend werden.«

»Na, Sie wissen aber, dass man da nur mit persönlicher Einladung reinkommt. Aber ich kann ja vielleicht ein gutes Wort für Sie einlegen.«

Thomas Bernhardt nahm ihn fest ins Visier und war zufrieden, als er das leichte Flackern in Kupfers Augen bemerkte.

In Halle 6, im obersten Geschoss, spürten sie einen anderen Geist. Hier standen die Tische der literarischen Agenten. Gedämpfte Atmosphäre, Männer in gutsitzenden Anzügen und Frauen in perfekten Kostümen sprachen in wohlgesetzten Worten miteinander, routiniert wurden Freundlichkeiten ausgetauscht. Es ging um Lizenzen – um Geld. Anna hatte Thomas Bernhardt erklärt, dass an diesem Ort die richtigen Deals getätigt würden, und genau das spürte er – die Ernsthaftigkeit, wenn es darum ging, Geld zu verdienen. Er konnte nicht sagen, dass ihm das sympathischer war als die Selbstdarstellung der Schriftsteller. Aber hier wurde, so schien es ihm zumindest, solide gearbeitet. Sein protestantisches Herz konnte sich dem nicht ganz entziehen.

Mr. Sacks von Fox, Sacks & Co. empfing sie mit einem entgegenkommenden Lächeln und einem ganz passablen Deutsch. Selbstverständlich werde er der Polizei alles sagen, was er wisse.

»Mr. Pucher. Wirklich interessanter Autor, vielleicht ein *big shot*, und dann dieses tragische Ende.«

Thomas Bernhardt kam schnell zur Sache. »Haben Sie denn schon einen amerikanischen Verlag für das Buch gefunden?«

»*Oh, no*, wissen Sie denn nicht, wie's wirklich ist? Für sein letztes Buch haben wir vergangenes Jahr sofort einen amerikanischen Verlag gefunden. Sehr starke Story. Kennen Sie seine Geschichte von der afghanischen Frau, von der er nur das Geschlecht –«

»Kennen wir, interessiert uns jetzt nicht.«

»Das ist aber doch *interesting*. Weil er hat gesagt zu mir, stimmt alles nicht. Aber in dem neuen Manuskript, das er uns überlassen hat, sagt er, ist alles wahr. Nur, man muss es entschlüsseln. Und dafür gibt es ein zweites Buch, das haben wir jetzt auch. Doch dieses Buch man kann nur mit einem Passwort öffnen. Und dieses Passwort wusste nur er. Er wollte es uns bald verraten. Aber nun ist er tot und das Manuskript unlesbar.«

Mr. Sacks zuckte die Schultern. Dann fiel ihm noch etwas ein.

»Das Ganze scheint viele Menschen zu interessieren. Es war auch schon ein Mann hier. Mit sehr attraktive Freundin. Er wollte uns das Buch von Pucher verkaufen, aber er hatte nur das, was wir längst kennen. Ich habe ihn weggeschickt, da war er, glaube ich, sehr wütend. Ein sehr großer Mann, *do you know him?*«

Thomas Bernhardt nickte. Er konnte sich sehr gut vorstellen, wie Kupfer hier aufgetreten war: der Elefant im Porzellanladen. Mr. Sacks hatte noch etwas auf dem Herzen.

»Das Passwort. *Do you have an idea?*«

Thomas Bernhardt hatte in dem Moment eine geradezu blitzartige Erleuchtung.

»*Jean Cocteau.* Mr. Sacks, versuchen Sie's mit *Jean Cocteau,* oder mit *Ich bin die Lüge, die die Wahrheit spricht.* Vielleicht klappt's. Und wenn Sie was wissen, dann rufen Sie mich auf dieser Handynummer an oder schicken Sie mir eine SMS. Und zwar sofort, nicht erst morgen früh.«

Er drückte Mr. Sacks seine Karte in die Hand, schüttelte ihm die Hand und machte sich durch ein Spalier gutangezogener und wohlerzogener Menschen, die sich ihm alle mit einem höflichen Nicken empfahlen, auf den Rückweg. Im

Schlepptau eine leicht verblüffte Anna Habel, die zum ersten Mal, seit sie sich kannten, geschwiegen hatte.

Sie trennten sich am Hauptbahnhof. Dort musste Anna die U-Bahn nehmen, um zu ihrer Freundin zu gelangen, die mit dem nicaraguanischen Befreiungstheologen in Sünde, wie sie betonte, zusammenlebte. Bernhardt runzelte die Stirn.

»In Sünde? Du weißt, dass Gott die Sünder mehr liebt als die von Beginn an Rechtschaffenen. Das hat mich immer enttäuscht. Erst wie Augustinus oder Franz von Assisi sich ordentlich was gönnen und dann ein gottgefälliges Leben führen, das scheint's zu sein.«

»Jetzt geh. Du bist doch auch ein Sünder, also ist das für dich doch auch von Vorteil.«

»Wer weiß. Also dann: Wir treffen uns um halb acht hier am Bahnhof und fahren dann zu Verleger Ziesmer.«

»Und da passiert was. Hast du auch das Gefühl?«

»Hab ich.«

Mit Schwung warf sie sich ihre unförmige Tasche über die Schulter und ließ sich von der Rolltreppe nach unten fahren, während er mit seiner altmodischen Reisetasche zu seinem Hotel in der Gallusstraße lief.

28

Kein Zweifel, die Jugendstilvilla von Ziesmer direkt am Main hatte etwas Imposantes. Das hell erleuchtete Gebäude spiegelte sich im Fluss. Der leichte Wellenschlag des Wassers schuf immer neue Spiegelungen und Verzerrungen, über die sich die Schatten der Hochhäuser am gegenüberliegenden Ufer legten. In der Ferne sah man hinter dem Eisernen Steg den angeleuchteten Dom. Wie eine Filmkulisse, nicht ganz echt, meinte Anna Habel, und Thomas Bernhardt stimmte zu.

Das hatte es in Deutschland lange nicht gegeben, dass sich Reichtum so unverstellt und mit so viel Stolz zeigte. Bis in die neunziger Jahre hatten sich reiche Deutsche Flachdachbungalows gebaut, die hinter ihrem unscheinbaren Äußeren allen möglichen und manchen unvorstellbaren Luxus entfalten mochten, aber die unauffällige Fassade wie einen Ausweis der Harmlosigkeit vorzeigten. Schaut nur, so reich sind wir gar nicht, wir sind doch fast wie ihr. Höchstens im Ausland bekannte man sich ein bisschen offener zu seinem Geld, zu seiner Yacht, zum kleinen Privatjet, zur Villa an der Côte d'Azur. Daheim hingegen hieß das Wort: Sozialpartnerschaft.

Hier also zeigte sich der Reichtum mit einer selbstgewissen Geste: Ziesmer, der ehemalige Linke, der zum Sieger der Geschichte geworden war. Der hochgewachsene Gastgeber mit imposanter weißer Mähne erwartete seine Gäste mit der jungen, höchst ansehnlichen Gattin. Doch zuvor musste man an Bodyguards vorbei, die diskret und doch zupackend die Einladungen studierten und dann mit großmächtiger Geste den Eintritt freigaben.

Ziesmer, ganz Gentleman alter Schule, gab jedem Gast jovial die Hand und stellte seine Gattin vor. Hinter ihm standen seine wichtigsten Mitarbeiter, die sich der Begrüßungszeremonie anschlossen. Höfliche Mädchen an der Garderobe, unaufdringliche Kellner, die galant gekühlten Champagner offerierten, ein Pianist, der an einem weißen Flügel leise klimperte, viele perfekt gestylte Frauen, die von ihrem Body-Performer sicher mehrere Stunden hergerichtet worden waren, junge Männer mit scharfgeschnittenen Gesichtern und hungrigen Blicken und dazwischen, wie exotische Einsprengsel in diesem summenden Bienenkorb, brav und bieder wirkende Männer und Frauen, die seltsam verloren wirkten. Wahrscheinlich sind das die Leute, die die Arbeit machen, sagte sich Thomas Bernhardt. Er musste sich widerwillig eingestehen, dass er beeindruckt war.

Auch Anna schaute mit großen Augen umher.

»Jetzt weiß ich wieder, warum ich die Trotzkisten immer sympathischer fand. Die Maoisten wollten schon damals nur die Macht.«

»Na, die Trotzkisten haben's wirklich nicht besser verdient, wenn sie so naiv waren.«

Sie gingen durch die Eingangshalle und gelangten in die Bibliothek. Die Bücher waren in Leder gebunden und sollten wohl das Gefühl von Solidität vermitteln. Im Kamin flackerte ein Feuer, und wer lümmelte sich mit einer dicken Zigarre in der Hand und lautstark schwadronierend in einem Sessel herum? Der dicke, glatzköpfige Kupfer, neben sich die schweigsame und abwesend wirkende Leyla. War sie kleiner geworden? Kupfer winkte Anna zu, die mit einem verhaltenen Nicken den Gruß erwiderte, und fixierte Thomas Bernhardt, als wollte er ihm eine Warnung zukommen lassen.

In der entgegengesetzten Ecke der Bibliothek standen in einem kleinen Grüppchen Meyer-Kötterheinrich, der seinen stumpf stierenden Wachhund an seiner Seite hatte, der mit ihm befreundete Innenminister und dessen Genossen von einst. Zweifellos war das Regierungsmitglied, bräsig und dick und doch mit ganz wachen kleinen Augen, die jeden in seiner Umgebung ins Visier nahmen, immer noch der Rudelführer – um ihn gruppierten sich die anderen, die einst mit der »Putzgruppe« oder in irgendeiner anderen Organisation alles hatten umstürzen wollen und nun ihren Platz in der bürgerlichen Gesellschaft gefunden hatten – nicht unbedingt als Minister, aber immerhin als Leiter einer Grundsatzabteilung im Innenministerium, als Menschenrechtsbeauftragter der Bundesregierung, als Besitzer und Koch eines Gourmettempels, als systemkritischer Kabarettist, als Theaterdirektor. Und sie genossen es.

Thomas Bernhardt wandte sich ab und ging mit Anna zurück in die Halle. Der Pianist griff noch einmal richtig in die Tasten, dann stellte sich der Verleger auf die Treppe und hielt eine Rede. Er machte eine weltpolitische *tour d'horizon*, der Nachrichtenmoderator, der sich ebenfalls vorne aufgebaut hatte, senkte den Kopf und schloss die Augen, als wolle er gleich den Wetterbericht ansagen. Hätte ich selbst nicht besser machen können, drückte seine Körperhaltung aus. Und er achtete darauf, dass Ziesmer sein stilles Einverständnis auch mitbekam.

Als der Verleger ans Ende seiner Rede gelangt war, übernahm der Talkmaster das Mikrophon und lud Meyer-Kötterheinrich, Simon Kupfer, den Innenminister und den Fernsehmoderator, der gerade ein Buch über Zivilcourage veröffentlicht hatte, zum Podiumsgespräch auf die improvisierte Bühne neben dem Flügel.

In der ihm eigenen schmierigen Art sprach der Moderator pathetische Worte über den frühverstorbenen, ja man könne sagen: den frühvollendeten Xaver Pucher. Um nicht weniger als sein Vermächtnis gehe es hier, um seine Vision einer Welt, in der endlich der Einzelne sein eigener Herr in der Gemeinschaft mit vielen sei. Er gehe so weit zu sagen, dass in den *Zehn Geboten,* von denen ja in letzter Zeit in der Öffentlichkeit zu Recht so viel die Rede gewesen sei, der alte jüdisch-christliche Traum von einer Welt, in der der Löwe mit dem Lamm friedlich zusammenleben könne, wieder lebendig geworden sei.

Starker Tobak, den Meyer-Kötterheinrich genüsslich einatmete. Endlich kam er zu Wort.

»Nun, zunächst muss ich sagen, dass die Trauer um meinen jungen hochbegabten Freund es mir fast unmöglich gemacht hat, hier an dieser Diskussion teilzunehmen. Doch da ich davon ausgehe, dass wir an einem großen Wendepunkt der Geschichte – zumindest der westlichen Welt – stehen, habe ich mich aufgemacht, unser Buch vorzustellen. Unser Motto gibt uns der große Augustinus: Nur wer selbst brennt, kann Feuer in anderen entfachen. Unser Credo: ›Jeder ist ein Unternehmer‹, verlangt von uns eine neue Ethik. Die *res publica* ist unser aller Schicksal, wer jetzt keine Verantwortung übernimmt, wer jetzt nicht jeden Menschen, der ihm nahe ist, unterstützt, wer nicht im Sinne unseres verstorbenen Freundes...«

Wer hatte ihm das denn aufgeschrieben, fragte sich Thomas Bernhardt, der verbissen vor sich hin starrte. Aber nicht nur er ertrug dieses Geschwätz nicht, auch der wahre und wirkliche und einzige lebende deutsche Großpolitiker, der Innenminister, hielt es nicht aus. Wie ein Buddha faltete er die Hände über seinem gewaltigen Bauch, räkelte sich auf seinem Sessel und nahm dann Meyer-Kötterheinrich und den gegelten Talkmaster unter Beschuss mit seinen Sottisen.

»Wer ist hier Koch, wer ist Kellner? Herr Meyer-Kötterheinrich, Sie sind doch in Wirklichkeit nur der Piccolo, der die Instant-Weisheiten aufträgt, die unser leider verstorbener, nicht unbegabter, aber auf zu vielen Hochzeiten tanzender Xaver Pucher mit heißem Wasser, oder, seien wir ehrlich, eher lauwarmem Wasser aufgegossen hat. Ohne pietätlos sein zu wollen: Das ist nicht Haute-Cuisine, kein großer Wurf für eine neue Menschheitsgemeinschaft, das ist McDonald's aufgewärmt. Meine Partei hat schon vor Jahren, unter nicht unmaßgeblicher Beteiligung meinerseits, ein wesentlich durchdachteres Konzept vorgelegt. Bleiben wir also auf dem Boden. Erstens: Von der ökologischen Frage, der Frage dieses 21. Jahrhunderts, haben Sie keine Ahnung. Politische Ökonomie – für Sie ein Buch mit sieben Siegeln. Das Einzige, was Sie können, halten zu Gnaden, Euer Ehren, ist Geld verdienen, Sie kleiner Rockefeller.«

Meyer-Kötterheinrich war empört.

»Dass Sie hier nach all den Jahren wieder den Straßenkämpfer raushängen und in Ihrer vulgären Art meine und Xaver Puchers Vision einer besseren Welt denunzieren, ist schlicht und einfach billig.«

»Ich habe bloß ein bisschen Text- und Sachkritik geübt. Wenn Sie wollen, gehe ich noch mehr ins Detail. Aber wer im Glaskasten sitzt, sollte nicht mit Steinen werfen, ich weiß, und im Haus des Henkers sollte man nicht vom Strick reden.«

Der Innenminister lachte sein böses Lachen und richtete seinen triumphierenden Blick auf Ziesmer, der mit einem kaum wahrnehmbaren Grinsen reagierte.

Nun hob der Nachrichtenmoderator musterschülerhaft die Hand.

»Mein Buch über die Zivilcourage –«

Aber der Talkmaster, der noch gegelter wirkte als vor einer halben Stunde, unterbrach ihn brüsk.

»Herr Kupfer, Sie haben mit Ihrem Freund sicher über die *Zehn Gebote* gesprochen. Ihr eigenes Buch stellt sich ja auch den großen Menschheitsfragen.«

Bernhardt flüsterte Anna ins Ohr: »Der ist völlig überfordert!« In der Tat: Kupfer war offensichtlich stark angetrunken, seine Zunge war schwer, seine Rede kaum verständlich. Auf seiner Glatze standen Schweißperlen, er troff wie ein Baum nach einem Frühlingsregen.

»Klar, ham wir gesprochen, der Xaver und ich. Das war ja unser Projekt. Aber dann, ich weiß nicht, jeder hat dann seins gemacht. Ich wollt auch anders, ich hab…«

Kupfer brach ab und schaute angestrengt ins Publikum.

Was suchte er? Jetzt wollte sich wieder der Nachrichtenmoderator einbringen.

»Mein Buch über die Zivilcourage –«

Aber Meyer-Kötterheinrich fuhr ihm sogleich in die Parade. »Mein Projekt, das ich gemeinsam mit Xaver Pucher entwickelt habe, hat mit Ihren Versuchen, Herr Kupfer, ja nun gar nichts zu tun. Professoren der Harvard-Universität haben mir bestätigt, und übrigens, das ist noch gar nicht bekannt gegeben worden, Henry Kissinger zählte zu unserem Beraterteam –«

Kupfer wurde laut. »Du hast alles abgeschrieben, von Xaver und von mir.«

»Ich wüsste nicht, dass wir uns duzten.«

Der Innenminister ruhte in sich selbst und schaute mit geradezu sadistischem Grinsen in die Runde, der Talkmaster ruderte mit den Armen und versuchte die Zügel wieder in die Hand zu bekommen, der Nachrichtenmoderator hob die Hand, es sah aus, als finge er gleich an zu weinen, Kupfer senkte den Kopf wie ein Nashorn vor der Attacke, nur Meyer-Kötterheinrich redete unbeeindruckt weiter.

»Wir werden weltweit, zunächst in Europa, dann in Lateinamerika und Afrika, schließlich auch in den islamischen Staaten für unser Projekt einer neuen Weltordnung Aktionsgruppen bilden. Was Christentum und Kommunismus nicht geschafft haben, werden wir in einer konzertierten Aktion mit langem Atem schaffen. Und wenn Herr Kupfer glaubt, er könne hier auf einen fahrenden Zug aufspringen – der Zug ist längst abgefahren für Sie, Herr Kupfer. Nicht ich habe abgeschrieben bei Xaver Pucher, ich sage Ihnen, wie's wirklich war: Er hat nach meinen Anregungen für mich geschrieben. Auch in diesen traurigen Tagen muss ja weiter die Wahrheit gelten. Im Gegensatz zu Ihnen, Herr Kupfer, war Xaver Pucher kein mittelmäßiger Schriftsteller. Ehre seinem Gedenken!«

Die Luft lud sich elektrisch auf, Bernhardt schaute Anna Habel an. Spürte sie nichts? Sie zuckte ratlos die Schultern.

Auf dem Podium wurde wild durcheinandergeredet. Der Talkmaster kämpfte ums Wort, der Nachrichtenmoderator hob die Hand, der Innenminister tat, als schaue er sich eine moderne Shakespeare-Inszenierung an – *Viel Lärm um nichts* –, und Meyer-Kötterheinrich redete auf Kupfer ein, der den Kopf noch immer gesenkt hielt und mit den Hufen zu scharren schien.

Und dann passierte etwas, was sich Thomas Bernhardt im Nachhinein nie richtig erklären konnte. Er hatte gehofft, dass eine Art Eklat, eine kleine Explosion stattfinden würde, die die Täter verraten würde. Er hatte sich vorgenommen, dass er selbst diesen Moment der Wahrheit provozieren würde, in dem endlich alle Verstellung ein Ende hätte. Jetzt nahm ihm Kupfer diese Arbeit ab. In seiner Trunkenheit wollte er klare Verhältnisse, er hielt es nicht mehr aus. Jedenfalls brüllte der schwitzende Schriftsteller plötzlich los.

»Meyer-Kötterheinrich, du Lügner, du Heuchler! Das sind Puchers Theorien, die du hier vorträgst! Was hast du mit Xaver gemacht? Sag's, du Schwein.«

Meyer-Kötterheinrich sprang auf, der Talkmaster witterte die Sensation, der Innenminister genoss das Spektakel. Kupfer stürzte sich auf Meyer-Kötterheinrich und wurde vom Leibwächter mit einer einzigen groben Bewegung umgeworfen. Chaos. Alles ging so schnell, dass niemand den Ablauf der Ereignisse später genau rekonstruieren konnte. Meyer-Kötterheinrich gab Kupfer einen Tritt, der wälzte sich am Boden und brüllte, Leyla warf sich ins Getümmel, wurde aber von Kupfer wie von einem gewaltigen Bären abgeworfen und blieb wimmernd an der Wand liegen. Verschiedene Leibwächter brachten ihre Schützlinge in Sicherheit, Frauen schrien und rannten wie Hühner im Gehege flatternd durch den großen Raum.

Und dann kam die Stunde der Frankfurter Kollegen oder genauer gesagt: des MEK, des Mobilen Einsatzkommandos. Irgendwie bekamen sie die Menschen unter Kontrolle, isolierten Kupfer und schleppten ihn mit Leyla, die nun wieder wie ein Klammeräffchen an ihm hing, in einen Nebenraum. Auch Meyer-Kötterheinrich wurde in eine Ecke gedrängt, und selbst den finster blickenden Gorilla hatten sie im Griff.

In der Bibliothek sortierte sich alles sehr schnell. Nachdem man Kupfer und Meyer-Kötterheinrich Handschellen angelegt hatte, kamen Thomas Bernhardt und Anna Habel zum Zug. Sie wussten beide, dass alles, was sie hatten, nicht viel mehr als Vermutungen waren. Sie mussten bluffen.

»Kupfer«, begann Bernhardt, »was sagen Sie dazu, dass der Schlafwagenschaffner Sie wiedererkannt hat?«

»Da sag ich gar nichts dazu. Ich will meinen Rechtsanwalt.«

»Kriegen Sie.«

Thomas Bernhardt merkte sofort, dass er Kupfer in der Hand hatte. Der Bär hatte die Nerven verloren, und er würde sie wieder verlieren.

»Pucher war mein Freund, den ...«

»... Sie verraten haben, und zwar gemeinsam mit Leyla, die auf zwei Hochzeiten tanzte.«

Leyla wimmerte an Kupfers Arm.

»Ja, Kupfer. Und wissen Sie, was wir noch haben? Wir haben Ihre DNA, das Glas, aus dem Sie vorhin getrunken haben, gibt genug Spuren her. Passen Sie auf, jetzt sag ich Ihnen, wie's abgelaufen ist. Sie können leugnen, aber das hilft Ihnen nicht. Wir werden Ihnen die Beweismittel zuordnen können.«

Kupfer wollte sich auf ihn stürzen, doch die Jungs vom MEK griffen ein und fesselten ihn kurzerhand an die Heizung.

Anna baute sich vor ihm auf: »Warum sind Sie in Puchers Schlafwagenabteil geschlichen? Warum haben Sie Ihren angeblich besten Freund hinterrücks überfallen und mit einer Drahtschlinge ermordet? Weil Sie eifersüchtig auf seinen Erfolg waren! Weil er Leyla vor Ihnen gehabt hatte! Weil Sie glaubten, Sie könnten das Manuskript verkaufen, und zwar an Meyer-Kötterheinrich, oder unter Ihrem eigenen Namen veröffentlichen! Eine Aktion, die das große Geld bringen sollte.«

Kupfer rüttelte an der Heizung, Leyla wimmerte erneut, und Meyer-Kötterheinrich protestierte von der anderen Ecke des Zimmers mit erstaunlich dünner, wackliger Stimme.

Thomas Bernhardt setzte die Rede seiner Wiener Kollegin fort: »Und die Ironie an der Geschichte? Das Manuskript, hinter dem Sie, Kupfer, und Sie, Meyer-Kötterheinrich, her waren, war ohne das andere Manuskript, in dem

Namen genannt und Klartext gesprochen wird, nicht viel wert. Literarisch vielleicht schon. Aber darum ging's Ihnen ja nicht. Kupfer, Sie haben Ihren Freund getötet mit einer Drahtschlinge, aus Neid, Eifersucht, Geldgier und Ruhmsucht. Und Sie, Herr Meyer-Kötterheinrich, haben Ihren Pitbull, nachdem Sie das mit der Drahtschlinge in der Zeitung gelesen hatten, zu Philip-Peter Weber geschickt. Nur: Der hatte nichts für Sie. Und Sie, Kupfer, davon bin ich fest überzeugt, wären das nächste Opfer Ihres einflussreichen Freunds und seines Killers geworden. Sie waren einfach zu gefährlich, leicht entzündliches Dynamit, wie man heute Abend gesehen hat. Insofern seien Sie froh, dass Sie jetzt festgenommen sind. Aber vielleicht haben Sie ja sogar unbewusst diese Situation provoziert. Sie sind nämlich ein Angsthase und Feigling, der wirklichem Druck gar nicht standhält. Und jetzt verrate ich Ihnen was. Kurz bevor hier jemand die Nerven verloren hat, habe ich eine sms bekommen. Da schreibt mir ein Mr. Sacks: ›Passwort tatsächlich *Jean Cocteau*!‹, Mr. Sacks ist nun im Besitz vieler aussagekräftiger Dokumente. Gibt zwar literarisch nicht viel her, aber für uns wird es eine vergnügliche Lektüre. Ich könnte schwören, dass diese Dokumente aufs Klarste belegen, wie die untergegangene SED und diese wunderbare Arbeiterpartei KPÖ Milliarden Euro gewaschen haben.«

Thomas Bernhardt wandte sich um.

»Ja, Herr Meyer-Kötterheinrich. Von der Kommunalen Wohnungsverwaltung der DDR zum *global player*. Das haben Sie so schön hingekriegt, und jetzt stürzen Sie, Sie stürzen sehr lange, bis Sie unten angekommen sind. Sie haben Milliarden verschoben, aber Sie wollten nicht, dass das be-

kannt wird. Dabei haben Sie doch eigentlich nur Volksver-
mögen gerettet.«

»Ich will meinen Anwalt.«

Anna schob Bernhardt zur Seite und trat dicht an Meyer-
Kötterheinrich heran: »Nur, was wird der sagen, wenn er
hört, dass Philip-Peter Weber von Ihrem Bodyguard getötet worden ist? Und was wird er sagen, dass wir dessen DNA
auch nachgewiesen haben? Und dass Sie der Auftraggeber
für die Verwüstung meiner Wohnung waren, wissen wir bereits.« Nach außen war Anna ganz ruhig, doch Bernhardt
merkte, wie sie bebte.

»Mir können Sie gar nichts nachweisen.«

Meyer-Kötterheinrich rappelte sich sichtlich wieder auf.

»Dass Sie sich da nur nicht täuschen, mein Lieber.« Anna
strich sich den Rock ihres Kostüms glatt und versuchte ruhig zu bleiben. »Meine Kollegen in Wien haben den nächt-
lichen Besucher meiner Wohnung ausfindig gemacht. Ohne
dass er groß unter Druck gesetzt werden musste, teilte er
uns mit, dass es Ihre Idee gewesen war, ein wenig in meiner
Wäsche zu wühlen.«

»Ach kommen Sie, ich hab doch mit diesen kleinen Pro-
vinzkommunisten nichts zu tun!«

»Dass das Kommunisten gewesen sein sollen, war jetzt
aber nicht von mir. Wie kommen Sie darauf?«

»Ich sage nichts mehr ohne meinen Anwalt.«

Thomas Bernhardt wandte sich an Leyla, die mit weit
offenen Augen am Boden saß.

»Und nun zu Ihnen, Frau Namur. Sie werden uns jetzt
nicht mehr anlügen. Ich sehe Ihnen an, dass Sie klar Schiff
machen wollen.«

Leyla schluchzte auf.

»Ich habe Xaver geliebt. Aber dann kam Simon, und ich habe ihm von Xavers Roman erzählt. Er hat mich dazu gebracht, ihm das Manuskript zu geben. Er hat mir versprochen, dass wir mit dem Geld für das Manuskript für immer weggehen können. Er wollte das wirklich, und ich wollte unbedingt von meinem Bruder weg. Xaver hat das nicht ernst genommen, er sah alles immer nur ironisch.«

Sie weinte. Thomas Bernhardt fand, dass in diesem Fall einfach zu viel geweint wurde. Er empfand das Weinen als eine besonders gemeine Lüge.

Es war Zeit, dem Spiel ein Ende zu machen. Anna Habel fixierte Meyer-Kötterheinrich.

»Sie denken, Sie kommen da heil wieder raus. Vergessen Sie's. Das wird nicht so sein. Jetzt ist Schluss mit lustig. Dass Sie Miriam Schröder so unter Druck gesetzt und in den Tod getrieben haben, dafür werden Sie genauso büßen wie für Ihren Auftragsmord. Und Ihr Scheißgeld wird sofort konfisziert, soweit das möglich ist. Da kann ich nur sagen: Alle Macht dem Volke!«

Die letzten Worte hatte sie laut herausgeschrien und damit für sich den Fall beendet. Der Verleger, der gerade seinen wallenden weißen Schopf zur Tür hereingestreckt hatte, war erschrocken zurückgewichen. Als Anna Habel und Thomas Bernhardt schließlich draußen durch die Grüppchen gingen, die sensationslüstern zusammenstanden, bemerkten sie, dass ein paar der Gäste sich seelenruhig am Buffet bedienten und andere unbekümmert die Rotweingläser schwenkten.

29

Warum sie dann nach getaner Arbeit im Frankfurter Präsidium morgens um drei im Frankfurter Hof gelandet waren, konnte er später nicht mehr nachvollziehen. Sie bestellten sich eine Flasche Wodka für 400 Euro und leerten sie zügig. Was sollten sie reden? Thomas Bernhardt schaute angewidert auf dieses Volk, das sich anbrüllte und anquatschte und sich die Birne mit Alkohol vollknallte. Schließlich gingen sie schweigend die Kaiserstraße runter. Thomas Bernhardt schaute Anna von der Seite an.

»Kommst du mit zu mir ins Hotel?«

»Ich glaube nicht. Ist wahrscheinlich besser, ich gehe zu meiner Freundin und zum Befreiungstheologen.«

»Ach, komm. Ich erzähl dir auch ein Märchen.«

»Ein Märchen? Und wie geht das?«

»Ein Bär geht in den Wald und trifft Rotkäppchen.«

»So geht das Märchen aber nicht.«

»Ist ja auch ein Märchen von mir, gerade erfunden. Und der Bär sagt zu Rotkäppchen: Ich habe ein schönes Hotelzimmer mit einer Minibar, liebes Rotkäppchen, da könnten wir ein Gläschen trinken und ein paar Erdnüsschen knabbern, und dann erzähle ich dir ein Märchen von einem Mädchen, das mit einem fremden Mann...«

Anna Habel lachte.

»Moment mal, das ist ja ein Märchen im Märchen. Und wie geht das aus?«

»Das verrät dir der Bär im Hotelzimmer.«

Eine halbe Stunde später lagen sie auf dem Bett. Thomas Bernhardt erzählte sein Märchen, und Anna Habel lachte. Und er erfand noch ein Märchen, das viel witziger war als das erste, das glaubte er zumindest. Aber als er sich ihr zuwandte, weil er ihr Lachen vermisste, war sie eingeschlafen.

Er lag auf dem Rücken und blieb wach. Die erste Straßenbahn quietschte unter dem Hotelfenster durch die Kurve. Je länger Anna schlief, desto näher kam sie ihm. Sie legte den Kopf auf seine Brust und breitete ihre Arme um ihn. Irgendwann knurrte das Handy. Er blickte auf das Display: »Bin gerade aufgestanden. Freue mich auf dich. Cornelia.«

Seine Bewegungen hatten Anna halb aufgeweckt. Schlaftrunken murmelte sie vor sich hin. Es dauerte, bis er sie verstand.

»Meinst du, das geht weiter mit uns?«

»Wie, weiter?«

»Einfach so.«

»Irgendwie geht's immer weiter.«

»Nein, ich meine, einfach mit uns, einfach …«

Und dann war sie wieder eingeschlafen. Er bewegte sich nicht, ihr Kopf ruhte auf seiner Brust, er hörte ihren leisen Atem, und dann tauchte auch er ins Dunkel des Schlafs.

Bielefeld & Hartlieb
im Diogenes Verlag

Bis zur Neige
Ein Fall für Berlin und Wien

Roman

Freddy Bachmüller, Edelwinzer im österreichischen Weinviertel, produzierte erstklassigen Wein – jetzt ist er »a Leich«. Kurz darauf wird Szenelokalbetreiber Ronald Otter in Berlin erschossen – er hatte Bachmüllers Weine im Angebot. Wenn das kein Fall für Berlin und Wien ist!
Kommissar Bernhardt kannte das Berliner Opfer, in den Siebzigern hatten sie zusammen studiert. Schlagworte von damals kommen ihm in den Sinn: Pflicht zum Ungehorsam, Kampf dem System… Die Schlüsse, die Bernhardt daraus zieht, stimmen allerdings gar nicht mit den ersten Vermutungen von Anna Habel überein. Die wittert im Fall des toten Winzers Bachmüller weibliche Eifersucht. Hängen die beiden Verbrechen am Ende gar nicht zusammen?

»Das Autorenteam spielt ironisch-amüsant mit den Eigenheiten der zwei Metropolen sowie ihrer Bewohner.« *Britta Helmbold / Ruhr Nachrichten, Dortmund*

»Mit diesen Charakteren und ihrem coolen Ton gewinnen die Wien-Berliner Fälle originäres Profil – Fortsetzung willkommen.«
Susanne Schulz / Nordkurier, Neubrandenburg

Nach dem Applaus
Ein Fall für Berlin und Wien

Roman

Sophie Lechner feiert am Wiener Burgtheater ihre ersten großen Erfolge und will auch in Berlin durchstarten – da findet die Traumkarriere ein abruptes Ende:

Die junge Frau wird in ihrer Wohnung am Berliner Lietzensee erstochen, durch die Wohnung dröhnt noch Stunden nach ihrem Tod laute Opernmusik.

Ob sie wollen oder nicht, der Berliner Hauptkommissar Thomas Bernhardt und die Wiener Chefinspektorin Anna Habel müssen wieder gemeinsam ermitteln. Ist einer von Sophies zahlreichen Liebhabern durchgedreht, oder hat sich die exzentrische Schauspielerin im Theatermilieu Feinde gemacht? Als weitere Personen aus Sophies Umfeld zu Tode kommen, geraten die beiden Kommissare trotz arktischer Temperaturen ganz schön ins Schwitzen.

»So intelligente Unterhaltung hat Seltenheitswert.«
Marie-Louise Zimmermann / Berner Zeitung

Alfred Komarek
im Diogenes Verlag

Polt muss weinen
Roman

In Brunndorf, einem niederösterreichischen Wein-
bauerndorf, gehen die Uhren noch anders. Der sympathische Gendarmerie-Inspektor Simon Polt, Jung-
geselle und Halter eines eigenwilligen Katers, hat mit
seinen Weinbauern schon so manche Nacht durch-
zecht. Polt gehört dazu. Dann aber steht er vor der
Leiche Albert Hahns, der in seinem Weinkeller durch
Gärgas umgekommen ist. So etwas passiert in einer
Winzergegend, doch diesmal finden fast alle im Dorf,
dass es den Richtigen erwischt hat...

»Eine einmalige Milieustudie!«
Österreichischer Rundfunk, Wien

Himmel, Polt und Hölle
Roman

Ein heißer Sommer im Wiesbachtal. Doch die Land-
idylle trügt. Einer beginnt zu zündeln, aus dummen
Späßen werden handfeste Schweinereien, schließlich
Sabotage und Mord.
Simon Polt ermittelt nicht nur in Wirtshäusern und
Kellergassen, sondern auch an einem Ort, den er bis-
lang nur mit respektvoller Scheu betreten hat, dem
Pfarrhaus. Konfrontiert wird er mit einer bildschönen
Pfarrköchin mit bewegter Vergangenheit. Einem ver-
liebten Mesner. Einer Menge abgewiesener Verehrer.
Einem zynischen Weinkritiker, der so manche Kar-
riere auf dem Gewissen hat. Einem gescheiterten Leh-
rer. Und einem Pfarrer, der eine erstaunliche Beichte
ablegt.
Und Polt wäre nicht Polt, würde er am Ende nicht mit

dem Übeltäter, den er dann doch stellt – erst noch mal einen trinken gehen…

»Der Kommissar, der aus der Kellergasse kam, ist nicht erst seit der gelungenen ORF-Verfilmung seines Debüt-Falls *Polt muss weinen* Kult.«
Dagmar Kaindl / News, Wien

Polterabend
Roman

Eine klirrend kalte Vollmondnacht im Wiesbachtal. Man hat sich zur Eisweinlese zusammengefunden. Da fließt statt Rebensaft Blut aus der alten Presse. Was ist im einsam gelegenen Presshaus des Weinbauern Karl Fürnkranz geschehen? Polt ermittelt im Umfeld des Opfers. Weitere Spuren führen ins Rotlichtmilieu jenseits der tschechischen Grenze. Als der Gendarm dann von einem alptraumhaften Polterabend im Presshaus erfährt, sieht er sich in auswegloser Lage…

»*Polterabend* ist spannend aufgebaut und höchst angenehm zu lesen – was in erster Linie am unaufdringlichen, subtilen Humor liegt.«
Rhein-Zeitung, Koblenz

Die Villen der Frau Hürsch
Roman

Daniel Käfer, 39, fährt mit seiner Ente ins Ausseerland – die klassische Sommerfrische im Salzkammergut. Er ist beurlaubt auf besondere Art: Er hat seinen Job bei einer Hochglanzzeitschrift verloren. Nun macht er statt auf gute Stories auf seine eigene Geschichte Jagd, auf seine Kindheit und die Geheimnisse in ihr. Was hatte es mit seiner 1933 verschollenen Urgroßtante Mizzi auf sich?
Villen und ein Dienstbotenbuch, die charmante Wirts-

tochter Anna und ein Stammtisch, der ›Zuagroasten‹ kaum Zugang gewährt, bieten der kriminalistischen Neugier des Journalisten reichlich Stoff.

»Mit solcher Bravour erzählt, dass auf faszinierende Weise eine exotische Enklave in der österreichischen Provinz aufleuchtet und LeserInnen den dringenden Impuls verspüren, ›Die Villen der Frau Hürsch‹ auf der Stelle zu besuchen.«
Sylvia Treudl / Buchkultur, Wien

Die Schattenuhr

Roman

Der ehemalige Chefredakteur Daniel Käfer, 39, will die Sommerfrische im Salzkammergut gerade verlassen, um sich in Wien wieder ernsthaft dem Berufsleben zu widmen. Da begegnet ihm der Bergler Bernd Gamsjäger. Und der erzählt Geschichten von Hallstatt und dem Salzbergwerk, die Daniel Käfer schon bald mehr fesseln als jede Story aus der Stadt. Was hat es mit dem Mann im Salz auf sich? Ist er eine Art ›Hallstätter Ötzi‹? Ein archäologischer Fund wäre nicht nur eine touristische Sensation, sondern auch genau der journalistische Coup, der Käfer wieder ins Geschäft bringen könnte… Archäologische Abenteuer, Männerrituale und Frauen, die beschädigte Helden pflegen, halten Daniel Käfer in Atem. Für langweiligen Alltag bleibt später noch Zeit genug…

»Alfred Komareks blendendes Gespür für regionale Eigenheiten kommt hier wieder voll zum Einsatz.«
Brigitte, Hamburg

Narrenwinter

Roman

Daniel Käfer hat als Journalist nach wie vor nichts zu tun. Da bietet sich ihm die Chance, aus den verrückten Tagen etwas Ernsthaftes zu machen: Ein Buch über das legendäre Faschingstreiben im Salzkammergut soll er für ein Medienunternehmen in Hamburg schreiben. Freundin Sabine ist zwar nicht recht heiratswillig, aber die Fotos will sie gerne beisteuern. Fleckerlgewand und Karriere? Und das in der Scheinwelt der Medien? Ein Projekt, bei dem Käfer selbst zum Narren zu werden droht: *Die geschnitzten und bemalten Holzmasken vor den Gesichtern waren nicht symbolhaft starr, sondern verzerrten den Alltag variantenreich ins Groteske. Käfer erblickte bösen Biedersinn, hässliche Eitelkeit, grausamen Geiz, lächerliche Geilheit, plumpen Hochmut, kalte Schönheit.*

»Ein höllisches Panoptikum zügellosen Brauchtums.«
Dagmar Kaindl / News, Wien

Doppelblick
Roman

Es ist Frühling. Daniel Käfer macht in Hamburg Karriere – und steht in Graz am Grab seines Bruders: Zu viel Disziplin, zu viel Anspannung, zu viel Ärger hatte jener gehabt in all den Jahren. Wie hoch darf der Preis für beruflichen Erfolg sein? Käfer ist schon entschlossen, den nächsten Karriereschritt nicht zu tun und seine gemeinsame Zukunft mit Sabine zu festigen, als ihn ein Auftrag seines Konzerns ins Salzkammergut führt. Der Journalist soll ein geeignetes Haus finden für ein Seminarzentrum. Doch den ehemaligen Gasthof Doppelblick zu erwerben erweist sich als ebenso trickreich wie seine Beziehung zu Sabine.

»Doppelblick« heißt ein geheimnisvolles, verfallenes Haus hoch über Bad Ischl, in das sich Daniel Käfer verliebt. – Ein Streifzug durchs Salzkammergut auf den Spuren des sympathischen Eigenbrötlers Daniel Käfer.«
Rainer Elstner / Österreichischer Rundfunk, Wien

Polt.

Roman

Eigentlich ist Simon Polt im Ruhestand. Eigentlich. Zur Polizei, die nunmehr über die kleinen Dörfer im Wiesbachtal wacht, hat er kaum noch Kontakt – nur mit Norbert Sailer ist er befreundet, einem Ordnungshüter ganz nach seinem Geschmack. Doch nach einem gemeinsamen Zechgelage ist es um die Ruhe in Polts Leben schon wieder geschehen: Im Weingarten stolpern die beiden über die Leiche eines Mannes, den niemand gekannt haben will. Polt ist plötzlich nicht nur Zeuge, sondern zugleich Verdächtiger eines Verbrechens...

Vor der vertrauten Kulisse der Weinviertler Kellergassen entfaltet Alfred Komarek einen Kriminalroman voller Spannung, psychologischer Raffinesse und hintergründigem Humor – ein fulminanter Auftritt von Gendarmerie-Inspektor a. D. Simon Polt.

»Eine Mordsgegend. Wer zum ersten Mal kommt, fühlt sich trotz der freundlichen Aufnahme in eine fremde Welt versetzt. Nirgendwo sonst auf der Welt gibt es Kellergassen wie diese. Zum Glück nimmt uns Gendarmerie-Inspektor Polt mit auf Fahndung.« *Tobias Gohlis / Die Zeit, Hamburg*

Esmahan Aykol
im Diogenes Verlag

Esmahan Aykol wurde 1970 in Edirne in der Türkei geboren. Während des Jurastudiums arbeitete sie als Journalistin für verschiedene türkische Zeitungen und Radiosender. Darauf folgte ein Intermezzo als Barkeeperin. Heute konzentriert sie sich aufs Schreiben. Sie ist Schöpferin der sympathischen Kati-Hirschel-Romane, von denen weitere in Planung sind. Esmahan Aykol lebt in Berlin und Istanbul.

»Wer von der Schwermut skandinavischer Krimiautoren genug hat, ist bei Esmahan Aykol an der richtigen Adresse: Nicht in Eis, Schnee und Regen, sondern unter der sengenden Sonne Istanbuls deckt ihre herzerfrischend sympathische Heldin Kati Hirschel Mord und Totschlag auf.« *Deutsche Presseagentur*

»Esmahan Aykol ist eine warmherzige, vor allem aber kenntnisreiche Schriftstellerin.«
Angela Gatterburg / Der Spiegel, Hamburg

Goodbye Istanbul
Roman. Aus dem Türkischen von
Antje Bauer

Die Fälle für Kati Hirschel:

Hotel Bosporus
Roman. Deutsch von Carl Koß

Bakschisch
Roman. Deutsch von Antje Bauer

Scheidung auf Türkisch
Roman. Deutsch von Antje Bauer